NOUVELLES HISTOIRES EXTRAORDINAIRES

EDGAR ALLAN POE

Nouvelles histoires extraordinaires

TRADUCTION DE CHARLES BAUDELAIRE

INTRODUCTION DE MICHEL ZÉRAFFA

LE LIVRE DE POCHE

Chargé de recherche au Centre national de la recherche scientifique, Michel Zéraffa est docteur ès lettres. Portant sur l'évolution esthétique du roman occidental de 1920 à 1960, sa thèse (*Personne et Personnage*) a été publiée en 1969. Michel Zéraffa est aussi l'auteur de *Roman et Société*, et de nombreuses études d'esthétique littéraire. Il connaît particulièrement la littérature anglo-saxonne moderne, et a notamment traduit des textes de Henry James. Il est en outre romancier : *Le Temps des Rencontres* (1948), *L'Histoire* (1964).

INTRODUCTION

THÈMES ET LANGAGE DES
« NOUVELLES HISTOIRES
EXTRAORDINAIRES »

L'homme et ses masques.

L'HOMME ne coïncide pas avec lui-même, dira Dostoïevski. Mais déjà l'œuvre d'Edgar Poe avait montré que cette non-coïncidence, cette impossible identité, engendrent toutes les peurs dont l'homme est l'objet, — qu'elles soient d'ordre affectif, intellectuel, spirituel, métaphysique. Tantôt un autre soi-même le saisit, le traverse, le conduit au meurtre. Tantôt il cherche son complément en l'Autre, tel Roderick Usher en sa sœur, ou le roi de *Hop-Frog* en son nain. Tantôt il conçoit que seuls l'espace et le temps infinis de la mort lui rendront son unité, et là encore il se trompe. La mort vient toujours trancher cette quête d'une conscience une, indivisible, permanente, et ce n'est même pas la mort. C'est le néant.

La constante terreur du Double et du non-être, Baudelaire en fait apparaître les degrés, les catégories, le clavier dans les *Nouvelles Histoires extraordinaires*, publiées en 1857, soit un an après les *Histoires extraordinaires*[1]. Le poète français n'a pas suivi l'ordre de

---

1. Le lecteur pourra se reporter à notre introduction générale à l'œuvre de fiction d'Edgar Poe, qui précède l'édition des *Histoires extraordinaires* dans Le Livre de Poche Classique. La présente étude concerne spécialement les *Nouvelles Histoires*.

publication des *Contes* aux États-Unis, mais il a disposé ses traductions selon une ordonnance manifestement concertée. *Le Démon de la perversité*, qui vient en tête du recueil, condense, résume, explique un thème de l' « homme souterrain », de l' « autre latent » qui va revêtir divers aspects terrifiants dans *Le Chat noir*, *William Wilson*, *Bérénice*, *La Chute de la Maison Usher*. Puis « l'homme des foules » cherche en vain à se reconnaître parmi les autres hommes. Il ne fait aucun doute que le héros de *Le Puits et le Pendule* n'est torturé qu'en apparence par l'Inquisition : il est sa propre victime, son propre bourreau; son autre Moi se resserre autour de lui pour l'écraser, ou bien s'ouvre devant lui comme un puits sans fond, cependant que le pendule acéré du temps (nouvelle forme de la faux de la Mort) poursuit sa descente vers son corps attaché. A ces formes de la terreur psychologique succèdent celles du monstrueux ou du carnavalesque. Avec *Hop-Frog*, *Le roi Peste*, *Le Diable dans le beffroi*, Edgar Poe fait passer en littérature l'humanité mutilée, déformée ou zoomorphique de Jérôme Bosch. Se manifeste ensuite la terreur spirituelle dans *Monos et Una*, et une terreur métaphysique, pascalienne si l'on veut, dans *Eiros et Charmion*, qui annonce le grand essai de philosophie scientifique *Eurêka*. Enfin il s'agira essentiellement de terreur esthétique dans les *Histoires* qui terminent le recueil, — *Silence*, *L'Ile de la Fée*, *Le Portrait ovale*. Poe y montre que tout art (toute mise en forme de la vie) ne fait que représenter l'idée même de la mort.

Par là, surtout, Baudelaire peut se reconnaître en

Edgar Poe. « Belle comme un rêve de pierre », l'œuvre esthétique est un masque mortuaire qui fige harmonieusement les accidents de la nature et de la vie ; elle restitue à l'humain une unité enfin évidente, mais inutile, abstraite, consolatrice pour le seul artiste qui l'élabora. Pour obtenir le résultat d'éternité formelle qu'il recherche, l'artiste soutire à son modèle (autrui ou lui-même) sa substance vivante. Comme on avive une blessure, il avive sa propre dualité pour l'unifier esthétiquement, et mortellement. L'art pour l'art, c'est la vie pour l'art, l'existence sacrifiée à la réussite de l'écriture. *Le Portrait ovale* fonde un thème et un mythe de l'art marmoréen, silencieux, immobile, — de l'art comme arrêt transfigurateur de la vie —, dont d'autres images seront bientôt proposées par le *Dorian Gray* de Wilde, l'*Ève future* de Villiers, les poèmes de Mallarmé et de Valéry. A travers l'œuvre narrative et poétique d'Edgar Poe, considérée dans la rigueur de ses formes de composition comme dans la clarté de ses thèmes, se lit le mythe d'un Prométhée dérobant à des puissances inconnues non plus le feu, mais le gel. L'audace de l'artiste, et la culpabilité qu'elle implique, son travail de composition, et enfin le spectacle « immobile » de son œuvre achevée, ne suscitent pas moins la peur que l'apparition de l'« autre » William Wilson, ou celle du chat noir pris dans un plâtre sanglant.

Ces faces, ces aspects divers de la terreur sont toutes traversées par un même fil profondément rationnel. Toujours l'esprit et ses démarches (déductives, inductives, conceptualisantes, sans oublier le raisonnement par analogie) sont à la fois mises en

valeur et en question par Edgar Poe. La démence du
Roi Peste (qui nous évoque celle du Dr Caligari), la
mauvaise conscience du narrateur du *Chat noir*, le
froid délire de l'Egyptien qui, après 2 000 ans de
sarcophage, fumera un cigare avec des « savants » de
1840, le Silence venant figer les scandaleuses agitations
terrestres, — tous ces discours de terreur ou de terro-
risme, qu'ils soient écrits sur un mode lyrique ou sur
un mode ironique, se développent en fonction de
l'idée de nécessité, au sens logique du terme. La raison
de l'homme est double comme sa personne, son Moi,
ses fantasmes : il n'y a jamais, chez Poe, d'un côté le
rêve, de l'autre la réalité, mais toujours deux raisons
parallèles dont l'écart est variable, allant du contact
à la « coupure ».

Il était logiquement nécessaire d'assassiner un
vieillard innocent en apparence, mais coupable de
regarder la lutte de son futur meurtrier avec lui-même.
Il ne sera pas moins logique que ce meurtrier permette
aux policiers d'entendre le cœur du mort battre sous
le plancher. Lors de l'accomplissement du crime, puis
de l'effacement de ses traces, l'inconscient referme
son piège sur le conscient, alors que celui-ci croyait
au contraire avoir anéanti celui-là. Les deux raisons,
la cachée et l'apparente, restent symétriques, et cette
symétrie par opposition vient admirablement struc-
turer la narration. Dans la première phase de l'action
et du récit (on ne peut les disjoindre chez Edgar Poe)
le silence du vieil homme (de son regard) est accouplé,
contradictoirement, avec celui de l'assassinat, —
silence auquel s'adjoint l'obscurité que l'assassin

prend soin d'établir sur la scène du crime. Mais plus
silencieux, plus obscur encore est le « démon de la
perversité », qui depuis ses profondeurs tire les fils des
actes « conscients » du héros-narrateur. Dans la
seconde phase du récit au contraire, la lumière du
jour et les voix humaines viennent s'associer au couple
déchiré que forment maintenant deux présences
sonores : les paroles du criminel, le bruit de son
inconscient. Au thème profondeur-obscurité-silence
succède le thème surface-lumière-sons. En vain le criminel cherche-t-il à doubler d'un plancher de mots le
plancher réel sous quoi gît le cadavre : le « démon de
la perversité » vient vite crever cette surface verbale.
Une semblable symétrie des contraires constitue la
structure narrative du *Chat noir*, de *William Wilson*, du
Masque de la Mort Rouge : regard-silence d'une part,
verbe et lumière de l'autre. Faire la lumière, chez
Edgar Poe, c'est faire la mort. Conséquences du silence
des profondeurs, les bruits et les lueurs accompagnent
l'éclatement de la vérité, et ramènent l'homme au
silence de la mort. Observons en outre qu'à la fin de
presque tous les contes de Poe la mort n'est qu'imminente : c'est son seuil qui vient clôturer le récit.

Le langage narratif d'Edgar Poe.

Ce récit met d'accord le discours dissimulateur du
criminel (ou du coupable), et la réalité secrète (l'inconscient) qui sans cesse parle sous ce discours. En
effet, si la mort physique (imminente le plus souvent)
dissout dans le néant l'homme et son double, en

revanche le récit conclut le drame du Double : « ce qu'il fallait démontrer... » dit en transparence l'écrivain à la fin de chaque *Histoire*. L'écriture de Poe triomphe du néant qu'elle démontre grâce à un système de composition, à une rhétorique dont l'écrivain ne cherche à masquer ni la présence, ni même les articulations. Cette rhétorique nous paraît consister essentiellement en une maîtrise, par le discours littéraire, d'un discours vécu : ce discours se trouve pris dans une forme au plus haut point « écrite » sans être pour autant dénaturé par celle-ci. A travers le texte d'Edgar Poe se reconnaît aisément un discours parlé dont use le héros pour faire appel à son « autre Moi » et en même temps dresser contre ce double une vaine défense. Dès le début de chaque conte, le verbe se discerne sous l'écrit. C'est que les narrateurs d'Edgar Poe, toujours anonymes même quand ils portent un nom, sont des écrivains au premier degré. Ils savent raconter, mais non narrer. « William Wilson » a devant lui « une page vierge ». Le narrateur du *Chat noir* va « coucher par écrit une très étrange et familière histoire ». Celui du *Cœur révélateur* veut faire observer « avec quelle santé, avec quel calme » il racontera « toute l'histoire ». Dans *Bérénice*, en revanche, narrateur et écrivain sont presque indissociables, mais il s'agit de l'œuvre où Poe s'est traduit lui-même (a traduit son « inspiration ») avec le plus de netteté. Le plus souvent, l'écrivain attaque son sujet en mettant en scène son double : celui qui relate des événements. C'est cette relation même que l'écrivain met en forme. Le titre original du *Cœur révélateur* était *The Tell-Tale*

Heart : le cœur qui raconte. Nous sommes en présence de trois niveaux narratifs : le cœur du vieillard dit des faits ; le narrateur raconte leur histoire ; l'écrivain écrit ce récit. On ne peut négliger cette gradation logique des faits à la parole et de la parole à l'écriture quand on considère le langage narratif d'Edgar Poe.

Le protagoniste d'une histoire qui va finir par sa mort dispose seulement d'un discours (d'un « compte rendu », d'un « rapport ») pour démontrer qu'il a agi malgré lui, — sous l'action d'un double. Voulant prouver qu'il n'est pas le véritable auteur d'un crime, il doit se présenter comme l'auteur d'une histoire. Mais cette histoire n'est que justificatrice, accusatrice, compensatoire. La vraie revanche sur la mort, c'est Edgar Poe qui la prend par l'écriture. Avec une attention aiguë, qui sans doute le fait souffrir, Edgar Poe écoute les discours que lui tiennent les victimes du Double ; Roderick Usher, le héros du *Chat noir*, ou « William Wilson ». Mais par ces relations parlées, que Poe laisse voir par transparence à son lecteur, ces personnages savent seulement dire que la puissance du « Démon de la Perversité » est imprescriptible, et qu'en conséquence ils sont innocents des crimes qu'ils ont commis.

Cette puissance, par contre, la rhétorique du récit va la rendre « prescriptible ». La vraie innocence, la vraie paix ne sont obtenues que grâce à l'esthétique.

Il faut en effet constater que l'organisation rhétorique des *Histoires* nous fait presque oublier l'horreur ou l'étrangeté des événements qui en composent la substance. Mais pour parvenir à ce résultat il fallait d'abord se fier à la logique du discours humain, après l'avoir comprise et admise. Edgar Poe a vu que nos délires sont non pas irrationnels, mais sur-rationnels. Il a vu, comme Kafka le verra plus tard, que si soumis soit-il au démon de la Perversité (qui nous fait agir « pour la raison *que nous ne le voudrions pas* ») l'homme dispose néanmoins d'un discours dont la valeur, en dépit des distorsions que lui impose l'inconscient, tient à son pouvoir de communication. Ce pouvoir — et ces distorsions — Edgar Poe le prend pleinement à son compte. Il sait que l'homme coupable recouvre d'un voile trop organisé de mots le trouble d'un non-être dont il a à la fois envie et peur de voir apparaître le « complément ». Dans les huit premières *Nouvelles Histoires extraordinaires* le narrateur ne voile que pour dévoiler. Son lent discours est prémonitoire : c'est une annonce faite au désir et à la peur de voir se manifester un « chat noir », les « dents de Bérénice », une « chute de la Maison Usher », un « autre William Wilson » qui précisément déchireront ce discours, à une ou deux pages seulement du terme du récit, et parfois à quelques lignes. D'où la justesse d'une observation de Bachelard :

« L'effroi, chez Poe, est tout entier en préambules. Le doute sur la réalité de l'objet effrayant tonalise la frayeur. Le doute donne à la frayeur des ondulations qui font chavirer l'âme la plus courageuse. On ne comprend pas bien la psychologie de la *peur suggérée* si l'on n'instaure pas ce rythme du doute intellectuel et de la crainte irraisonnée. Les hallucinations décrites en psychiatrie manquent de cette ondulation cruelle où l'être tour à tour détruit et renouvelle sa peur. La notion d'*effroi incertain* où intervient un doute sur la réalité de l'objet d'effroi est finalement d'une essence ontologique plus poignante que la conscience d'un danger évidemment présent et réel. » (Introduction aux *Aventures d'Arthur Gordon Pym.*)

Ces préambules constituent le récit lui-même, l'art du récit, et sa technique, qui est celle d'un dévoilement « retenu » de la vérité. Lire un conte de Poe, c'est développer la feuille de papyrus (de papier) qui enrobe une momie tout ensemble morte et vivante, puis avoir avec elle une discussion sur la vérité, sur l'évidence tragique du non-être. Le terme grec d'*alèthèia* (vérité) signifie l'enlèvement du voile opaque recouvrant la présence effective des êtres et des choses. Ce voile est celui d'un sommeil (*lèthè*) où les dieux enferment depuis toujours et pour toujours la réalité humaine. Bachelard a montré l'importance, chez Poe, de ce fleuve obscur et dormant sur lequel se trace l'écriture, en sorte que cette « eau lourde » se trouve être à la fois niée et affirmée, blessée et révélée par le développement du récit. Cette eau lourde a dans les *Histoires* deux fonctions dominantes : refléter les choses, tel le « miroir immobile » du « noir et lugubre étang » devant quoi se dresse la Maison Usher, — et entraîner lentement les hommes vers leur perte. Ainsi se présente le plus souvent l'écriture narrative, dont les remous, les arabesques pesants savent retarder la crise de la vérité. Écriture « hydrique » (le terme est de Bachelard, dont on peut dire qu'elle agit comme un révélateur photographique. Le style, la rhétorique d'Edgar Poe doublent la parole humaine à la façon d'un miroir dont le pouvoir de réfléchir des objets serait complété par celui d'accroître, d'intensifier leur présence. Le chat noir, le « pendule », la Maison Usher, les faux singes de *Hop-Frog* sont exprimés trait pour trait, et pourtant démesurément grossis. Cette précision et cette démesure, Poe les obtient parce que son langage dirige l'attention du lecteur sur des mots qui, à leur tour, braquent leur lentille sur des choses. S'il faut des choses pour engendrer des mots, les choses n'accèdent à l'existence qu'en tant qu'elles sont nommées. Le mot, le nom, constituent le point central de la rhétorique narrative. Autour d'un point verbal s'engendre, comme on le dit d'une figure géométrique, le mouvement du discours écrit. Le mot « chat », le mot « pendule », les mots « chou » et « horloge » (dans *Le Diable dans le beffroi*) sont plus que réels dans les *Histoires* : ils sont concrets.

Certes, ce mouvement autour d'un point, cet engendrement de la figure narrative ont lieu d'abord dans la pensée et dans l'imagination de l'écrivain, comme celui-ci nous l'apprend dans son seul conte où l'horreur l'emporte sur la terreur : *Bérénice*. Atteint de « monomanie » (on dirait sans doute aujourd'hui : névrose obsessionnelle), le narrateur de *Bérénice* est doué d'une imagination focalisante, tout opposée à l'imagination centrifuge propre à la rêverie. En effet un objet « *frivole* » (perçu par hasard, mais l'on sait par Freud que ces hasards sont déterminés) ne provoque pas une dissémination, une dérive de ses pensées. Celles-ci, au contraire, se resserrent en une « *intensité d'intérêt* » sur l'objet rencontré. La fascination s'accentuera jusqu'à ce que le point-objet originel vienne occuper tout l'espace de la conscience du héros, — mais elle ne prendra corps, n'existera vraiment qu'à l'instant où elle sera transmuée en un mot. La denture de Bérénice, partie obsédante, envahissante, devenant enfin Bérénice elle-même pour le narrateur, devra être nommée dans ses « divisions » mêmes (« Les dents! — Les dents! Elles étaient là, — et puis là, — et partout ») pour que ce narrateur passe d'un lent discours-préambule sur sa peur à une action précipitée et démente qui réalise cette peur. L'apparition éclatante, déchirante du mot a la même valeur, la même fonction dans *Le Chat noir*, *William Wilson*, *Le Cœur révélateur*.

Les dégradations d'une unité perdue.

Tous les contes de Poe obéissent à ce principe de métonymie : la partie est prise pour le tout. La métonymie s'exerce à trois niveaux : psychologiquement, un détail, un objet devient obsession, ou plutôt signifie une obsession; ce détail devient un mot prononcé par le narrateur, et ce mot sera écrit par Edgar Poe, qui en fait un point majeur d'articulation du développement narratif.

Toutes les *Histoires* s'appuient sur cette concordance entre une réalité obsessionnelle ponctuelle, la parole qui la dit, et le procédé littéraire qui exploite cette parole. Le scarabée d'or, c'est avant tout l'or du

scarabée, comme l'a montré J. Ricardou. Les aco-
lytes du Roi Peste se signalent par la démesure
monstrueuse d'une partie du visage, l'un le front,
l'autre le nez, ou l'oreille. L'œil du chat noir désigne
d'une part tout l'animal, de l'autre la présence totale,
universelle, de la « perversité ». Les personnages du
Diable dans le beffroi ne savent vivre qu'entre des choux
et des horloges : entre des points de l'Espace et des
points du Temps. De même, le vieillard de *L'homme
des foules* ne peut-il admettre qu'un individu ne fasse
pas partie intégrante d'une totalité humaine.

Cette totalité n'existe plus. Il en est de la métonymie comme du Double : ce sont les parties rési-
duelles d'une unité humaine révolue, perdue. Si l'idée
centrale d'Edgar Poe concerne un homme double,
partagé, disjoint, sa préoccupation intellectuelle
dominante vise l'idée d'être, ou d'identité, comme il
le dit expressément dans *Ligeia*. Contes et poèmes
témoignent d'une démarche allant du général au particulier, d'une universalité dont on se « souvient » à ses
restes, à ses signes maintenant épars. On lit au début
de Bérénice :

« Mais, comme en éthique, le mal est la conséquence du bien, de même, dans la réalité, c'est de la
joie qu'est né le chagrin; soit que le souvenir du
bonheur passé fasse l'angoisse d'aujourd'hui, soit
que les agonies qui *sont* tirent leur origine des extases
qui *peuvent avoir été* »...

et au début du *Cœur révélateur* :

« J'ai entendu toutes choses du ciel et de la terre.
J'ai entendu bien des choses de l'enfer... »

Il faut également souligner la puissance du mot *Ressuscité!* qui ouvre le *Colloque entre Monos et Una,* c'est-à-dire entre un élément masculin grec et un élément féminin latin, les deux mots signifiant à la fois un et unique. On pourrait croire que dans ce texte Edgar Poe va exalter la présence d'un Être, d'une totalité retrouvés après la mort. Le récit de Monos, au contraire, concernera l'histoire d'une humanité qui, de paroles en paroles, de science en science, de progrès en progrès (toutes choses haïes de l'écrivain) s'est effritée jusqu'à l'anéantissement. Une fois mort, une fois au tombeau, le sage et malheureux Monos va découvrir, tenant lieu d'Être, un *espace* et un *temps.* La métonymie reprend ses droits : la mort n'est qu'un néant nommé, — localisé, temporalisé seulement.

Chaque *Histoire* narre le démembrement d'une unité perdue, oubliée, méconnue. La Maison Usher (la maison-mère) se dresse encore dans les brumes et sur les marais, mais une lézarde la partage depuis toujours, et elle s'effondrera sous l'effet du combat œdipien que se livrent Roderick Usher et Madeline. De même, aimanté par une barrique d'amontillado, un homme ivre a oublié l'existence de la vie, de la mort et du mal. Cette perte, cette déperdition de l'unité des hommes, de la conscience humaine, de la pensée même (Poe est « platonicien ») l'écrivain les rend d'autant plus sensibles que ses contes débutent avec la vivacité, la brutalité d'un rideau de scène qui serait d'un seul coup arraché : cet artiste du préambule met sans préambule le lecteur dans une situation qui, littéralement, l'enveloppe.

Une récente étude de Mlle Pinto (*Revue d'esthétique*, 1971) a mis en évidence la nostalgie d'Edgar Poe à l'égard de cet ordre du mythe si bien analysé par Cl. Lévi-Strauss. L'auteur des *Histoires* dénombre et rassemble les morceaux épars d'une littérature et d'une pensée qui avaient été fondées sur l'existence d'un univers cohérent, permanent, inaltérable. La substance des récits de Poe peut en effet se comparer aux dents de Bérénice : une denture avait d'abord fasciné le narrateur, mais sur le cadavre de sa fiancée il récoltera seulement des dents qu'il enfermera dans une boîte. Mais nous disons bien : la substance, car grâce à la composition de ses contes, — nous dirons même : grâce à l'idée de composition — l'écrivain va remplacer par son écriture une unité humaine oubliée, une alliance défaite entre l'homme et la nature. Présentant *La Genèse d'un Poème*, Baudelaire fera cette observation très juste :

« La poétique est faite, nous disait-on, et modelée d'après les poèmes. Voici un poète qui prétend que son poème a été composé d'après sa poétique. »

Mais Baudelaire ajoute, à propos du célèbre *Nevermore* :

« De cette idée, l'immensité, fécondée par la destruction, est remplie de haut en bas, et l'humanité, non abrutie, accepte volontiers l'Enfer, pour échapper au désespoir irrémédiable contenu dans cette parole. »

« Fécondée par la destruction » : en effet le rapport dégradation-reconstruction s'inscrit dans toute l'œuvre de Poe. On peut dire que la différence de niveau entre une réalité (psychologique ou « concrète ») qui se défait, et la nécessaire rigueur rhétorique qui doit compenser cette réalité dégradée, confère aux *Histoires* une énergie, une solidité et une vraisemblance qu'on ne retrouve à un tel degré que chez Lautréamont et Kafka.

La dégradation, Edgar Poe l'observe dans un monde où, comme il l'écrit dans *Monos et Una*, « les vertes feuilles se recroquevillèrent devant la chaude haleine des fourneaux ». Il la dénote plus encore dans la littérature « fantastique » de son temps, qui à ses yeux dégrade l'ordre littéraire classique. Enfin il la sent en lui-même, — dans le langage de sa propre conscience, langage toujours en quête d'une raison extrême, — « impossible ».

Or le dégradé est toujours proliférant. Les contorsions d'une Nature agonisant sous les effets d'une civilisation industrielle, la tuberculose de sa femme Virginia, le style des romans noirs de Mrs. Radcliffe ou des récits gothiques allemands, ses propres délires ou fantasmes (qui lui suggèrent des termes d'obscurité en fusion, d'eaux lourdes ou dormantes, de lignes spiralées), les remous encore des foules dans les villes, — tout constitue aux yeux d'Edgar Poe un univers aux expansions maladives autant qu'infinies, aux arabesques interminables, aux incessantes et perverses germinations venant masquer un Ordre perdu. Un univers à tous égards baroque. L'un des meilleurs lecteurs de Poe, J. L. Borges, appelle baroque « le style qui épuise délibérément (ou tente d'épuiser) toutes ses possibilités, et qui frôle sa propre caricature » (*Histoire de l'Infamie*, prologue). Style, mais aussi réalité. Des événements qui l'ont « terrifié, torturé, anéanti », le narrateur du *Chat noir* dit qu' « à beaucoup de personnes ils paraîtront moins terribles que *baroques* ». Le phénomène de dégradation-prolifération semble être à Edgar Poe universel : il établit une différence non de nature mais de degré entre la solennité lugubre de la Maison Usher et l'aspect lugubrement carnavalesque du Roi Peste. Dans les deux cas le déséquilibre, le monstrueux, la fission, l'effritement sont donnés non comme des états, mais comme des processus tuberculeux destinés à un engloutissement final, et qu'il faut traduire par une écriture adéquate : chargée d'arabesques. Saturée de méandres, la pensée des héros d'Edgar Poe est rendue par un discours se repliant lui aussi plusieurs fois sur lui-même.

Pourtant l'écrivain n'*imite* pas ce baroque humain, psychique, littéraire dont il est le témoin et la victime : il le *re-produit*. Prenant ironiquement ses distances avec un univers aux multiples et maladives excroissances, Edgar Poe le fixe, le gèle. D'un discours coulant et tentaculaire il fait un discours labyrinthique, explicitement circonvolutif qui oriente le lecteur vers un essentiel « effet ». Mais ce dessein et ce dessin en forme de labyrinthe, l'écrivain les a conçus dans leur ensemble avant de décider sur quel point il allait, chaque fois, les articuler par l'écriture. L'idée même de rhétorique, le concept même de composition préexiste à cette création d'harmonies imitatives dont la « Maison Usher » représente à la fois la complexité et le silence.

MICHEL ZÉRAFFA.

LE DÉMON
DE LA PERVERSITÉ

Dans l'examen des facultés et des penchants, — des mobiles primordiaux de l'âme humaine, — les phrénologistes ont oublié de faire une part à une tendance qui, bien qu'existant visiblement comme sentiment primitif, radical, irréductible, a été également omise par tous les moralistes qui les ont précédés. Dans la parfaite infatuation de notre raison, nous l'avons tous omise. Nous avons permis que son existence échappât à notre vue, uniquement par manque de croyance, — de foi, — que ce soit la foi dans la Révélation ou la foi dans la Cabale. L'idée ne nous en est jamais venue, simplement à cause de sa qualité surérogatoire. Nous n'avons pas senti le besoin de constater cette impulsion, — cette tendance. Nous ne pouvions pas en concevoir la nécessité. Nous ne pouvions pas saisir la notion de ce *primum mobile*, et, quand même elle se serait introduite de force en nous, nous n'aurions jamais pu comprendre quel rôle il jouait dans l'économie des choses humaines, temporelles

ou éternelles. Il est impossible de nier que la phrénologie et une bonne partie des sciences métaphysiques
ont été brassées *a priori*. L'homme de la métaphysique
ou de la logique, bien plutôt que l'homme de l'intelligence et de l'observation, prétend concevoir les desseins
de Dieu, — lui dicter des plans. Ayant ainsi approfondi à sa pleine satisfaction les intentions de Jéhovah,
d'après ces dites intentions, il a bâti ses innombrables
et capricieux systèmes. En matière de phrénologie,
par exemple, nous avons d'abord établi, assez naturellement d'ailleurs, qu'il était dans les desseins de
la Divinité que l'homme mangeât. Puis nous avons
assigné à l'homme un organe d'alimentivité, et cet
organe est le fouet avec lequel Dieu contraint l'homme
à manger, bon gré, mal gré. En second lieu, ayant
décidé que c'était la volonté de Dieu que l'homme
continuât son espèce, nous avons découvert tout de
suite un organe d'amativité. Et ainsi ceux de la combativité, de l'idéalité, de la causalité, de la construc-
tivité, — bref, tout organe représentant un penchant,
un sentiment moral ou une faculté de la pure intelligence. Et dans cet emménagement des principes de
l'action humaine, des Spurzheimistes, à tort ou à
raison, en partie ou en totalité, n'ont fait que suivre,
en principe, les traces de leurs devanciers; déduisant
et établissant chaque chose d'après la destinée pré-
conçue de l'homme et prenant pour base les intentions
de son Créateur.

Il eût été plus sage, il eût été plus sûr de baser notre
classification (puisqu'il nous faut absolument classi-
fier) sur les actes que l'homme accomplit habituelle-

ment et ceux qu'il accomplit occasionnellement,
toujours occasionnellement, plutôt que sur l'hypothèse que c'est la Divinité elle-même qui les lui fait
accomplir. Si nous ne pouvons pas comprendre Dieu
dans ses œuvres visibles, comment donc le compren-
drions-nous dans ses inconcevables pensées, qui
appellent ces œuvres à la Vie? Si nous ne pouvons le
concevoir dans ses créatures objectives, comment le
concevrons-nous dans ses modes inconditionnels et
dans ses phases de création?

L'induction *a posteriori* aurait conduit la phrénologie à admettre comme principe primitif et inné de
l'action humaine un je ne sais quoi paradoxal, que
nous nommerons *perversité*, faute d'un terme plus
caractéristique. Dans le sens que j'y attache, c'est,
en réalité, un mobile sans motif, un motif non motivé.
Sous son influence, nous agissons sans but intelligible; ou, si cela apparaît comme une contradiction
dans les termes, nous pouvons modifier la proposition jusqu'à dire que, sous son influence, nous agissons par la raison que *nous ne le devrions pas*. En théorie,
il ne peut pas y avoir de raison plus déraisonnable;
mais, en fait, il n'y en a pas de plus forte. Pour certains esprits, dans de certaines conditions, elle devient
absolument irrésistible. Ma vie n'est pas une chose
plus certaine pour moi que cette proposition : la
certitude du péché ou de l'erreur inclus dans un acte
quelconque est souvent l'unique *force* invincible qui
nous pousse, et seule nous pousse à son accomplissement. Et cette tendance accablante à faire le mal pour
l'amour du mal n'admettra aucune analyse, aucune

résolution en éléments ultérieurs. C'est un mouvement radical, primitif, — élémentaire. On dira, je m'y attends, que, si nous persistons dans certains actes parce que nous sentons que nous *ne devrions pas* y persister, notre conduite n'est qu'une modification de celle qui dérive ordinairement de la *combativité* phrénologique. Mais un simple coup d'œil suffira pour découvrir la fausseté de cette idée. La combativité phrénologique a pour cause d'existence la nécessité de la défense personnelle. Elle est notre sauvegarde contre l'injustice. Son principe regarde notre bien-être; et ainsi, en même temps qu'elle se développe, nous sentons s'exalter en nous le désir du bien-être. Il suivrait de là que le désir du bien-être devrait être simultanément excité avec tout principe qui ne serait qu'une modification de la combativité; mais, dans le cas de ce je ne sais quoi que je définis *perversité*, non-seulement le désir du bien-être n'est pas éveillé, mais encore apparaît un sentiment singulièrement contradictoire.

Tout homme, en faisant appel à son propre cœur, trouvera, après tout, la meilleure réponse au sophisme dont il s'agit. Quiconque consultera loyalement et interrogera soigneusement son âme, n'osera pas nier l'absolue radicalité du penchant en question. Il n'est pas moins caractérisé qu'incompréhensible. Il n'existe pas d'homme, par exemple, qui à un certain moment n'ait été dévoré d'un ardent désir de torturer son auditeur par des circonlocutions. Celui qui parle sait bien qu'il déplaît; il a la meilleure intention de plaire; il est habituellement bref, précis et clair;

le langage le plus laconique et le plus lumineux s'agite et se débat sur sa langue; ce n'est qu'avec peine qu'il se contraint lui-même à lui refuser le passage, il redoute et conjure la mauvaise humeur de celui auquel il s'adresse. Cependant, cette pensée le frappe, que par certaines incises et parenthèses il pourrait engendrer cette colère. Cette simple pensée suffit. Le mouvement devient une velléité, la velléité se grossit en désir, le désir se change en un besoin irrésistible, et le besoin se satisfait, — au profond regret et à la mortification du parleur, et au mépris de toutes les conséquences.

Nous avons devant nous une tâche qu'il nous faut accomplir rapidement. Nous savons que tarder, c'est notre ruine. La plus importante crise de notre vie réclame avec la voix impérative d'une trompette l'action et l'énergie immédiates. Nous brûlons, nous sommes consumés de l'impatience de nous mettre à l'ouvrage; l'avant-goût d'un glorieux résultat met toute notre âme en feu. Il faut, il faut que cette besogne soit attaquée aujourd'hui, — et cependant nous la renvoyons à demain; — et pourquoi? Il n'y a pas d'explication, si ce n'est que nous sentons que cela est *pervers;* — servons-nous du mot sans comprendre le principe. Demain arrive, et en même temps une plus impatiente anxiété de faire notre devoir; mais avec ce surcroît d'anxiété arrive aussi un désir ardent, anonyme, de différer encore, — désir positivement terrible, parce que sa nature est impénétrable. Plus le temps fuit, plus ce désir gagne de force. Il n'y a plus qu'une heure pour l'action, cette heure est à nous.

Nous tremblons par la violence du conflit qui s'agite
en nous, — de la bataille entre le positif et l'indéfini,
entre la substance et l'ombre. Mais, si la lutte en est
venue à ce point, c'est l'ombre qui l'emporte, — nous
nous débattons en vain. L'horloge sonne, et c'est le
glas de notre bonheur. C'est en même temps pour
l'ombre qui nous a si longtemps terrorisés le chant
réveille-matin, la diane du coq victorieuse des fantômes. Elle s'envole, — elle disparaît, — nous sommes
libres. La vieille énergie revient. Nous travaillerons
maintenant. Hélas! il est *trop tard*.

Nous sommes sur le bord d'un précipice. Nous
regardons dans l'abîme, — nous éprouvons du malaise et du vertige. Notre premier mouvement est de
reculer devant le danger. Inexplicablement nous
restons. Peu à peu notre malaise, notre vertige, notre
horreur se confondent dans un sentiment nuageux
et indéfinissable. Graduellement, insensiblement, ce
nuage prend une forme, comme la vapeur de la
bouteille d'où s'élevait le génie des *Mille et une Nuits*.
Mais de *notre* nuage, sur le bord du précipice, s'élève,
de plus en plus palpable, une forme mille fois plus
terrible qu'aucun génie, qu'aucun démon des fables;
et cependant ce n'est qu'une pensée, mais une pensée
effroyable, une pensée qui glace la moelle même de
nos os, et les pénètre des féroces délices de son horreur.
C'est simplement cette idée : Quelles seraient nos
sensations durant le parcours d'une chute faite d'une
telle hauteur? Et cette chute, — cet anéantissement
foudroyant, — par la simple raison qu'ils impliquent
la plus affreuse, la plus odieuse de toutes les plus

affreuses et de toutes les plus odieuses images de mort et de souffrance qui se soient jamais présentées à notre imagination, — par cette simple raison, nous les désirons alors plus ardemment. Et parce que notre jugement nous éloigne violemment du bord, *à cause de cela même*, nous nous en rapprochons plus impétueusement. Il n'est pas dans la nature de passion plus diaboliquement impatiente que celle d'un homme qui, frissonnant sur l'arête d'un précipice, rêve de s'y jeter. Se permettre, essayer de *penser* un instant seulement, c'est être inévitablement perdu; car la réflexion nous commande de nous en abstenir, et c'est *à cause de cela même*, dis-je, que nous *ne le pouvons pas*. S'il n'y a pas là un bras ami pour nous arrêter, ou si nous sommes incapables d'un soudain effort pour nous rejeter loin de l'abîme, nous nous élançons, nous sommes anéantis.

Examinons ces actions et d'autres analogues, nous trouverons qu'elles résultent uniquement de l'esprit de *perversité*. Nous les perpétrons simplement à cause que nous sentons que *nous ne le devrions pas*. En deçà ou au-delà, il n'y a pas de principe intelligible; et nous pourrions, en vérité, considérer cette perversité comme une instigation directe de l'Archidémon, s'il n'était pas reconnu que parfois elle sert à l'accomplissement du bien.

Si je vous en ai dit aussi long, c'était pour répondre en quelque sorte à votre question, — pour vous expliquer pourquoi je suis ici, — pour avoir à vous montrer un semblant de cause quelconque qui motive ces fers que je porte et cette cellule de condamné que j'habite.

Si je n'avais pas été si prolixe, ou vous ne m'auriez pas du tout compris, ou, comme la foule, vous m'auriez cru fou. Maintenant vous percevrez facilement que je suis une des victimes innombrables du Démon de la Perversité.

Il est impossible qu'une action ait jamais été manigancée avec une plus parfaite délibération. Pendant des semaines, pendant des mois, je méditai sur les moyens d'assassinat. Je rejetai mille plans, parce que l'accomplissement de chacun impliquait une *chance* de révélation. A la longue, lisant un jour quelques mémoires français, je trouvai l'histoire d'une maladie presque mortelle qui arriva à madame Pilau, par le fait d'une chandelle accidentellement empoisonnée. L'idée frappa soudainement mon imagination. Je savais que ma victime avait l'habitude de lire dans son lit. Je savais aussi que sa chambre était petite et mal aérée. Mais je n'ai pas besoin de vous fatiguer de détails oiseux. Je ne vous raconterai pas les ruses faciles à l'aide desquelles je substituai, dans le bougeoir de sa chambre à coucher, une bougie de ma composition à celle que j'y trouvai. Le matin, on trouva l'homme mort dans son lit, et le verdict du coroner fut : *Mort par la visitation de Dieu*[1].

J'héritai de sa fortune, et tout alla pour le mieux pendant plusieurs années. L'idée d'une révélation n'entra pas une seule fois dans ma cervelle. Quant aux restes de la fatale bougie, je les avais moi-même anéantis. Je n'avais pas laissé l'ombre d'un fil qui pût servir

1. Formule anglaise : mort subite (C. B.)

à me convaincre ou même me faire soupçonner du crime. On ne saurait concevoir quel magnifique sentiment de satisfaction s'élevait dans mon sein quand je réfléchissais sur mon absolue sécurité. Pendant une très-longue période de temps, je m'accoutumai à me délecter dans ce sentiment. Il me donnait un plus réel plaisir que tous les bénéfices purement matériels résultant de mon crime. Mais à la longue arriva une époque à partir de laquelle le sentiment de plaisir se transforma, par une gradation presque imperceptible, en une pensée qui me hantait et me harassait. Elle me harassait parce qu'elle me hantait. A peine pouvais-je m'en délivrer pour un instant. C'est une chose tout à fait ordinaire que d'avoir les oreilles fatiguées, ou plutôt la mémoire obsédée par une espèce de tintouin, par le refrain d'une chanson vulgaire ou par quelques lambeaux insignifiants d'opéra. Et la torture ne sera pas moindre, si la chanson est bonne en elle-même ou si l'air d'opéra est estimable. C'est ainsi qu'à la fin je me surprenais sans cesse rêvant à ma sécurité, et répétant cette phrase à voix basse : *Je suis sauvé!*

Un jour, tout en flânant dans les rues, je me surpris moi-même à murmurer, presque à haute voix, ces syllabes accoutumées. Dans un accès de pétulance, je les exprimais sous cette forme nouvelle : *Je suis sauvé, — je suis sauvé; — oui, — pourvu que je ne sois pas assez sot pour confesser moi-même mon cas!*

A peine avais-je prononcé ces paroles, que je sentis un froid de glace filtrer jusqu'à mon cœur. J'avais acquis quelque expérience de ces accès de perversité (dont je n'ai pas sans peine expliqué la singulière nature), et je me rappelais fort bien que dans aucun cas je n'avais su résister à ces victorieuses attaques. Et maintenant cette suggestion fortuite, venant de moi-même, — que je pourrais bien être assez sot pour confesser le meurtre dont je m'étais rendu coupable, — me confrontait comme l'ombre même de celui que j'avais assassiné, — et m'appelait vers la mort.

D'abord, je fis un effort pour secouer ce cauchemar de mon âme. Je marchai vigoureusement, — plus vite, — toujours plus vite; — à la longue je courus. J'éprouvais un désir enivrant de crier de toute ma force. Chaque flot successif de ma pensée m'accablait d'une nouvelle terreur; car, hélas! je comprenais bien, trop bien, que *penser*, dans ma situation, c'était me perdre. J'accélérai encore ma course. Je bondissais comme un fou à travers les rues encombrées de monde. A la longue, la populace prit l'alarme et courut après moi. Je sentis *alors* la consommation de ma destinée. Si j'avais pu m'arracher la langue, je l'eusse fait; — mais une voix rude résonna dans mes oreilles, — une main plus rude encore m'empoigna par l'épaule. Je me retournai, j'ouvris la bouche pour aspirer. Pendant un moment, j'éprouvai toutes les angoisses de la suffocation; je devins aveugle, sourd, ivre : et alors quelque démon invisible, pensai-je, me frappa dans le dos avec sa large main. Le secret si longtemps emprisonné s'élança de mon âme.

On dit que je parlai, que je m'énonçai très-distinctement, mais avec une énergie marquée et une ardente précipitation, comme si je craignais d'être interrompu avant d'avoir achevé les phrases brèves, mais grosses d'importance, qui me livraient au bourreau et à l'enfer.

Ayant relaté tout ce qui était nécessaire pour la pleine conviction de la justice, je tombai terrassé, évanoui.

Mais pourquoi en dirais-je plus? Aujourd'hui je porte ces chaînes, et suis *ici!* Demain, je serai libre! — *mais où?*

LE CHAT NOIR

Relativement à la très-étrange et pourtant très-familière histoire que je vais coucher par écrit, je n'attends ni ne sollicite la créance. Vraiment, je serais fou de m'y attendre dans un cas où mes sens eux-mêmes rejettent leur propre témoignage. Cependant, je ne suis pas fou, — et très-certainement je ne rêve pas. Mais demain je meurs, et aujourd'hui je voudrais décharger mon âme. Mon dessein immédiat est de placer devant le monde, clairement, succinctement et sans commentaire, une série de simples événements domestiques. Dans leurs conséquences, ces événements m'ont terrifié, — m'ont torturé, — m'ont anéanti. — Cependant, je n'essayerai pas de les élucider. Pour moi, ils ne m'ont guère présenté que de l'horreur : — à beaucoup de personnes ils paraîtront moins terribles que *baroques*. Plus tard peut-être, il se trouvera une intelligence qui réduira mon fantôme à l'état de lieu commun, — quelque intelligence plus calme, plus logique et beaucoup moins excitable que la mienne, qui ne trouvera dans les circonstances que je raconte avec terreur qu'une succession ordinaire de causes et d'effets très-naturels.

Dès mon enfance, j'étais noté pour la docilité et l'humanité de mon caractère. Ma tendresse de cœur était même si remarquable qu'elle avait fait de moi le jouet de mes camarades. J'étais particulièrement fou des animaux, et mes parents m'avaient permis de posséder une grande variété de favoris. Je passais presque tout mon temps avec eux, et je n'étais jamais si heureux que quand je les nourrissais et les caressais. Cette particularité de mon caractère s'accrut avec ma croissance, et, quand je devins homme, j'en fis une de mes principales sources de plaisir. Pour ceux qui ont voué une affection à un chien fidèle et sagace, je n'ai pas besoin d'expliquer la nature ou l'intensité des jouissances qu'on peut en tirer. Il y a dans l'amour désintéressé d'une bête, dans ce sacrifice d'elle-même, quelque chose qui va directement au cœur de celui qui a eu fréquemment l'occasion de vérifier la chétive amitié et la fidélité de gaze de l'homme *naturel*.

Je me mariai de bonne heure, et je fus heureux de trouver dans ma femme une disposition sympathique à la mienne. Observant mon goût pour ces favoris domestiques, elle ne perdit aucune occasion de me procurer ceux de l'espèce la plus agréable. Nous eûmes des oiseaux, un poisson doré, un beau chien, des lapins, un petit singe et *un chat*.

Ce dernier était un animal remarquablement fort et beau, entièrement noir, et d'une sagacité merveilleuse. En parlant de son intelligence, ma femme, qui au fond n'était pas peu pénétrée de superstition, faisait de fréquentes allusions à l'ancienne croyance populaire qui regardait tous les chats noirs comme des sorcières déguisées. Ce n'est pas qu'elle fût toujours *sérieuse* sur ce point, — et, si je mentionne la chose, c'est simplement parce que cela me revient, en ce moment même, à la mémoire.

Pluton — c'était le nom du chat — était mon préféré, mon camarade. Moi seul, je le nourrissais, et il me suivait dans la maison partout où j'allais. Ce n'était même pas sans peine que je parvenais à l'empêcher de me suivre dans les rues.

Notre amitié subsista ainsi plusieurs années, durant lesquelles l'ensemble de mon caractère et de mon tempérament, — par l'opération du démon Intempérance, je rougis de le confesser, — subit une altération, radicalement mauvaise. Je devins de jour en jour plus morne, plus irritable, plus insoucieux des sentiments des autres. Je me permis d'employer un langage brutal à l'égard de ma femme. A la longue, je lui infligeai même des violences personnelles. Mes pauvres favoris, naturellement, durent ressentir le changement de mon caractère. Non-seulement je les négligeais, mais je les maltraitais. Quant à Pluton, toutefois, j'avais encore une considération suffisante qui m'empêchait de le malmener, tandis que je n'éprouvais aucun scrupule à maltraiter les lapins, le singe et même le chien, quand, par hasard ou par amitié, ils se jetaient dans mon chemin. Mais mon mal m'envahissait de plus en plus, — car quel mal est comparable à l'alcool? — et à la longue

Pluton lui-même, qui maintenant se faisait vieux et qui naturellement devenait quelque peu maussade, — Pluton lui-même commença à connaître les effets de mon méchant caractère.

Une nuit, comme je rentrais au logis très-ivre, au sortir d'un de mes repaires habituels des faubourgs, je m'imaginai que le chat évitait ma présence. Je le saisis; — mais lui, effrayé de ma violence, il me fit à la main une légère blessure avec les dents. Une fureur de démon s'empara soudainement de moi. Je ne me connus plus, mon âme originelle sembla tout d'un coup s'envoler de mon corps, et une méchanceté hyperdiabolique, saturée de gin, pénétra chaque fibre de mon être. Je tirai de la poche de mon gilet un canif, je l'ouvris; je saisis la pauvre bête par la gorge, et, délibérément, je fis sauter un de ses yeux de son orbite! Je rougis, je brûle, je frissonne en écrivant cette damnable atrocité!

Quand la raison me revint avec le matin, — quand j'eus cuvé les vapeurs de ma débauche nocturne, — j'éprouvai un sentiment moitié d'horreur, moitié de remords, pour le crime dont je m'étais rendu coupable; mais c'était tout au plus un faible et équivoque sentiment, et l'âme n'en subit pas les atteintes. Je me replongeai dans les excès, et bientôt je noyai dans le vin tout le souvenir de mon action.

Cependant, le chat guérit lentement. L'orbite de l'œil perdu présentait, il est vrai, un aspect effrayant, mais il n'en parut plus souffrir désormais. Il allait et venait dans la maison selon son habitude; mais, comme je devais m'y attendre, il fuyait avec une

extrême terreur à mon approche. Il me restait assez
de mon ancien cœur pour me sentir d'abord affligé
de cette évidente antipathie de la part d'une créature
qui jadis m'avait tant aimé. Mais ce sentiment fit
bientôt place à l'irritation. Et alors apparut, comme
pour ma chute finale et irrévocable, l'esprit de
PERVERSITÉ. De cet esprit la philosophie ne tient aucun
compte. Cependant, aussi sûr que mon âme existe, je
crois que la perversité est une des primitives impulsions du cœur humain, — une des indivisibles premières facultés, ou sentiments, qui donnent la direction au caractère de l'homme. Qui ne s'est pas surpris
cent fois commettant une action sotte ou vile, par la
seule raison qu'il savait devoir *ne pas* la commettre?
N'avons-nous pas une perpétuelle inclination, malgré
l'excellence de notre jugement, à violer ce qui est
la Loi, simplement parce que nous comprenons que
c'est *la Loi?* Cet esprit de perversité, dis-je, vint causer
ma déroute finale. C'est ce désir ardent, insondable
de l'âme *de se torturer elle-même*, — de violenter sa
propre nature, — de faire le mal pour l'amour du
mal seul, — qui me poussait à continuer, et finalement à consommer le supplice que j'avais infligé à la
bête inoffensive. Un matin, de sang-froid, je glissai
un nœud coulant autour de son cou, et je le pendis
à la branche d'un arbre; — je le pendis avec des
larmes plein mes yeux, — avec le plus amer remords
dans le cœur; — je le pendis, *parce que* je savais qu'il
m'avait aimé, et *parce que* je sentais qu'il ne m'avait
donné aucun sujet de colère; — je le pendis, *parce que*
je savais qu'en faisant ainsi je commettais un péché,

— un péché mortel qui compromettait mon âme immortelle, au point de la placer, — si une telle chose
était possible, — même au-delà de la miséricorde
infinie du Dieu Très-Miséricordieux et Très-Terrible.

Dans la nuit qui suivit le jour où fut commise cette
action cruelle, je fus tiré de mon sommeil par le cri
« Au feu! » Les rideaux de mon lit étaient en flammes.
Toute la maison flambait. Ce ne fut pas sans une grande
difficulté que nous échappâmes à l'incendie, — ma
femme, un domestique, et moi. La destruction fut
complète. Toute ma fortune fut engloutie, et je m'abandonnai dès lors au désespoir.

Je ne cherche pas à établir une liaison de cause à
effet entre l'atrocité et le désastre, je suis au-dessus
de cette faiblesse. Mais je rends compte d'une chaîne
de faits, — et je ne veux pas négliger un seul anneau.
Le jour qui suivit l'incendie, je visitai les ruines. Les
murailles étaient tombées, une seule exceptée; et cette
seule exception se trouva être une cloison intérieure,
peu épaisse, située à peu près au milieu de la maison,
et contre laquelle s'appuyait le chevet de mon lit. La
maçonnerie avait ici, en grande partie, résisté à
l'action du feu, — fait que j'attribuai à ce qu'elle
avait été récemment remise à neuf. Autour de ce mur,
une foule épaisse était rassemblée, et plusieurs personnes paraissaient en examiner une portion particulière avec une minutieuse et vive attention. Les
mots : Étrange! singulier! et autres expressions analogues, excitèrent ma curiosité. Je m'approchai, et je
vis, semblable à un bas-relief sculpté sur la surface
blanche, la figure d'un gigantesque *chat*. L'image était

rendue avec une exactitude vraiment merveilleuse.
Il y avait une corde autour du cou de l'animal.

Tout d'abord, en voyant cette apparition, — car je
ne pouvais guère considérer cela que comme une apparition, — mon étonnement et ma terreur furent
extrêmes. Mais enfin, la réflexion vint à mon aide.
Le chat, je m'en souvenais, avait été pendu dans un
jardin adjacent à la maison. Aux cris d'alarme, ce
jardin avait été immédiatement envahi par la foule,
et l'animal avait dû être détaché de l'arbre par
quelqu'un, et jeté dans ma chambre à travers une
fenêtre ouverte. Cela avait été fait, sans doute, dans
le but de m'arracher au sommeil. La chute des
autres murailles avait comprimé la victime de ma
cruauté dans la substance du plâtre fraîchement
étendu; la chaux de ce mur, combinée avec les flammes
et l'ammoniaque du cadavre, avait ainsi opéré l'image
telle que je la voyais.

Quoique je satisfisse ainsi lestement ma raison,
sinon tout à fait ma conscience, relativement au fait
surprenant que je viens de raconter, il n'en fit pas
moins sur mon imagination une impression profonde.
Pendant plusieurs mois je ne pus me débarrasser du
fantôme du chat; et durant cette période un demi-
sentiment revint dans mon âme, qui paraissait être,
mais qui n'était pas le remords. J'allai jusqu'à déplorer
la perte de l'animal, et à chercher autour de moi,
dans les bouges méprisables que maintenant je fré-
quentais habituellement, un autre favori de la même
espèce et d'une figure à peu près semblable pour
le suppléer.

Une nuit, comme j'étais assis à moitié stupéfié, dans un repaire plus qu'infâme, mon attention fut soudainement attirée vers un objet noir, reposant sur le haut d'un des immenses tonneaux de gin ou de rhum qui composaient le principal ameublement de la salle. Depuis quelques minutes, je regardais fixement le haut de ce tonneau, et ce qui me surprenait maintenant, c'était de n'avoir pas encore aperçu l'objet situé dessus. Je m'en approchai, et je le touchai avec ma main. C'était un chat noir, — un très-gros chat, — au moins aussi gros que Pluton, lui ressemblant absolument, excepté en un point. Pluton n'avait pas un poil blanc sur tout le corps; celui-ci portait une éclaboussure large et blanche, mais d'une forme indécise, qui couvrait presque toute la région de la poitrine.

A peine l'eus-je touché, qu'il se leva subitement, ronronna fortement, se frotta contre ma main, et parut enchanté de mon attention. C'était donc là la vraie créature dont j'étais en quête. J'offris tout de suite au propriétaire de le lui acheter; mais cet homme ne le revendiqua pas — ne le connaissait pas, — ne l'avait jamais vu auparavant.

Je continuai mes caresses, et, quand je me préparai à retourner chez moi, l'animal se montra disposé à m'accompagner. Je lui permis de le faire; me baissant de temps à autre, et le caressant en marchant. Quand il fut arrivé à la maison, il s'y trouva comme chez lui, et devint tout de suite le grand ami de ma femme.

Pour ma part, je sentis bientôt s'élever en moi une antipathie contre lui. C'était justement le contraire de ce que j'avais espéré; mais — je ne sais ni comment ni pourquoi cela eut lieu — son évidente tendresse pour moi me dégoûtait presque et me fatiguait. Par de lents degrés, ces sentiments de dégoût et d'ennui s'élevèrent jusqu'à l'amertume de la haine. J'évitais la créature; une certaine sensation de honte et le souvenir de mon premier acte de cruauté m'empêchèrent de la maltraiter. Pendant quelques semaines, je m'abstins de battre le chat ou de le malmener violemment; mais graduellement, — insensiblement, — j'en vins à le considérer avec une indicible horreur, et à fuir silencieusement son odieuse présence, comme le souffle d'une peste.

Ce qui ajouta sans doute à ma haine contre l'animal, fut la découverte que je fis le matin, après l'avoir amené à la maison, que, comme Pluton, lui aussi avait été privé d'un de ses yeux. Cette circonstance, toutefois, ne fit que le rendre plus cher à ma femme, qui, comme je l'ai déjà dit, possédait à un haut degré cette tendresse de sentiment qui jadis avait été mon trait caractéristique et la source fréquente de mes plaisirs les plus simples et les plus purs.

Néanmoins, l'affection du chat pour moi paraissait s'accroître en raison de mon aversion contre lui. Il suivait mes pas avec une opiniâtreté qu'il serait difficile de faire comprendre au lecteur. Chaque fois que je m'asseyais, il se blottissait sous ma chaise, ou il sautait sur mes genoux, me couvrant de ses affreuses caresses. Si je me levais pour marcher, il se fourrait dans mes jambes, et me jetait presque par terre, ou bien, enfonçant ses griffes longues et aiguës dans mes habits, grimpait de cette manière jusqu'à ma poitrine. Dans ces moments-là, quoique je désirasse le tuer d'un bon coup, j'en étais empêché, en partie par le souvenir de mon premier crime, mais principalement — je dois le confesser tout de suite — par une véritable *terreur* de la bête.

Cette terreur n'était pas positivement la terreur d'un mal physique, — et cependant je serais fort en peine de la définir autrement. Je suis presque honteux d'avouer, — oui, même dans cette cellule de malfaiteur, je suis presque honteux d'avouer que la terreur et l'horreur que m'inspirait l'animal avaient été accrues par une des plus parfaites chimères qu'il fût possible de concevoir. Ma femme avait appelé mon attention plus d'une fois sur le caractère de la tache blanche dont j'ai parlé, et qui constituait l'unique différence visible entre l'étrange bête et celle que j'avais tuée. Le lecteur se rappellera sans doute que cette marque, quoique grande, était primitivement indéfinie dans sa forme; mais, lentement, par degrés, — par des degrés imperceptibles, et que ma raison s'efforça longtemps de considérer comme imaginaires, — elle avait à la longue pris une rigoureuse netteté de contours. Elle était maintenant l'image d'un objet que je frémis de nommer, — et c'était là surtout ce qui me faisait prendre le monstre en horreur et en dégoût, et m'aurait poussé à m'en délivrer, *si je l'avais osé;* — *c'était* maintenant, dis-je, l'image d'une hideuse, — d'une sinistre chose, — l'image du GIBET! — oh! lugubre et terrible machine! machine d'Horreur et de Crime. — d'Agonie et de Mort!

Et, maintenant, j'étais en vérité misérable au-delà de la misère possible de l'Humanité. Une bête brute, — dont j'avais avec mépris détruit le frère, — *une bête brute* engendrer pour moi, — pour moi, homme façonné à l'image du Dieu Très-Haut, — une si grande et si intolérable infortune! Hélas! je ne connaissais plus la béatitude du repos, ni le jour ni la nuit! Durant le jour la créature ne me laissait pas un seul moment; et, pendant la nuit, à chaque instant, quand je sortais de mes rêves pleins d'une intraduisible angoisse, c'était pour sentir la tiède haleine de la *chose* sur mon visage, et son immense poids, — incarnation d'un cauchemar que j'étais impuissant à secouer, — éternellement posé sur mon *cœur!*

Sous la pression de pareils tourments, le peu de bon qui restait en moi succomba. De mauvaises pensées devinrent mes seules intimes, — les plus sombres et les plus mauvaises de toutes les pensées. La tristesse de mon humeur habituelle s'accrut jusqu'à la haine de toutes choses et de toute humanité; cependant, ma femme, qui ne se plaignait jamais, hélas! était mon souffre-douleur ordinaire, la plus patiente victime des soudaines, fréquentes et indomptables éruptions d'une furie à laquelle je m'abandonnai dès lors aveuglément.

Un jour, elle m'accompagna pour quelque besogne domestique dans la cave du vieux bâtiment où notre pauvreté nous contraignait d'habiter. Le chat me suivit sur les marches roides de l'escalier, et, m'ayant presque culbuté la tête la première, m'exaspéra jusqu'à la folie. Levant une hache, et oubliant dans ma rage la peur puérile qui jusque-là avait retenu ma main, j'adressai à l'animal un coup qui eût été mortel, s'il avait porté comme je voulais; mais ce coup fut arrêté par la main de ma femme. Cette intervention m'aiguillonna jusqu'à une rage plus que démoniaque; je débarrassai mon bras de son étreinte et lui enfonçai ma hache dans le crâne. Elle tomba morte sur la place, sans pousser un gémissement.

Cet horrible meurtre accompli, je me mis immédiatement et très-délibérément en mesure de cacher le corps. Je compris que je ne pouvais pas le faire disparaître de la maison, soit de jour, soit de nuit, sans courir le danger d'être observé par les voisins. Plusieurs projets traversèrent mon esprit. Un moment j'eus l'idée de couper le cadavre par petits morceaux, et de les détruire par le feu. Puis je résolus de creuser une fosse dans le sol de la cave. Puis je pensai à le jeter dans le puits de la cour, — puis à l'emballer dans une caisse comme marchandise, avec les formes usitées, et à charger un commissionnaire de le porter hors de la maison. Finalement, je m'arrêtai à un expédient que je considérai comme le meilleur de tous. Je me déterminai à le murer dans la cave, — comme les moines du Moyen Age muraient, dit-on, leurs victimes.

La cave était fort bien disposée pour un pareil dessein. Les murs étaient construits négligemment, et avaient été récemment enduits dans toute leur étendue d'un gros plâtre que l'humidité de l'atmosphère avait empêché de durcir. De plus, dans l'un des murs, il y avait une saillie causée par une fausse cheminée, ou espèce d'âtre, qui avait été comblée et maçonnée dans le même genre que le reste de la cave. Je ne doutais pas qu'il ne me fût facile de déplacer les briques à cet endroit, d'y introduire le corps, et de murer le tout de la même manière, de sorte qu'aucun œil n'y pût rien découvrir de suspect.

Et je ne fus pas déçu dans mon calcul. A l'aide d'une pince, je délogeai très-aisément les briques, et, ayant soigneusement appliqué le corps contre le mur intérieur, je le soutins dans cette position jusqu'à ce que j'eusse rétabli, sans trop de peine, toute la maçonnerie dans son état primitif. M'étant procuré du mortier, du sable et du poil avec toutes les précautions imaginables, je préparai un crépi qui ne pouvait pas être distingué de l'ancien, et j'en recouvris très-soigneusement le nouveau briquetage. Quand j'eus fini, je vis avec satisfaction que tout était pour le mieux. Le mur ne présentait pas la plus légère trace de dérangement. J'enlevai tous les gravats avec le plus grand soin, j'épluchai pour ainsi dire le sol. Je regardai triomphalement autour de moi, et me dis à moi-même : Ici, au moins, ma peine n'aura pas été perdue !

Mon premier mouvement fut de chercher la bête qui avait été la cause d'un si grand malheur ; car à la fin, j'avais résolu fermement de la mettre à mort. Si j'avais pu la rencontrer dans ce moment, sa destinée était claire ; mais il paraît que l'artificieux animal avait été alarmé par la violence de ma récente colère, et qu'il prenait soin de ne pas se montrer dans l'état actuel de mon humeur. Il est impossible de décrire ou d'imaginer la profonde, la béate sensation de soulagement que l'absence de la détestable créature détermina dans mon cœur. Elle ne se présenta pas de toute la nuit, — et ainsi ce fut la première bonne nuit, — depuis son introduction dans la maison, — que je dormis solidement et tranquillement; oui, je *dormis* avec le poids de ce meurtre sur l'âme!

Le second et le troisième jour s'écoulèrent, et cependant mon bourreau ne vint pas. Une fois encore je respirai comme un homme libre. Le monstre, dans sa terreur, avait vidé les lieux pour toujours! Je ne le verrais donc plus jamais! Mon bonheur était suprême! La criminalité de ma ténébreuse action ne m'inquiétait que fort peu. On avait bien fait une espèce d'enquête, mais elle s'était satisfaite à bon marché. Une perquisition avait même été ordonnée, — mais naturellement on ne pouvait rien découvrir. Je regardais ma félicité à venir comme assurée.

Le quatrième jour depuis l'assassinat, une troupe d'agents de police vint très-inopinément à la maison, et procéda de nouveau à une rigoureuse investigation des lieux. Confiant, néanmoins, dans l'impénétrabilité de la cachette, je n'éprouvai aucun embarras. Les officiers me firent les accompagner dans leur recherche. Ils ne laissèrent pas un coin, pas un angle inexploré. A la fin, pour la troisième ou quatrième fois, ils descendirent dans la cave. Pas un muscle en moi ne tressaillit. Mon cœur battait paisiblement, comme celui d'un homme qui dort dans l'innocence. J'arpentais la cave d'un bout à l'autre; je croisais mes bras sur ma poitrine, et me promenais çà et là avec aisance. La police était pleinement satisfaite et se préparait à décamper. La jubilation de mon cœur était trop forte pour être réprimée. Je brûlais de dire au moins un mot, rien qu'un mot, en manière de triomphe, et de rendre deux fois plus convaincue leur conviction de mon innocence.

— Gentlemen, — dis-je à la fin, — comme leur troupe remontait l'escalier, — je suis enchanté d'avoir apaisé vos soupçons. Je vous souhaite à tous une bonne santé et un peu plus de courtoisie. Soit dit en passant, gentlemen, voilà — voilà une maison singulièrement bien bâtie (dans mon désir enragé de dire quelque chose d'un air délibéré, je savais à peine ce que je débitais), — je puis dire que c'est une maison *admirablement* bien construite. Ces murs, — est-ce que vous partez, gentlemen? — ces murs sont solidement maçonnés.

Et ici, par une bravade frénétique, je frappai fortement avec une canne que j'avais à la main juste sur la partie du briquetage derrière laquelle se tenait le cadavre de l'épouse de mon cœur.

Ah! qu'au moins Dieu me protège et me délivre des griffes de l'Archidémon! — A peine l'écho de mes coups était-il tombé dans le silence, qu'une voix me répondit du fond de la tombe! — une plainte, d'abord voilée et entrecoupée, comme le sanglotement d'un enfant, puis, bientôt, s'enflant en un cri prolongé, sonore et continu, tout à fait anormal et antihumain, — un hurlement, — un glapissement, moitié horreur et moitié triomphe, — comme il en peut monter seulement de l'Enfer, — affreuse harmonie jaillissant à la fois de la gorge des damnés dans leurs tortures, et des démons exultant dans la damnation.

Vous dire mes pensées, ce serait folie. Je me sentis défaillir, et je chancelai contre le mur opposé. Pendant un moment, les officiers placés sur les marches restèrent immobiles, stupéfiés par la terreur. Un instant après, une douzaine de bras robustes s'acharnaient sur le mur. Il tomba tout d'une pièce. Le corps, déjà grandement délabré et souillé de sang grumelé, se tenait droit devant les yeux des spectateurs. Sur sa tête, avec la gueule rouge dilatée et l'œil unique flamboyant, était perchée la hideuse bête dont l'astuce m'avait induit à l'assassinat, et dont la voix révélatrice m'avait livré au bourreau. J'avais muré le monstre dans la tombe!

WILLIAM WILSON

Qu'en dira-t-elle? Que dira cette CONSCIENCE affreuse,
Ce spectre qui marche dans mon chemin?

CHAMBERLAYNE. — *Pharronida.*

Qu'IL me soit permis pour le moment, de m'appeler
William Wilson. La page vierge étalée devant moi ne
doit pas être souillée par mon véritable nom. Ce nom
n'a été que trop souvent un objet de mépris et d'horreur, — une abomination pour ma famille. Est-ce
que les vents indignés n'ont pas ébruité jusque dans
les plus lointaines régions du globe son incomparable
infamie? Oh! de tous les proscrits, le proscrit le plus
abandonné! — n'es-tu pas mort à ce monde à jamais?
à ses honneurs, à ses fleurs, à ses aspirations dorées? —
et un nuage épais, lugubre, illimité, n'est-il pas éternellement suspendu entre tes espérances et le ciel?

Je ne voudrais pas, quand même je le pourrais,
enfermer aujourd'hui dans ces pages le souvenir de

mes dernières années d'ineffable misère et d'irrémis-
sible crime. Cette période récente de ma vie a soudainement comporté une hauteur de turpitude dont je
veux simplement déterminer l'origine. C'est là pour
le moment mon seul but. Les hommes, en général,
deviennent vils par degrés. Mais moi, toute vertu
s'est détachée de moi en une minute d'un seul coup,
comme un manteau. D'une perversité relativement
ordinaire, j'ai passé, par une enjambée de géant, à
des énormités plus qu'héliogabaliques. Permettez-moi
de raconter tout au long quel hasard, quel unique
accident a amené cette malédiction. La Mort approche
et l'ombre qui la devance a jeté une influence adou-
cissante sur mon cœur. Je soupire, en passant à travers
la sombre vallée, après la sympathie — j'allais dire
la pitié — de mes semblables. Je voudrais leur persuader que j'ai été en quelque sorte l'esclave des circonstances qui défiaient tout contrôle humain. Je
désirerais qu'ils découvrissent pour moi, dans les
détails que je vais leur donner, quelque petite oasis
de *fatalité* dans un Sahara d'erreur. Je voudrais
qu'ils accordassent — ce qu'ils ne peuvent pas se
refuser à accorder — que, bien que ce monde ait
connu de grandes tentations, jamais l'homme n'a été
jusqu'ici tenté de cette façon, — et certainement n'a
jamais succombé de cette façon. Est-ce donc pour cela
qu'il n'a jamais connu les mêmes souffrances ? En vérité,
n'ai-je pas vécu dans un rêve ? Est-ce que je ne meurs
pas victime de l'horreur et du mystère des plus étranges
de toutes les visions sublunaires ?

Je suis le descendant d'une race qui s'est distinguée

en tout temps par un tempérament imaginatif et facilement excitable; et ma première enfance prouva que j'avais pleinement hérité du caractère de famille. Quand j'avançai en âge, ce caractère se dessina plus fortement; il devint, pour mille raisons, une cause d'inquiétude sérieuse pour mes amis et de préjudice positif pour moi-même. Je devins volontaire, adonné aux plus sauvages caprices; je fus la proie des plus indomptables passions. Mes parents, qui étaient d'un esprit faible et que tourmentaient des défauts constitutionnels de même nature, ne pouvaient pas faire grand-chose pour arrêter les tendances mauvaises qui me distinguaient. Il y eut de leur côté quelques tentatives, faibles, mal dirigées, qui échouèrent complètement, et qui tournèrent pour moi en triomphe complet. A partir de ce moment, ma voix fut une loi domestique; et, à un âge où peu d'enfants ont quitté leurs lisières, je fus abandonné à mon libre arbitre, et devins le maître de toutes mes actions, — excepté de nom.

Mes premières impressions de la vie d'écolier sont liées à une vaste et extravagante maison du style d'Elisabeth, dans un sombre village d'Angleterre, décoré de nombreux arbres gigantesques et noueux, et dont toutes les maisons étaient excessivement anciennes. En vérité, c'était un lieu semblable à un rêve et bien fait pour charmer l'esprit que cette vénérable vieille ville. En ce moment même, je sens en imagination le frisson rafraîchissant de ses avenues profondément ombreuses, je respire l'émanation de ses mille taillis, et je tressaille encore, avec une indéfinissable volupté, à la note profonde et sourde de la cloche, déchirant à chaque heure, de son rugissement soudain et morose, la quiétude de l'atmosphère brune dans laquelle s'enfonçait et s'endormait le clocher gothique tout dentelé.

Je trouve peut-être autant de plaisir qu'il m'est donné d'en éprouver maintenant à m'appesantir sur ces minutieux souvenirs de l'école et de ses rêveries. Plongé dans le malheur comme je le suis, — malheur, hélas! qui n'est que trop réel, — on me pardonnera de chercher un soulagement, bien léger et bien court, dans ces puérils et divagants détails. D'ailleurs, quoique absolument vulgaires et risibles en eux-mêmes, ils prennent dans mon imagination une importance circonstancielle, à cause de leur intime connexion avec les lieux et l'époque où je distingue maintenant les premiers avertissements ambigus de la destinée, qui depuis lors m'a si profondément enveloppé de son ombre. Laissez-moi donc me souvenir.

La maison, je l'ai dit, était vieille et irrégulière. Les terrains étaient vastes, et un haut et solide mur de briques, couronné d'une couche de mortier et de verre cassé, en faisait le circuit. Ce rempart digne d'une prison formait la limite de notre domaine; nos regards n'allaient au-delà que trois fois par semaine, — une fois chaque samedi, dans l'après-midi, quand, accompagnés de deux maîtres d'étude, on nous permettait de faire de courtes promenades en commun à travers la campagne voisine, et deux fois le dimanche, quand nous allions, avec la régularité des troupes à la parade, assister aux offices du matin et du soir dans l'unique église du village. Le principal de notre école était pasteur de cette église. Avec quel profond sentiment d'admiration et de perplexité avais-je coutume de le contempler, de notre banc relégué dans la tribune, quand il montait en chaire d'un pas solennel et lent! Ce personnage vénérable, avec ce visage si modeste et si bénin, avec une robe si bien lustrée et si cléricalement ondoyante, avec une perruque si minutieusement poudrée, si roide et si vaste, pouvait-il être le même homme qui, tout à l'heure, avec un visage aigre et dans des vêtements souillés de tabac, faisait exécuter, férule en main, les lois draconiennes de l'école? Oh! gigantesque paradoxe, dont la monstruosité exclut toute solution!

Dans un angle du mur massif rechignait une porte plus massive encore, solidement fermée, garnie de verrous et surmontée d'un buisson de ferrailles denticulées. Quels sentiments profonds de crainte elle inspirait! Elle ne s'ouvrait jamais que pour les trois sorties et rentrées périodiques dont j'ai déjà parlé; alors, dans chaque craquement de ses gonds puissants, nous trouvions une plénitude de mystère, — tout un monde d'observations solennelles, ou de méditations plus solennelles encore.

Le vaste enclos était d'une forme irrégulière et divisé en plusieurs parties, dont trois ou quatre des plus grandes constituaient la cour de récréation. Elle était aplanie et recouverte d'un sable menu et rude. Je me rappelle bien qu'elle ne contenait ni arbres ni bancs, ni quoi que ce soit d'analogue. Naturellement elle était située derrière la maison. Devant la façade s'étendait un petit parterre, planté de buis et d'autres arbustes; mais nous ne traversions cette oasis sacrée que dans de bien rares occasions, telles que la première arrivée à l'école ou le départ définitif, ou peut-être quand, un ami, un parent nous ayant fait appeler, nous prenions joyeusement notre course vers le logis paternel, aux vacances de Noël ou de la Saint-Jean.

Mais la maison! — quelle curieuse vieille bâtisse cela faisait! — Pour moi quel véritable palais d'enchantements! Il n'y avait réellement pas de fin à ses détours, — à ses incompréhensibles subdivisions. Il était difficile, à n'importe quel moment donné, de dire avec certitude si l'on se trouvait au premier ou au second étage. D'une pièce à l'autre, on était toujours sûr de trouver trois ou quatre marches à monter ou à descendre. Puis les subdivisions latérales étaient innombrables, inconcevables, tournaient et retournaient si bien sur elles-mêmes, que nos idées les plus exactes relativement à l'ensemble du bâtiment n'étaient pas très-différentes de celles à travers lesquelles nous envisagions l'infini. Durant les cinq ans de ma résidence, je n'ai jamais été capable de déterminer avec précision dans quelle localité lointaine était situé le petit dortoir qui m'était assigné en commun avec dix-huit ou vingt autres écoliers.

La salle d'étude était la plus vaste de toute la maison — et même du monde entier; du moins, je ne pouvais m'empêcher de la voir ainsi. Elle était très-longue, très-étroite et lugubrement basse, avec des fenêtres en ogive et un plafond en chêne. Dans un

angle éloigné, d'où émanait la terreur, était une enceinte carrée de huit à dix pieds, représentant le *sanc-
tum* de notre principal, le révérend docteur Bransby,
durant les heures d'étude. C'était une solide construction, avec une porte massive; plutôt que de l'ouvrir
en l'absence du *Dominie*, nous aurions tous préféré
mourir de *la peine forte et dure*. A deux autres angles
étaient deux autres loges analogues, objets d'une
vénération beaucoup moins grande, il est vrai, mais
toutefois d'une terreur assez considérable; l'une, la
chaire du maître d'humanités, — l'autre, du maître
d'anglais et de mathématiques. Éparpillés à travers la
salle, d'innombrables bancs et des pupitres, effroyablement chargés de livres maculés par des doigts, se
croisaient dans une irrégularité sans fin, — noirs,
anciens, ravagés par le temps, et si bien cicatrisés de
lettres initiales, de noms entiers, de figures grotesques
et d'autres nombreux chefs-d'œuvre du couteau,
qu'ils avaient entièrement perdu le peu de forme
originelle qui leur avait été réparti dans les jours très-
anciens. A une extrémité de la salle se trouvait un
énorme seau plein d'eau, et, à l'autre, une horloge
d'une dimension prodigieuse.

Enfermé dans les murs massifs de cette vénérable
école, je passai toutefois sans ennui et sans dégoût les
années du troisième lustre de ma vie. Le cerveau
fécond de l'enfance n'exige pas un monde extérieur
d'incidents pour s'occuper ou s'amuser, et la monotonie en apparence lugubre de l'école abondait en
excitations plus intenses que toutes celles que ma jeunesse plus mûre a demandées à la volupté, ou ma

virilité au crime. Toutefois, je dois croire que mon premier développement intellectuel fut, en grande partie, peu ordinaire et même déréglé. En général, les événements de l'existence enfantine ne laissent pas sur l'humanité, arrivée à l'âge mûr, une impression bien définie. Tout est ombre grise, débile et irrégulier souvenir, fouillis confus de faibles plaisirs et de peines fantasmagoriques. Pour moi, il n'en est pas ainsi. Il faut que j'aie senti dans mon enfance, avec l'énergie d'un homme fait, tout ce que je trouve encore aujourd'hui frappé sur ma mémoire en lignes aussi vivantes, aussi profondes et aussi durables que les exergues des médailles carthaginoises.

Et cependant, dans le fait, — au point de vue ordinaire du monde, — qu'il y avait là peu de chose pour le souvenir! Le réveil du matin, l'ordre du coucher, les leçons à apprendre, les récitations, les demi-congés périodiques et les promenades, la cour de récréation avec ses querelles, ses passe-temps, ses intrigues, — tout cela, par une magie psychique disparue, contenait en soi un débordement de sensations, un monde riche d'incidents, un univers d'émotions variées et d'excitations des plus passionnées et des plus enivrantes. *Oh! le bon temps, que ce siècle de fer!*

En réalité, ma nature ardente, enthousiaste, impérieuse, fit bientôt de moi un caractère marqué parmi mes camarades, et, peu à peu, tout naturellement, me donna un ascendant sur tous ceux qui n'étaient guère plus âgés que moi, — sur tous, un seul excepté. C'était un élève qui, sans aucune parenté avec moi, portait le même nom de baptême et le même nom de famille; — circonstance peu remarquable en soi, — car le mien, malgré la noblesse de mon origine, était une de ces appellations vulgaires qui semblent avoir été de temps immémorial, par droit de prescription, la propriété commune de la foule. Dans ce récit, je me suis donc donné le nom de William Wilson, — nom fictif qui n'est pas très-éloigné du vrai. Mon homonyme, seul parmi ceux qui, selon la langue de l'école, composaient notre *classe*, osait rivaliser avec moi dans les études de l'école, — dans les jeux et les disputes de la récréation, — refuser une créance aveugle à mes assertions et une soumission complète à ma volonté, — en somme, contrarier ma dictature dans tous les cas possibles. Si jamais il y eut sur la terre un despotisme suprême et sans réserve, c'est le despotisme d'un enfant de génie sur les âmes moins énergiques de ses camarades.

La rébellion de Wilson était pour moi la source du plus grand embarras; d'autant plus qu'en dépit de la bravade avec laquelle je me faisais un devoir de le traiter publiquement, lui et ses prétentions, je sentais au fond que je le craignais, et je ne pouvais m'empêcher de considérer l'égalité qu'il maintenait si facilement vis-à-vis de moi comme la preuve d'une vraie supériorité, — puisque c'était de ma part un effort perpétuel pour n'être pas dominé. Cependant, cette supériorité, ou plutôt cette égalité, n'était vraiment reconnue que par moi seul; nos camarades, par un inexplicable aveuglement, ne paraissaient même pas la soupçonner. Et vraiment, sa rivalité, sa résistance, et particulièrement son impertinente et

hargneuse intervention dans tous mes desseins, ne
visaient pas au-delà d'une intention privée. Il paraissait également dépourvu de l'ambition qui me poussait
à dominer et de l'énergie passionnée qui m'en donnait
les moyens. On aurait pu le croire, dans cette rivalité
dirigé uniquement par un désir fantasque de me contre-
carrer, de m'étonner, de me mortifier ; bien qu'il y eût
des cas où je ne pouvais m'empêcher de remarquer
avec un sentiment confus d'ébahissement, d'humiliation et de colère, qu'il mêlait à ses outrages, à ses imper-
tinences et à ses contradictions, de certains airs d'affec-
tuosité les plus intempestifs, et, assurément, les plus
déplaisants du monde. Je ne pouvais me rendre
compte d'une si étrange conduite qu'en la supposant
le résultat d'une parfaite suffisance se permettant le
ton vulgaire du patronage et de la protection.

Peut-être était-ce ce dernier trait, dans la conduite
de Wilson, qui, joint à notre homonymie et au fait
purement accidentel de notre entrée simultanée à
l'école, répandit parmi nos condisciples des classes
supérieures l'opinion que nous étions frères. Habituellement ils ne s'enquièrent pas avec beaucoup d'exactitude des affaires des plus jeunes. J'ai déjà dit, ou
j'aurais dû dire, que Wilson n'était pas, même au
degré le plus éloigné, apparenté avec ma famille.
Mais assurément, si nous avions été frères, nous aurions
été jumeaux ; car, après avoir quitté la maison du
docteur Bransby, j'ai appris par hasard que mon homonyme était né le 19 janvier 1813, — et c'est là une
coïncidence assez remarquable, car ce jour est précisément celui de ma naissance.

Il peut paraître étrange qu'en dépit de la continuelle
anxiété que me causait la rivalité de Wilson et son
insupportable esprit de contradiction, je ne fusse pas
porté à le haïr absolument. Nous avions, à coup sûr,
presque tous les jours une querelle, dans laquelle,
m'accordant publiquement la palme de la victoire, il
s'efforçait en quelque façon de me faire sentir que
c'était lui qui l'avait méritée; cependant, un sentiment d'orgueil de ma part, et de la sienne une véritable
dignité, nous maintenaient toujours dans des termes de
stricte convenance, pendant qu'il y avait des points
assez nombreux de conformité dans nos caractères
pour éveiller en moi un sentiment que notre situation
respective empêchait seule peut-être de mûrir en
amitié. Il m'est difficile, en vérité, de définir ou même
de décrire mes vrais sentiments à son égard; ils formaient un amalgame bigarré et hétérogène, — une
animosité pétulante qui n'était pas encore de la haine,
de l'estime, encore plus de respect, beaucoup de
crainte et une immense et inquiète curiosité. Il est
superflu d'ajouter, pour le moraliste, que Wilson et
moi nous étions les plus inséparables des camarades.

Ce fut sans doute l'anomalie et l'ambiguïté de nos
relations qui coulèrent toutes mes attaques contre
lui — et, franches ou dissimulées, elles étaient nombreuses — dans le moule de l'ironie et de la charge
(la bouffonnerie ne fait-elle pas d'excellentes bles-
sures?) plutôt qu'en une hostilité plus sérieuse et plus
déterminée. Mais mes efforts sur ce point n'obte-
naient pas régulièrement un parfait triomphe, même
quand mes plans étaient le plus ingénieusement

machinés; car mon homonyme avait dans son caractère beaucoup de cette austérité pleine de réserve et
de calme, qui, tout en jouissant de la morsure de ses
propres railleries, ne montre jamais le talon d'Achille
et se dérobe absolument au ridicule. Je ne pouvais
trouver en lui qu'un seul point vulnérable, et c'était
dans un détail physique, qui, venant peut-être d'une
infirmité constitutionnelle, aurait été épargné par
tout antagoniste moins acharné à ses fins que je ne
l'étais; — mon rival avait une faiblesse dans l'appareil
vocal qui l'empêchait de jamais élever la voix *au-dessus
d'un chuchotement très bas*. Je ne manquais pas de tirer de
cette imperfection tout le pauvre avantage qui était
en mon pouvoir.

Les représailles de Wilson étaient de plus d'une
sorte, et il avait particulièrement un genre de malice
qui me troublait outre mesure. Comment eut-il dans
le principe la sagacité de découvrir qu'une chose aussi
minime pouvait me vexer, c'est une question que je
n'ai jamais pu résoudre; mais, une fois qu'il l'eut
découvert, il pratiqua opiniâtrement cette torture.
Je m'étais toujours senti de l'aversion pour, mon
malheureux nom de famille, si inélégant, et pour
mon prénom, si trivial, sinon tout à fait plébéien. Ces
syllabes étaient un poison pour mes oreilles; et, quand
le jour même de mon arrivée, un second William
Wilson se présenta dans l'école, je lui en voulus de
porter ce nom, et je me dégoûtai doublement du nom
parce qu'un étranger le portait, — un étranger qui
serait cause que je l'entendrais prononcer deux fois
plus souvent, — qui serait constamment en ma pré-

sence, et dont les affaires, dans le train-train ordinaire des choses de collège, seraient souvent et inévitablement, en raison de cette détestable coïncidence, confondues avec les miennes.

Le sentiment d'irritation créé par cet accident devint plus vif à chaque circonstance qui tendait à mettre en lumière toute ressemblance morale ou physique entre mon rival et moi. Je n'avais pas encore découvert ce très-remarquable fait de parité dans notre âge; mais je voyais que nous étions de la même taille, et je m'apercevais que nous avions même une singulière ressemblance dans notre physionomie générale et dans nos traits. J'étais également exaspéré par le bruit qui courait sur notre parenté, et qui avait généralement crédit dans les classes supérieures. — En un mot, rien ne pouvait plus sérieusement me troubler (quoique je cachasse avec le plus grand soin tout symptôme de ce trouble) qu'une allusion quelconque à une similitude entre nous, relative à l'esprit, à la personne, ou à la naissance; mais vraiment je n'avais aucune raison de croire que cette similitude (à l'exception du fait de la parenté, et de tout ce que savait voir Wilson lui-même) eût jamais été un sujet de commentaires ou même remarquée par nos camarades de classe. Que *lui*, il l'observât sous toutes ses faces, et avec autant d'attention que moi-même, cela était clair; mais qu'il eût pu découvrir dans de pareilles circonstances une mine si riche de contrariétés, je ne peux l'attribuer, comme je l'ai déjà dit, qu'à sa pénétration plus qu'ordinaire.

Il me donnait la réplique avec une parfaite imitation de moi-même, — gestes et paroles, — et il jouait admirablement son rôle. Mon costume était chose facile à copier; ma démarche et mon allure générale, il se les était appropriées sans difficulté; en dépit de son défaut constitutionnel, ma voix elle-même ne lui avait pas échappé. Naturellement, il n'essayait pas les tons élevés, mais la clef était identique, *et sa voix, pourvu qu'il parlât bas, devenait le parfait écho de la mienne.*

A quel point ce curieux portrait (car je ne puis pas l'appeler proprement une caricature) me tourmentait, je n'entreprendrai pas de le dire. Je n'avais qu'une consolation, — c'était que l'imitation, à ce qu'il me semblait, n'était remarquée que par moi seul, et que j'avais simplement à endurer les sourires mystérieux et étrangement sarcastiques de mon homonyme. Satisfait d'avoir produit sur mon cœur l'effet voulu, il semblait s'épanouir en secret sur la piqûre qu'il m'avait infligée et se montrer singulièrement dédaigneux des applaudissements publics que le succès de son ingéniosité lui aurait si facilement conquis. Comment nos camarades ne devinaient-ils pas son dessein, n'en voyaient-ils pas la mise en œuvre, et ne partageaient-ils pas sa joie moqueuse? ce fut pendant plusieurs mois d'inquiétude une énigme insoluble pour moi. Peut-être la lenteur graduée de son imitation la rendit-elle moins voyante, ou plutôt devais-je ma sécurité à l'air de *maîtrise* que prenait si bien le copiste, qui dédaignait la *lettre*, — tout ce que les esprits obtus peuvent saisir dans une peinture, — et ne donnait que le parfait esprit de l'original pour ma plus grande admiration et mon plus grand chagrin personnel.

J'ai déjà parlé plusieurs fois de l'air navrant de protection qu'il avait pris vis-à-vis de moi, et de sa fréquente et officieuse intervention dans mes volontés. Cette intervention prenait souvent le caractère déplaisant d'un avis; avis qui n'était pas donné ouvertement, mais suggéré, — insinué. Je le recevais avec une répugnance qui prenait de la force à mesure que je prenais de l'âge. Cependant, à cette époque déjà lointaine, je veux lui rendre cette stricte justice de reconnaître que je ne me rappelle pas un seul cas où les suggestions de mon rival aient participé à ce caractère d'erreur et de folie, si naturel dans son âge, généralement dénué de maturité et d'expérience; — que son sens moral, sinon ses talents et sa prudence mondaine, était beaucoup plus fin que le mien; et que je serais aujourd'hui un homme meilleur et conséquemment plus heureux, si j'avais rejeté moins souvent les conseils inclus dans ces chuchotements significatifs qui ne m'inspiraient alors qu'une haine si cordiale et un mépris si amer.

Aussi je devins, à la longue, excessivement rebelle à son odieuse surveillance, et je détestai chaque jour plus ouvertement ce que je considérais comme une intolérable arrogance. J'ai dit que, dans les premières années de notre camaraderie, mes sentiments vis-à-vis de lui auraient facilement tourné en amitié; mais, pendant les derniers mois de mon séjour à l'école, quoique l'importunité de ses façons habituelles fût sans doute bien diminuée, mes sentiments, dans une proportion presque semblable, avaient incliné vers la haine positive. Dans une certaine circonstance, il le vit bien, je présume, et dès lors il m'évita, ou affecta de m'éviter.

Ce fut à peu près vers la même époque, si j'ai bonne mémoire, que, dans une altercation violente que j'eus avec lui, où il avait perdu de sa réserve habituelle, et parlait et agissait avec un laisser-aller presque étranger à sa nature, je découvris ou m'imaginai découvrir dans son accent, dans son air, dans sa physionomie générale, quelque chose qui d'abord me fit tressaillir, puis m'intéressa profondément, en apportant à mon esprit des visions obscures de ma première enfance, — des souvenirs étranges, confus, pressés, d'un temps où ma mémoire n'était pas encore née. Je ne saurais mieux définir la sensation qui m'oppressait qu'en disant qu'il m'était difficile de me débarrasser de l'idée que j'avais déjà connu l'être placé devant moi, à une époque très-ancienne, — dans un passé même extrêmement reculé. Cette illusion toutefois s'évanouit aussi rapidement qu'elle était venue; et je n'en tiens note que pour marquer le jour du dernier entretien que j'eus avec mon singulier homonyme.

La vieille et vaste maison, dans ses innombrables subdivisions, comprenait plusieurs grandes chambres qui communiquaient entre elles et servaient de dortoirs au plus grand nombre des élèves. Il y avait néanmoins (comme cela devait arriver nécessairement dans un bâtiment aussi malencontreusement dessiné) une foule de coins et de recoins, — les rognures et les

bouts de la construction, et l'ingéniosité économique
du docteur Bransby les avait également transformés
en dortoirs; mais, comme ce n'étaient que de simples
cabinets, ils ne pouvaient servir qu'à un seul individu.
Une de ces petites chambres était occupée par Wilson.

Une nuit, vers la fin de ma cinquième année à
l'école, et immédiatement après l'altercation dont
j'ai parlé, profitant de ce que tout le monde était
plongé dans le sommeil, je me levai de mon lit, et,
une lampe à la main, je me glissai, à travers un labyrinthe d'étroits passages, de ma chambre à coucher
vers celle de mon rival. J'avais longuement machiné
à ses dépens une de ces méchantes charges, une de ces
malices dans lesquelles j'avais si complètement échoué
jusqu'alors. J'avais l'idée de mettre dès lors mon plan
à exécution et je résolus de lui faire sentir toute la
force de la méchanceté dont j'étais rempli. J'arrivai
jusqu'à son cabinet, j'entrai sans faire de bruit,
laissant ma lampe à la porte avec un abat-jour dessus.
J'avançai d'un pas, et j'écoutai le bruit de sa respira-
tion paisible. Certain qu'il était bien endormi, je
retournai à la porte, je pris ma lampe, et je m'approchai de nouveau du lit. Les rideaux étaient fermés; je
les ouvris doucement et lentement pour l'exécution
de mon projet; mais une lumière vive tomba en plein
sur le dormeur, et en même temps mes yeux s'arrêtèrent
sur sa physionomie. Je regardai; — et un engourdisse-
ment, une sensation de glace pénétrèrent instantanément tout mon être. Mon cœur palpita, mes genoux
vacillèrent, toute mon âme fut prise d'une horreur
intolérable et inexplicable. Je respirai convulsive-

ment ,— j'abaissai la lampe encore plus près de la
face. Étaient-ce, — étaient-ce bien là les traits de
William Wilson? Je voyais bien que c'étaient les
siens, mais je tremblais, comme pris d'un accès de
fièvre, en m'imaginant que ce n'étaient pas les siens.
Qu'y avait-il donc mieux qui pût me confondre à
ce point? Je le contemplais, — et ma cervelle tournait
sous l'action de mille pensées incohérentes. Il ne
m'apparaissait pas *ainsi*, — non, certes, il ne m'apparaissait pas *tel*, aux heures actives où il était éveillé.
Le même nom! les mêmes traits! entrés le même jour
à l'école! Et puis cette hargneuse et inexplicable
imitation de ma démarche, de ma voix, de mon
costume et de mes manières! Était-ce, en vérité, dans
les limites du possible humain, que *ce que je voyais*
maintenant fût le simple résultat de cette habitude
d'imitation sarcastique? Frappé d'effroi, pris de
frisson, j'éteignis ma lampe, je sortis silencieusement de la chambre, et quittai une bonne fois
l'enceinte de cette vieille école pour n'y jamais
revenir.

Après un laps de quelques mois, que je passai
chez mes parents dans la pure fainéantise, je fus placé
au collège d'Eton. Ce court intervalle avait été suffisant pour affaiblir en moi le souvenir des événements
de l'école Bransby, ou au moins pour opérer un changement notable dans la nature des sentiments que ces
souvenirs m'inspiraient. La réalité, le côté tragique
du drame, n'existait plus. Je trouvais maintenant
quelques motifs pour douter du témoignage de mes
sens, et je me rappelais rarement l'aventure sans

admirer jusqu'où peut aller la crédulité humaine, et sans sourire de la force prodigieuse d'imagination que je tenais de ma famille. Or, la vie que je menais à Eton n'était guère de nature à diminuer cette espèce de scepticisme. Le tourbillon de folie où je me plongeai immédiatement et sans réflexion balaya tout, excepté l'écume de mes heures passées, absorba d'un seul coup toute impression solide et sérieuse, et ne laissa absolument dans mon souvenir que les étourderies de mon existence précédente.

Je n'ai pas l'intention, toutefois, de tracer ici le cours de mes misérables dérèglements, — dérèglements qui défiaient toute loi et éludaient toute surveillance. Trois années de folies, dépensées sans profit, n'avaient pu me donner que des habitudes de vice enracinées, et avaient accru d'une manière presque anormale mon développement physique. Un jour, après une semaine entière de dissipation abrutissante, j'invitai une société d'étudiants des plus dissolus à une orgie secrète dans ma chambre. Nous nous réunîmes à une heure avancée de la nuit, car notre débauche devait se prolonger religieusement jusqu'au matin. Le vin coulait librement, et d'autres séductions plus dangereuses peut-être n'avaient pas été négligées; si bien que, comme l'aube pâlissait le ciel à l'orient, notre délire et nos extravagances étaient à leur apogée. Furieusement enflammés par les cartes et par l'ivresse, je m'obstinais à porter un toast étrangement indécent, quand mon attention fut soudainement distraite par une porte qu'on entrebâilla vivement et par la voix précipitée d'un domestique. Il me

dit qu'une personne qui avait l'air fort pressée demandait à me parler dans le vestibule.

Singulièrement excité par le vin, cette interruption
inattendue me causa plus de plaisir que de surprise. Je
me précipitai en chancelant, et en quelques pas je fus
dans le vestibule de la maison. Dans cette salle basse
et étroite, il n'y avait aucune lampe, et elle ne recevait
d'autre lumière que celle de l'aube, excessivement
faible, qui se glissait à travers la fenêtre cintrée. En
mettant le pied sur le seuil, je distinguai la personne
d'un jeune homme, de ma taille à peu près, et vêtu
d'une robe de chambre de casimir blanc, coupée
à la nouvelle mode, comme celle que je portais en
ce moment. Cette faible lueur me permit de voir tout
cela ; mais les traits de la face, je ne pus les distinguer.
A peine fus-je entré qu'il se précipita vers moi, et,
me saisissant par le bras avec un geste impératif
d'impatience, me chuchota à l'oreille ces mots :

— William Wilson !

En une seconde, je fus dégrisé.

Il y avait dans la manière de l'étranger, dans le
tremblement nerveux de son doigt qu'il tenait levé
entre mes yeux et la lumière, quelque chose qui me
remplit d'un complet étonnement ; mais ce n'était
pas là ce qui m'avait si violemment ému. C'était
l'importance, la solennité d'admonition contenue dans
cette parole singulière, basse, sifflante ; et, par-dessus
tout, le caractère, le ton, *la clef* de ces quelques syllabes,
simples, familières, et toutefois mystérieusement *chu-
chotées*, qui vinrent, avec mille souvenirs accumulés
des jours passés, s'abattre sur mon âme, comme une

décharge de pile voltaïque. Avant que j'eusse pu recouvrer mes sens, il avait disparu.

Quoique cet événement eût à coup sûr produit un effet très vif sur mon imagination déréglée, cependant cet effet, si vif, alla bientôt s'évanouissant. Pendant plusieurs semaines, à la vérité, tantôt je me livrai à l'investigation la plus sérieuse, tantôt je restai enveloppé d'un nuage de méditation morbide. Je n'essayai pas de me dissimuler l'identité du singulier individu qui s'immisçait si opiniâtrement dans mes affaires et me fatiguait de ses conseils officieux. Mais qui était, mais qu'était ce Wilson? — Et d'où venait-il? — Et quel était son but? Sur aucun de ces points je ne pus me satisfaire; — je constatai seulement, relativement à lui, qu'un accident soudain dans sa famille lui avait fait quitter l'école du docteur Bransby dans l'après-midi du jour où je m'étais enfui. Mais, après un certain temps, je cessai d'y rêver, et mon attention fut tout absorbée par un départ projeté pour Oxford. Là j'en vins bientôt — la vanité prodigue de mes parents me permettant de mener un train coûteux et de me livrer à mon gré au luxe déjà si cher à mon cœur — à rivaliser en prodigalités avec les plus superbes héritiers des plus riches comtés de la Grande-Bretagne.

Encouragé au vice par de pareils moyens, ma nature éclata avec une ardeur double, et, dans le fol enivrement de mes débauches, je foulai aux pieds les vulgaires entraves de la décence. Mais il serait absurde de m'appesantir sur le détail de mes extravagances. Il suffira de dire que je dépassai Hérode en dissipa-

tions, et que, donnant un nom à une multitude de
folies nouvelles, j'ajoutai un copieux appendice au
long catalogue des vices qui régnaient alors dans
l'université la plus dissolue de l'Europe.

Il paraîtra difficile à croire que je fusse tellement
déchu du rang de gentilhomme, que je cherchasse
à me familiariser avec les artifices les plus vils du
joueur de profession, et, devenu un adepte de cette
science méprisable, que je la pratiquasse habituellement comme moyen d'accroître mon revenu, déjà
énorme, aux dépens de ceux de mes camarades dont
l'esprit était le plus faible. Et cependant, tel était le
fait. Et l'énormité même de cet attentat contre les
sentiments de dignité et d'honneur, était évidemment
la principale, sinon la seule raison de mon impunité.
Qui donc, parmi mes camarades les plus dépravés,
n'aurait pas contredit le plus clair témoignage de
ses sens, plutôt que de soupçonner d'une pareille
conduite le joyeux, le franc, le généreux William
Wilson, — le plus noble et le plus libéral compagnon
d'Oxford, — celui dont les folies, disaient ses para-
sites, n'étaient que les folies d'une jeunesse et d'une
imagination sans frein, — dont les erreurs n'étaient que
d'inimitables caprices, — les vices les plus noirs, une
insoucieuse et superbe extravagance?

J'avais déjà rempli deux années de cette joyeuse
façon, quand arriva à l'université un jeune homme de
fraîche noblesse, — un nommé Glendinning, — riche,
disait la voix publique, comme Hérodès Atticus, et à
qui sa richesse n'avait pas coûté plus de peine. Je
découvris bien vite qu'il était d'une intelligence

faible, et naturellement je le marquai comme une excellente victime de mes talents. Je l'engageai fréquemment à jouer, et m'appliquai, avec la ruse habituelle du joueur, à lui laisser gagner des sommes considérables, pour l'enlacer plus efficacement dans mes filets. Enfin, mon plan étant bien mûri, je me rencontrai avec lui, — dans l'intention bien arrêtée d'en finir, — chez un de nos camarades, M. Preston, également lié avec nous deux, mais qui — je dois lui rendre cette justice — n'avait pas le moindre soupçon de mon dessein. Pour donner à tout cela une meilleure couleur, j'avais eu soin d'inviter une société de huit ou dix personnes, et je m'étais particulièrement appliqué à ce que l'introduction des cartes parût tout à fait accidentelle et n'eût lieu que sur la proposition de la dupe que j'avais en vue. Pour abréger en un sujet aussi vil, je ne négligeai aucune des basses finesses, si banalement pratiquées en pareille occasion, que c'est merveille qu'il y ait toujours des gens assez sots pour en être les victimes.

Nous avions prolongé notre veillée assez avant dans la nuit, quand j'opérai enfin de manière à prendre Glendinning pour mon unique adversaire. Le jeu était mon jeu favori, l'écarté. Les autres personnes de la société, intéressées par les proportions grandioses de notre jeu, avaient laissé leurs cartes et faisaient galerie autour de nous. Notre parvenu, que j'avais adroitement poussé dans la première partie de la soirée à boire richement, mêlait, donnait et jouait d'une manière étrangement nerveuse, dans laquelle son ivresse, pensais-je, était pour quelque chose, mais qu'elle n'expliquait pas entièrement. En très-peu de temps, il était devenu mon débiteur pour une forte somme, quand ayant avalé une longue rasade d'oporto, il fit juste ce que j'avais froidement prévu, — il proposa de doubler notre enjeu, déjà fort extravagant. Avec une heureuse affectation de résistance, et seulement après que mon refus réitéré l'eut entraîné à des paroles aigres qui donnèrent à mon consentement l'apparence d'une pique, finalement je m'exécutai. Le résultat fut ce qu'il devait être : la proie s'était complètement empêtrée dans mes filets; en moins d'une heure, il avait quadruplé sa dette. Depuis quelque temps sa physionomie avait perdu le teint fleuri que lui prêtait le vin; mais, alors, je m'aperçus avec étonnement qu'elle était arrivée à une pâleur vraiment terrible. Je dis avec étonnement, car j'avais pris sur Glendinning de soigneuses informations; on me l'avait représenté comme immensément riche, et les sommes qu'il avait perdues jusqu'ici, quoique réellement fortes, ne pouvaient pas — je le supposais du moins — le tracasser très-sérieusement, encore moins l'affecter d'une manière aussi violente. L'idée qui se présenta le plus naturellement à mon esprit fut qu'il était bouleversé par le vin qu'il venait de boire; et, dans le but de sauvegarder mon caractère aux yeux de mes camarades, plutôt que par un motif de désintéressement, j'allais insister péremptoirement pour interrompre le jeu, quand quelques mots prononcés à côté de moi parmi les personnes présentes, et une exclamation de Glendinning qui témoignait du plus complet désespoir, me firent comprendre que j'avais opéré sa ruine totale, dans des conditions qui avaient fait de lui un objet de pitié pour tous, et l'auraient protégé même contre les mauvais offices d'un démon.

Quelle conduite eussé-je adoptée dans cette circonstance, il me serait difficile de le dire. La déplorable situation de ma dupe avait jeté sur tout le monde un air de gêne et de tristesse; et il régna un silence profond de quelques minutes, pendant lequel je sentais en dépit de moi mes joues fourmiller sous les regards brûlants de mépris et de reproche que m'adressaient les moins endurcis de la société. J'avouerai même que mon cœur se trouva momentanément déchargé d'un intolérable poids d'angoisse par la soudaine et extraordinaire interruption qui suivit. Les lourds battants de la porte de la chambre s'ouvrirent tout grands, d'un seul coup, avec une impétuosité si vigoureuse et si violente, que toutes les bougies s'éteignirent comme par enchantement. Mais la lumière mourante me permit d'apercevoir qu'un étranger s'était introduit, — un homme de ma taille à peu près, et étroitement enveloppé d'un manteau. Cependant, les ténèbres étaient maintenant complètes, et nous pouvions seulement *sentir* qu'il se tenait au milieu de nous. Avant qu'aucun de nous fût revenu de l'excessif étonnement où nous avait tous jetés cette violence, nous entendîmes la voix de l'intrus :

— Gentlemen, — dit-il, *d'une voix très-basse*, mais distincte, d'une voix inoubliable qui pénétra la moelle de mes os, — gentlemen, je ne cherche pas à excuser ma conduite, parce qu'en me conduisant ainsi je ne fais qu'accomplir un devoir. Vous n'êtes sans doute pas au fait du vrai caractère de la personne qui a gagné cette nuit une somme énorme à l'écarté à lord Glendinning. Je vais donc vous proposer un moyen expéditif et décisif pour vous procurer ces très-importants renseignements. Examinez, je vous prie, tout à votre aise, la doublure du parement de sa manche gauche et les quelques petits paquets que l'on trouvera dans les poches passablement vastes de sa robe de chambre brodée.

Pendant qu'il parlait, le silence était si profond qu'on aurait entendu tomber une épingle sur le tapis. Quand il eut fini, il partit tout d'un coup, aussi brusquement qu'il était entré. Puis-je décrire, décrirai-je mes sensations? Faut-il dire que je sentis toutes les horreurs du damné? J'avais certainement peu de temps pour la réflexion. Plusieurs bras m'empoignèrent rudement, et on se procura immédiatement de la lumière. Une perquisition suivit. Dans la doublure de ma manche, on trouva toutes les figures essentielles de l'écarté, et, dans les poches de ma robe de chambre, un certain nombre de jeux de cartes exactement semblables à ceux dont nous nous servions dans nos réunions, à l'exception que les miennes étaient de celles qu'on appelle, proprement *arrondies*, les honneurs étant très-légèrement convexes sur les petits côtés et les basses cartes imperceptiblement convexes sur les grands. Grâce à cette disposition, la dupe qui coupe, comme d'habitude, dans la longueur du paquet, coupe invariablement de manière à donner un honneur à son adversaire;

tandis que le grec, en coupant dans la largeur, ne donnera jamais à sa victime rien qu'elle puisse marquer à son avantage.

Une tempête d'indignation m'aurait moins affecté que le silence méprisant et le calme sarcastique qui accueillirent cette découverte.

— Monsieur Wilson, — dit notre hôte en se baissant pour ramasser sous ses pieds un magnifique manteau doublé d'une fourrure précieuse, — monsieur Wilson, ceci est à vous. (Le temps était froid, et, en quittant ma chambre, j'avais jeté par-dessus mon vêtement du matin un manteau que j'ôtai en arrivant sur le théâtre du jeu.) Je présume, — ajouta-t-il en regardant les plis du vêtement avec un sourire amer, — qu'il est bien superflu de chercher ici de nouvelles preuves de votre savoir-faire. Vraiment, nous en avons assez. J'espère que vous comprendrez la nécessité de quitter Oxford, — en tout cas de sortir à l'instant de chez moi.

Avili, humilié ainsi jusqu'à la boue, il est probable que j'eusse châtié ce langage insultant par une violence personnelle immédiate, si toute mon attention n'avait pas été en ce moment arrêtée par un fait de la nature la plus surprenante. Le manteau que j'avais apporté était d'une fourrure supérieure, — d'une rareté et d'un prix extravagants, il est inutile de le dire. La coupe était une coupe de fantaisie, de mon invention; car dans ces matières frivoles j'étais difficile, et je poussais les rages du dandysme jusqu'à l'absurde. Donc, quand M. Preston me tendit celui qu'il avait ramassé par terre, auprès de la porte de la chambre, ce fut avec un étonnement voisin de la terreur que je m'aperçus que j'avais déjà le mien sur mon bras, où je l'avais sans doute placé sans y penser, et que celui qu'il me présentait en était l'exacte contrefaçon dans tous ses plus minutieux détails. L'être singulier qui m'avait si désastreusement dévoilé était, je me le rappelais bien, enveloppé d'un manteau; et aucun des individus présents, excepté moi, n'en avait apporté avec lui. Je conservai quelque présence d'esprit, je pris celui que m'offrait Preston; je le plaçai sans qu'on y prît garde, sur le mien; je sortis de la chambre avec un défi et une menace dans le regard; et, le matin même, avant le point du jour, je m'enfuis précipitamment d'Oxford vers le continent, dans une vraie agonie d'horreur et de honte.

Je fuyais en vain. Ma destinée maudite m'a poursuivi, triomphante, et me prouvant que son mystérieux pouvoir n'avait fait jusqu'alors que de commencer. A peine eus-je mis le pied dans Paris, que j'eus une preuve nouvelle du détestable intérêt que le Wilson prenait à mes affaires. Les années s'écoulèrent, et je n'eus point de répit. Misérable! — A Rome, avec quelle importune obséquiosité, avec quelle tendresse de spectre il s'interposa entre moi et mon ambition! — Et à Vienne! — et à Berlin! — et à Moscou! Où donc ne trouvai-je pas quelque amère raison de le maudire du fond de mon cœur? Frappé d'une panique, je pris enfin la fuite devant son impénétrable tyrannie, comme devant une peste, et jusqu'au bout du monde j'ai fui, *j'ai fui en vain.*

Et toujours, et toujours interrogeant secrètement

mon âme, je répétais mes questions : Qui est-il? —
D'où vient-il? — Et quel est son dessein? — Mais je
ne trouvais pas de réponse. Et j'analysais alors avec
un soin minutieux les formes, la méthode et les traits
caractéristiques de son insolente surveillance. Mais,
là encore, je ne trouvais pas grand-chose qui pût
servir de base à une conjecture. C'était vraiment une
chose remarquable que, dans les cas nombreux où il
avait récemment traversé mon chemin, il ne l'eût
jamais fait que pour dérouter des plans ou déranger
des opérations qui, s'ils avaient réussi, n'auraient
abouti qu'à une amère déconvenue. Pauvre justification, en vérité, que celle-là, pour une autorité si
impérieusement usurpée! Pauvre indemnité pour ces
droits naturels de libre arbitre si opiniâtrement, si
insolemment déniés!

J'avais aussi été forcé de remarquer que mon
bourreau, depuis un fort long espace de temps, tout
en exerçant scrupuleusement et avec une dextérité
miraculeuse cette manie de toilette identique à la
mienne, s'était toujours arrangé, à chaque fois qu'il
posait son intervention dans ma volonté, de manière
que je ne pusse voir les traits de sa face. Quoi que pût
être ce damné Wilson, certes un pareil mystère était
le comble de l'affectation et de la sottise. Pouvait-il
avoir supposé un instant que dans mon donneur d'avis
à Eton, — dans le destructeur de mon honneur à
Oxford, — dans celui qui avait contrecarré mon
ambition à Rome, ma vengeance à Paris, mon amour
passionné à Naples, en Égypte ce qu'il appelait à
tort ma cupidité, — que dans cet être, mon grand

ennemi et mon mauvais génie, je ne reconnaîtrais
pas le William Wilson de mes années de collège, —
l'homonyme, le camarade, le rival, — le rival exécré
et redouté de la maison Bransby? — Impossible! —
Mais laissez-moi courir à la terrible scène finale du
drame.

Jusqu'alors je m'étais soumis lâchement à son impérieuse domination. Le sentiment de profond respect
avec lequel je m'étais accoutumé à considérer le
caractère élevé, la sagesse majestueuse, l'omnipré-
sence et l'omnipotence apparentes de Wilson, joint
à je ne sais quelle sensation de terreur que m'inspiraient certains autres traits de sa nature et certains
privilèges, avaient créé en moi l'idée de mon entière
faiblesse et de mon impuissance, et m'avaient con-
seillé une soumission sans réserve, quoique pleine
d'amertume et de répugnance, à son arbitraire
dictature. Mais, depuis ces derniers temps, je m'étais
entièrement abandonné au vin, et son influence exas-
pérante sur mon tempérament héréditaire me rendait
de plus en plus impatient de tout contrôle. Je commençai à murmurer, — à hésiter, — à résister. Et
fût-ce simplement mon imagination qui m'induisait
à croire que l'opiniâtreté de mon bourreau diminuerait
en raison de ma propre fermeté? Il est possible; mais,
en tout cas, je commençais à sentir l'inspiration d'une
espérance ardente, et je finis par nourrir dans le
secret de mes pensées la sombre et désespérée résolution de m'affranchir de cet esclavage.

C'était à Rome, pendant le carnaval de 18..;
j'étais à un bal masqué dans le palais du duc Di

Broglio, de Naples. J'avais fait abus du vin encore plus que de coutume, et l'atmosphère étouffante des salons encombrés m'irritait insupportablement. La difficulté de me frayer un passage à travers la cohue ne contribua pas peu à exaspérer mon humeur; car je cherchais avec anxiété (je ne dirai pas pour quel indigne motif) la jeune, la joyeuse, la belle épouse du vieux et extravagant Di Broglio. Avec une confiance passablement imprudente, elle m'avait confié le secret du costume qu'elle devait porter; et, comme je venais de l'apercevoir au loin, j'avais hâte d'arriver jusqu'à elle. En ce moment, je sentis une main qui se posa doucement sur mon épaule, — et puis cet inoubliable, ce profond, ce maudit *chuchotement* dans mon oreille!

Pris d'une rage frénétique, je me tournai brusquement vers celui qui m'avait ainsi troublé et je le saisis violemment au collet. Il portait, comme je m'y attendais, un costume absolument semblable au mien : un manteau espagnol de velours bleu, et autour de la taille une ceinture cramoisie où se rattachait une rapière. Un masque de soie noire recouvrait entièrement sa face.

— Misérable! — m'écriai-je d'une voix enrouée par la rage, et chaque syllabe qui m'échappait était comme un aliment pour le feu de ma colère, — misérable! imposteur! scélérat maudit! tu ne me suivras plus à la piste, — tu ne me harcèleras pas jusqu'à la mort! Suis-moi, ou je t'embroche sur place!

Et je m'ouvris un chemin de la salle de bal vers

une petite antichambre attenante, le traînant irrésistiblement avec moi.

En entrant, je le jetai furieusement loin de moi. Il alla chanceler contre le mur; je fermai la porte en jurant, et lui ordonnai de dégainer. Il hésita une seconde; puis, avec un léger soupir, il tira silencieusement son épée et se mit en garde.

Le combat ne fut certes pas long. J'étais exaspéré par les plus ardentes excitations de tout genre, et je me sentais dans un seul bras l'énergie et la puissance d'une multitude. En quelques secondes, je l'acculai par la force du poignet contre la boiserie, et, là, le tenant à ma discrétion, je lui plongeai, à plusieurs reprises et coup sur coup, mon épée dans la poitrine avec une férocité de brute.

En ce moment, quelqu'un toucha à la serrure de la porte. Je me hâtai de prévenir une invasion importune, et je retournai immédiatement vers mon adversaire mourant. Mais quelle langue humaine peut rendre suffisamment cet étonnement, cette horreur qui s'emparèrent de moi au spectacle que virent alors mes yeux. Le court instant pendant lequel je m'étais détourné avait suffi pour produire, en apparence, un changement matériel dans les dispositions locales à l'autre bout de la chambre. Une vaste glace — dans mon trouble, cela m'apparut d'abord ainsi — se dressait là où je n'en avais pas vu trace auparavant; et, comme je marchais frappé de terreur vers ce miroir, ma propre image, mais avec une face pâle et barbouillée de sang, s'avança à ma rencontre d'un pas faible et vacillant.

C'est ainsi que la chose m'apparut, dis-je, mais telle elle n'était pas. C'était mon adversaire, — c'était Wilson qui se tenait devant moi dans son agonie. Son masque et son manteau gisaient sur le parquet, là où il les avait jetés. Pas un fil dans son vêtement, — pas une ligne dans toute sa figure si caractérisée et si singulière, — qui ne fût *mien*, — qui ne fût *mienne;* — c'était l'absolu dans l'identité!

C'était Wilson, mais Wilson ne chuchotant plus ses paroles maintenant! si bien que j'aurais pu croire que c'était moi-même qui parlais quand il me dit :

— *Tu as vaincu, et je succombe. Mais dorénavant tu es mort aussi, — mort au Monde, au Ciel et à l'Espérance! En moi tu existais, — et vois dans ma mort, vois par cette image qui est la tienne, comme tu t'es radicalement assassiné toi-même!*

L'HOMME DES FOULES

> Ce grand malheur de ne pouvoir être seul.
> LA BRUYÈRE.

ON a dit judicieusement d'un certain livre allemand :
Es læsst sich nicht lesen, — il ne se laisse pas lire. Il y
a des secrets qui ne veulent pas être dits. Des hommes
meurent la nuit dans leurs lits, tordant les mains des
spectres qui les confessent et les regardant pitoyable-
ment dans les yeux ; — des hommes meurent avec le
désespoir dans le cœur et des convulsions dans le
gosier à cause de l'horreur des mystères qui *ne veulent
pas* être révélés. Quelquefois, hélas ! la conscience
humaine supporte un fardeau d'une si lourde horreur,
qu'elle ne peut s'en décharger que dans le tombeau.
Ainsi l'essence du crime reste inexpliquée.

Il n'y a pas longtemps, sur la fin d'un soir d'automne, j'étais assis devant la grande fenêtre cintrée
du café D... à Londres. Pendant quelques mois,
j'avais été malade ; mais j'étais alors convalescent, et,
la force me revenant, je me trouvais dans une de ces

heureuses dispositions qui sont précisément le contraire de l'ennui, — dispositions où l'appétence morale
est merveilleusement aiguisée, quand la taie qui recouvrait la vision spirituelle est arrachée, l'ἀχλὺς ἥ πρὶν
ἐπῆεν, — où l'esprit électrisé dépasse aussi prodigieusement sa puissance journalière que la raison
ardente et naïve de Leibnitz l'emporte sur la folle
et molle rhétorique de Gorgias. Respirer seulement,
c'était une jouissance, et je tirais un plaisir positif
même de plusieurs sources très-plausibles de peine.
Chaque chose m'inspirait un intérêt calme, mais plein
de curiosité. Un cigare à la bouche, un journal sur
mes genoux, je m'étais amusé, pendant la plus grande
partie de l'après-midi, tantôt à regarder attentive-
ment les annonces, tantôt à observer la société mêlée
du salon, tantôt à regarder dans la rue à travers les
vitres voilées par la fumée.

Cette rue est une des principales artères de la ville
et elle avait été pleine de monde toute la journée. Mais,
à la tombée de la nuit, la foule s'accrut de minute
en minute ; et, quand tous les réverbères furent allumés,
deux courants de population s'écoulaient, épais et
continus, devant la porte. Je ne m'étais jamais senti
dans une situation semblable à celle où je me trouvais
en ce moment particulier de la soirée, et ce tumultueux océan de têtes humaines me remplissait d'une
délicieuse émotion toute nouvelle. A la longue, je ne
fis plus aucune attention aux choses qui se passaient
dans l'hôtel, et je m'absorbai dans la contemplation
de la scène du dehors.

Mes observations prirent d'abord un tour abstrait

et généralisateur. Je regardais les passants par masses, et ma pensée ne les considérait que dans leurs rapports collectifs. Bientôt, cependant, je descendis au détail, et j'examinai avec un intérêt minutieux les innombrables variétés de figure, de toilette, d'air, de démarche, de visage et d'expression physionomique.

Le plus grand nombre de ceux qui passaient avaient un maintien convaincu et propre aux affaires, et ne semblaient occupés qu'à se frayer un chemin à travers la foule. Ils fronçaient les sourcils et roulaient les yeux vivement; quand ils étaient bousculés par quelques passants voisins, ils ne montraient aucun symptôme d'impatience, mais rajustaient leurs vêtements et se dépêchaient. D'autres, une classe fort nombreuse encore, étaient inquiets dans leurs mouvements, avaient le sang à la figure, se parlaient à eux-mêmes et gesticulaient, comme s'ils se sentaient seuls par le fait même de la multitude innombrable qui les entourait. Quand ils étaient arrêtés dans leur marche, ces gens-là cessaient tout à coup de marmotter, mais redoublaient leurs gesticulations, et attendaient, avec un sourire distrait et exagéré, le passage des personnes qui leur faisaient obstacle. S'ils étaient poussés, ils saluaient abondamment les pousseurs, et paraissaient accablés de confusion. — Dans ces deux vastes classes d'hommes, au-delà de ce que je viens de noter, il n'y avait rien de bien caractéristique. Leurs vêtements appartenaient à cet ordre qui est exactement défini par le terme : décent. C'étaient indubitablement des gentilshommes, des marchands, des attorneys, des fournisseurs, des agioteurs, — les eupatrides et l'ordinaire banal de la société, — hommes de loisir et hommes activement engagés dans des affaires personnelles, et les conduisant sous leur propre responsabilité. Ils n'excitèrent pas chez moi une très grande attention.

La race des commis sautait aux yeux, et, là, je distinguai deux divisions remarquables. Il y avait les petits commis des maisons à *esbroufe*, — jeunes messieurs serrés dans leurs habits, les bottes brillantes, les cheveux pommadés et la lèvre insolente. En mettant de côté un certain je ne sais quoi de fringant dans les manières qu'on pourrait définir *genre calicot*, faute d'un meilleur mot, le genre de ces individus me parut un exact *fac-simile* de ce qui avait été la perfection du bon ton douze ou dix-huit mois auparavant. Ils portaient les grâces de rebut de la *gentry;* — et cela, je crois, implique la meilleure définition de cette classe.

Quant à la classe des premiers commis de maisons solides, ou des *steady old fellows*, il était impossible de s'y méprendre. On les reconnaissait à leurs habits et pantalons noirs ou bruns, d'une tournure confortable, à leurs cravates et à leurs gilets blancs, à leurs larges souliers d'apparence solide, avec des bas épais ou des guêtres. Ils avaient tous la tête légèrement chauve, et l'oreille droite, accoutumée dès longtemps à tenir la plume, avait contracté un singulier tic d'écartement. J'observai qu'ils ôtaient ou remettaient toujours leurs chapeaux avec les deux mains, et qu'ils portaient des montres avec de courtes chaînes d'or d'un modèle solide et ancien. Leur affectation, c'était la respectabilité, — si toutefois il peut y avoir une affectation aussi honorable.

Il y avait bon nombre de ces individus d'une apparence brillante que je reconnus facilement pour appartenir à la race des filous de la *haute pègre* dont toutes les grandes villes sont infestées. J'étudiai très-curieusement cette espèce de *gentry*, et je trouvai difficile de comprendre comment ils pouvaient être pris pour des gentlemen par les gentlemen eux-mêmes. L'exagération de leurs manchettes, avec un air de franchise excessive, devait les trahir du premier coup.

Les joueurs de profession — et j'en découvris un grand nombre — étaient encore plus aisément reconnaissables. Ils portaient toutes les espèces de toilettes, depuis celle du parfait *maquereau*, joueur de gobelets, au gilet de velours, à la cravate de fantaisie, aux chaînes de cuivre doré, aux boutons de filigrane, jusqu'à la toilette cléricale, si scrupuleusement simple, que rien n'était moins propre à éveiller le soupçon. Tous cependant se distinguaient par un teint cuit et basané, par je ne sais quel obscurcissement vaporeux de l'œil, par la compression et la pâleur de la lèvre. Il y avait, en outre, deux autres traits qui me les faisaient toujours deviner : un ton bas et réservé dans la conversation, et une disposition plus qu'ordinaire du pouce à s'étendre jusqu'à faire angle droit avec les doigts. — Très-souvent, en compagnie de ces fripons, j'ai observé quelques hommes qui différaient un peu par leurs habitudes ; cependant, c'étaient toujours des oiseaux de même plumage. On peut les définir : des gentlemen qui vivent de leur esprit.

Ils se divisent, pour dévorer le public, en deux bataillons, — le genre dandy et le genre militaire. Dans la première classe, les caractères principaux sont longs cheveux et sourires; et dans la seconde, longues redingotes et froncements de sourcils.

En descendant l'échelle de ce qu'on appelle *gentility*, je trouvai des sujets de méditation plus noirs et plus profonds. Je vis des colporteurs juifs avec des yeux de faucon étincelants dans des physionomies dont le reste n'était qu'abjecte humilité; de hardis mendiants de profession bousculant des pauvres d'un meilleur titre, que le désespoir seul avait jetés dans les ombres de la nuit pour implorer la charité; des invalides tout faibles et pareils à des spectres sur qui la mort avait placé une main sûre, et qui clopinaient et vacillaient à travers la foule, regardant chacun au visage avec des yeux pleins de prières, comme en quête de quelque consolation fortuite, de quelque espérance perdue; de modestes jeunes filles qui revenaient d'un labeur prolongé vers un sombre logis, et reculaient plus éplorées qu'indignées devant les œillades des drôles dont elles ne pouvaient même pas éviter le contact direct; des prostituées de toute sorte et de tout âge, — l'incontestable beauté dans la primeur de sa féminéité, faisant rêver de la statue de Lucien dont la surface était de marbre de Paros et l'intérieur rempli d'ordures, — la lépreuse en haillons, dégoûtante et absolument déchue, — la vieille sorcière, ridée, peinte, plâtrée, chargée de bijouterie, faisant un dernier effort vers la jeunesse, — la pure enfant à la forme non mûre, mais déjà façonnée par une longue camaraderie

aux épouvantables coquetteries de son commerce, et
brûlant de l'ambition dévorante d'être rangée au
niveau de ses aînées dans le vice ; des ivrognes innombrables et indescriptibles, ceux-ci déguenillés, chan-
celants, désarticulés, avec le visage meurtri et les
yeux ternes, — ceux-là avec leurs vêtements entiers,
mais sales, une crânerie légèrement vacillante, de
grosses lèvres sensuelles, des faces rubicondes et
sincères, — d'autres vêtus d'étoffes qui jadis avaient
été bonnes, et qui maintenant encore étaient scrupuleusement brossées, — des hommes qui mar-
chaient d'un pas plus ferme et plus élastique que
nature, mais dont les physionomies étaient terriblement pâles, les yeux atrocement effarés et rouges, et qui,
tout en allant à grands pas à travers la foule, agrip-
paient avec des doigts tremblants tous les objets qui
se trouvaient à leur portée ; et puis des pâtissiers,
des commissionnaires, des porteurs de charbon, des
ramoneurs ; des joueurs d'orgue, des montreurs de
singes, des marchands de chansons, ceux qui ven-
daient avec ceux qui chantaient ; des artisans déguenillés et des travailleurs de toute sorte épuisés à la
peine, — et tous pleins d'une activité bruyante et
désordonnée qui affligeait l'oreille par ses discor-
dances et apportait à l'œil une sensation douloureuse.

A mesure que la nuit devenait plus profonde,
l'intérêt de la scène s'approfondissait aussi pour moi ;
car non-seulement le caractère général de la foule
était altéré (ses traits les plus nobles s'effaçant avec
la retraite graduelle de la partie la plus sage de la
population, et les plus grossiers venant plus vigoureu-

sement en relief, à mesure que l'heure plus avancée tirait chaque espèce d'infamie de sa tanière), mais les rayons des becs de gaz, faibles d'abord quand ils luttaient avec le jour mourant, avaient maintenant pris le dessus et jetaient sur toutes choses une lumière étincelante et agitée. Tout était noir, mais éclatant — comme cette ébène à laquelle on a comparé le style de Tertullien.

Les étranges effets de la lumière me forcèrent à examiner les figures des individus; et, bien que la rapidité avec laquelle ce monde de lumière fuyait devant la fenêtre m'empêchât de jeter plus d'un coup d'œil sur chaque visage, il me semblait toutefois que, grâce à ma singulière disposition morale, je pouvais souvent lire dans ce bref intervalle d'un coup d'œil l'histoire de longues années.

Le front collé à la vitre, j'étais ainsi occupé à examiner la foule, quand soudainement apparut une physionomie (celle d'un vieux homme décrépit de soixante-cinq à soixante-dix ans), — une physionomie qui tout d'abord arrêta et absorba toute mon attention, en raison de l'absolue idiosyncrasie de son expression. Jusqu'alors je n'avais jamais rien vu qui ressemblât à cette expression, même à un degré très-éloigné. Je me rappelle bien que ma première pensée, en le voyant, fut que Retzch, s'il l'avait contemplé, l'aurait grandement préféré aux figures dans lesquelles il a essayé d'incarner le démon. Comme je tâchais, durant le court instant de mon premier coup d'œil, de former une analyse quelconque du sentiment général qui m'était communiqué, je sentis s'élever confusément

et paradoxalement dans mon esprit les idées de vaste
intelligence, de circonspection, de lésinerie, de cupidité, de sang-froid, de méchanceté, de soif sangui-
naire, de triomphe, d'allégresse, d'excessive terreur,
d'intense et suprême désespoir. Je me sentis singulièrement éveillé, saisi, fasciné. — Quelle étrange histoire,
me dis-je à moi-même, est écrite dans cette poitrine ! —
Il me vint alors un désir ardent de ne pas perdre
l'homme de vue, — d'en savoir plus long sur lui. Je
mis précipitamment mon paletot, je saisis mon chapeau et ma canne, je me jetai dans la rue, et me poussai
à travers la foule dans la direction que je lui avais vu
prendre ; car il avait déjà disparu. Avec un peu de
difficulté, je parvins enfin à le découvrir, je m'approchai de lui et le suivis de très-près, mais avec de grandes
précautions, de manière à ne pas attirer son attention.

Je pouvais maintenant étudier commodément sa
personne. Il était de petite taille, très-maigre et très-
faible en apparence. Ses habits étaient sales et déchi-
rés ; mais, comme il passait de temps à autre dans le
feu éclatant d'un candélabre, je m'aperçus que son
linge, quoique sale, était d'une belle qualité ; et, si
mes yeux ne m'ont pas abusé, à travers une déchirure
du manteau, évidemment acheté d'occasion, dont
il était soigneusement enveloppé, j'entrevis la lueur
d'un diamant et d'un poignard. Ces observations
surexcitèrent ma curiosité, et je résolus de suivre
l'inconnu partout où il lui plairait d'aller.

Il faisait maintenant tout à fait nuit, et un brouillard
humide et épais s'abattait sur la ville, qui bientôt
se résolut en une pluie lourde et continue. Ce change-

ment de temps eut un effet bizarre sur la foule, qui
fut agitée tout entière d'un nouveau mouvement, et se
déroba sous un monde de parapluies. L'ondulation,
le coudoiement, le brouhaha, devinrent dix fois plus
forts. Pour ma part, je ne m'inquiétai pas beaucoup
de la pluie, — j'avais encore dans le sang une vieille
fièvre aux aguets, pour qui l'humidité était une dangereuse volupté. Je nouai un mouchoir autour de ma
bouche, et je tins bon. Pendant une demi-heure, le
vieux homme se fraya son chemin avec difficulté à
travers la grande artère, et je marchais presque sur
ses talons dans la crainte de le perdre de vue. Comme
il ne tournait jamais la tête pour regarder derrière
lui, il ne fit pas attention à moi. Bientôt il se jeta dans
une rue traversière, qui bien que remplie de monde,
n'était pas aussi encombrée que la principale qu'il
venait de quitter. Ici, il se fit un changement évident
dans son allure. Il marcha plus lentement, avec moins
de décision que tout à l'heure, avec plus d'hésitation.
Il traversa et retraversa la rue fréquemment, sans
but apparent; et la foule était si épaisse, qu'à chaque
nouveau mouvement j'étais obligé de le suivre de
très-près. C'était une rue étroite et longue, et la promenade qu'il y fit dura près d'une heure, pendant
laquelle la multitude des passants se réduisit graduellement à la quantité de gens qu'on voit ordinairement à
Broadway, près du parc, vers midi, — tant est grande
la différence entre une foule de Londres et celle de la
cité américaine la plus populeuse. Un second crochet
nous jeta sur une place brillamment éclairée et débordante de vie. La première *manière* de l'inconnu reparut.

Son menton tomba sur sa poitrine, et ses yeux roulèrent étrangement sous ses sourcils froncés, dans tous
les sens, vers tous ceux qui l'enveloppaient. Il pressa
le pas, régulièrement, sans interruption. Je m'aperçus
toutefois avec surprise, quand il eut fait le tour de la
place, qu'il retournait sur ses pas. Je fus encore bien
plus étonné de lui voir recommencer la même promenade plusieurs fois; — une fois, comme il tournait
avec un mouvement brusque, je faillis être découvert.

A cet exercice il dépensa encore une heure, à la fin
de laquelle nous fûmes beaucoup moins empêchés par
les passants qu'au commencement. La pluie tombait
dru, l'air devenait froid, et chacun rentrait chez soi.
Avec un geste d'impatience, l'homme errant passa
dans une rue obscure, comparativement déserte. Tout
le long de celle-ci, un quart de mille à peu près, il
courut avec une agilité que je n'aurais jamais soupçon-
née dans un être aussi vieux, — une agilité telle que
j'eus beaucoup de peine à le suivre. En quelques
minutes, nous débouchâmes sur un vaste et tumultueux bazar. L'inconnu avait l'air parfaitement au
courant des localités, et il reprit une fois encore son
allure primitive, se frayant un chemin çà et là, sans
but, parmi la foule des acheteurs et des vendeurs.

Pendant une heure et demie, à peu près, que nous
passâmes dans cet endroit, il me fallut beaucoup de
prudence pour ne pas le perdre de vue sans attirer
son attention. Par bonheur, je portais des claques en
caoutchouc, et je pouvais aller et venir sans faire le
moindre bruit. Il ne s'aperçut pas un seul instant qu'il
était épié. Il entrait successivement dans toutes les

boutiques, ne marchandait rien, ne disait pas un mot, et jetait sur tous les objets un regard fixe, effaré, vide. J'étais maintenant prodigieusement étonné de sa conduite et je pris la ferme résolution de ne pas le quitter avant d'avoir satisfait en quelque façon ma curiosité à son égard.

Une horloge au timbre éclatant sonna onze heures, et tout le monde désertait le bazar en grande hâte. Un boutiquier, en fermant un volet, coudoya le vieux homme, et à l'instant même je vis un violent frisson parcourir tout son corps. Il se précipita dans la rue, regarda un instant avec anxiété autour de lui, puis fila avec une incroyable vélocité à travers plusieurs ruelles tortueuses et désertes, jusqu'à ce que nous aboutîmes de nouveau à la grande rue d'où nous étions partis, — la rue de l'hôtel D... Cependant, elle n'avait plus le même aspect. Elle était toujours brillante de gaz; mais la pluie tombait furieusement, et l'on n'apercevait que de rares passants. L'inconnu pâlit. Il fit quelques pas d'un air morne dans l'avenue naguère populeuse; puis, avec un profond soupir, il tourna dans la direction de la rivière, et, se plongeant à travers un labyrinthe de chemins détournés, arriva enfin devant un des principaux théâtres. On était au moment de le fermer, et le public s'écoulait par les portes. Je vis le vieux homme ouvrir la bouche, comme pour respirer, et se jeter parmi la foule; mais il me sembla que l'angoisse profonde de sa physionomie était en quelque sorte calmée. Sa tête tomba de nouveau sur sa poitrine; il apparut tel que je l'avais vu la première fois. Je remarquai qu'il se dirigeait main-

tenant du même côté que la plus grande partie du
public, — mais, en somme, il m'était impossible de
rien comprendre à sa bizarre obstination.

Pendant qu'il marchait, le public se disséminait;
son malaise et ses premières hésitations le reprirent.
Pendant quelque temps, il suivit de très-près un
groupe de dix ou douze tapageurs; peu à peu, un à
un, le nombre s'éclaircit et se réduisit à trois individus
qui restèrent ensemble, dans une ruelle étroite, obscure
et peu fréquentée. L'inconnu fit une pause, et pendant
un moment parut se perdre dans ses réflexions; puis,
avec une agitation très-marquée, il enfila rapidement
une route qui nous conduisit à l'extrémité de la ville,
dans des régions bien différentes de celles que nous
avions traversées jusqu'à présent. C'était le quartier
le plus malsain de Londres, où chaque chose porte
l'affreuse empreinte de la plus déplorable pauvreté
et du vice incurable. A la lueur accidentelle d'un
sombre réverbère, on apercevait des maisons de bois,
hautes, antiques, vermoulues, menaçant ruine, et
dans de si nombreuses et si capricieuses directions
qu'à peine pouvait-on deviner au milieu d'elles
l'apparence d'un passage. Les pavés étaient éparpillés
à l'aventure, repoussés de leurs alvéoles par le gazon
victorieux. Une horrible saleté croupissait dans les
ruisseaux obstrués. Toute l'atmosphère regorgeait
de désolation. Cependant, comme nous avancions, les
bruits de la vie humaine se ravivèrent clairement et
par degrés; et enfin de vastes bandes d'hommes, les
plus infâmes parmi la populace de Londres, se mon-
trèrent, oscillantes çà et là. Le vieux homme sentit de

nouveau palpiter ses esprits, comme une lampe qui est près de son agonie. Une fois encore il s'élança en avant d'un pas élastique. Tout à coup, nous tournâmes au coin; une lumière flamboyante éclata à notre vue, et nous nous trouvâmes devant un des énormes temples suburbains de l'Intempérance, — un des palais du démon Gin.

C'était presque le point du jour; mais une foule de misérables ivrognes se pressaient encore en dedans et en dehors de la fastueuse porte. Presque avec un cri de joie, le vieux homme se fraya un passage au milieu, reprit sa physionomie primitive, et se mit à arpenter la cohue dans tous les sens, sans but apparent. Toutefois, il n'y avait pas longtemps qu'il se livrait à cet exercice, quand un grand mouvement dans les portes témoigna que l'hôte allait les fermer en raison de l'heure. Ce que j'observai sur la physionomie du singulier être que j'épiais si opiniâtrement fut quelque chose de plus intense que le désespoir. Cependant, il n'hésita pas dans sa carrière, mais, avec une énergie folle, il revint tout à coup sur ses pas, au cœur du puissant Londres. Il courut vite et longtemps, et toujours je le suivais avec un effroyable étonnement, résolu à ne pas lâcher une recherche dans laquelle j'éprouvais un intérêt qui m'absorbait tout entier. Le soleil se leva pendant que nous poursuivions notre course, et, quand nous eûmes une fois encore atteint le rendez-vous commercial de la populeuse cité, la rue de l'Hôtel D..., celle-ci présentait un aspect d'activité et de mouvement humains presque égal à ce que j'avais vu dans la soirée précédente. Et, là encore, au milieu de la confusion toujours croissante, longtemps je persistai dans ma poursuite de l'inconnu. Mais, comme d'ordinaire, il allait et venait, et de la journée entière il ne sortit pas du tourbillon de cette rue. Et, comme les ombres du second soir approchaient, je me sentais brisé jusqu'à la mort, et, m'arrêtant tout droit devant l'homme errant, je le regardai intrépidement en face. Il ne fit pas attention à moi, mais reprit sa solennelle promenade, pendant que, renonçant à le poursuivre, je restais absorbé dans cette contemplation.

— Ce vieux homme, — me dis-je à la longue, — est le type et le génie du crime profond. Il refuse d'être seul. *Il est l'homme des foules*. Il serait vain de le suivre; car je n'apprendrai rien de plus de lui ni de ses actions. Le pire cœur du monde est un livre plus rebutant que le *Hortulus animæ*[1], et peut-être est-ce une des grandes miséricordes de Dieu que *es læsst sich nicht lesen*, — qu'il ne se laisse pas lire.

---

1. *Hortulus animæ, cum oratiunculis aliquibus superadditis*, de Grunninger.

LE CŒUR RÉVÉLATEUR

Vrai! — je suis très-nerveux, épouvantablement nerveux, — je l'ai toujours été; mais pourquoi prétendez-vous que je suis fou? La maladie a aiguisé mes sens, — elle ne les a pas détruits, — elle ne les a pas émoussés. Plus que tous les autres, j'avais le sens de l'ouïe très-fin. J'ai entendu toutes choses du ciel et de la terre. J'ai entendu bien des choses de l'enfer. Comment donc suis-je fou? Attention! Et observez avec quelle santé, — avec quel calme je puis vous raconter toute l'histoire.

Il est impossible de dire comment l'idée entra primitivement dans ma cervelle; mais, une fois conçue, elle me hanta nuit et jour. D'objet, il n'y en avait pas. La passion n'y était pour rien. J'aimais le vieux bonhomme. Il ne m'avait jamais fait de mal. Il ne m'avait jamais insulté. De son or je n'avais aucune envie. Je crois que c'était son œil! Oui, c'était cela! Un de ses yeux ressemblait à celui d'un vautour, — un œil bleu pâle, avec une taie dessus. Chaque fois que cet œil tombait sur moi, mon sang se glaçait; et ainsi, lentement, — par degrés, — je me mis en tête d'arracher la vie du vieillard, et par ce moyen de me délivrer de l'œil à tout jamais.

Maintenant, voici le hic! Vous me croyez fou. Les fous ne savent rien de rien. Mais si vous m'aviez vu! Si vous aviez vu avec quelle sagesse je procédai! — avec quelle précaution, — avec quelle prévoyance, — avec quelle dissimulation je me mis à l'œuvre! Je ne fus jamais plus aimable pour le vieux que pendant la semaine entière qui précéda le meurtre. Et, chaque nuit, vers minuit, je tournais le loquet de sa porte, et je l'ouvrais, — oh! si doucement! Et alors, quand je l'avais suffisamment entrebâillée pour ma tête, j'introduisais une lanterne sourde, bien fermée, bien fermée, ne laissant filtrer aucune lumière; puis je passais la tête. Oh! vous auriez ri de voir avec quelle adresse je passais ma tête! Je la mouvais lentement, — très, très-lentement, — de manière à ne pas troubler le sommeil du vieillard. Il me fallait bien une heure pour introduire toute ma tête à travers l'ouverture, assez avant pour le voir couché sur son lit. Ah! un fou aurait-il été aussi prudent? — Et alors, quand ma tête était bien dans la chambre, j'ouvrais la lanterne avec précaution, — oh! avec quelle précaution, avec quelle précaution! — car la charnière criait. — Je l'ouvrais juste pour qu'un filet imperceptible de lumière tombât sur l'œil de vautour. Et cela, je l'ai fait pendant sept longues nuits, — chaque nuit juste à minuit; — mais je trouvai toujours l'œil fermé; — et ainsi il me fut impossible d'accomplir l'œuvre; car ce n'était pas le vieux homme qui me vexait, mais son mauvais œil. Et, chaque matin, quand le jour paraissait, j'entrais hardiment dans sa chambre, je lui parlais courageusement, l'appelant par son nom d'un ton cordial et m'informant comment il avait passé la nuit. Ainsi, vous voyez qu'il eût été un vieillard bien profond, en vérité, s'il avait soupçonné que, chaque nuit, juste à minuit, je l'examinais pendant son sommeil.

La huitième nuit, je mis encore plus de précaution à ouvrir la porte. La petite aiguille d'une montre se meut plus vite que ne faisait ma main. Jamais, avant cette nuit, je n'avais senti toute l'étendue de mes facultés, — de ma sagacité. Je pouvais à peine contenir mes sensations de triomphe. Penser que j'étais là, ouvrant la porte, petit à petit, et qu'il ne rêvait même pas de mes actions ou de mes pensées secrètes! A cette idée, je lâchai un petit rire; et peut-être m'entendit-il, car il remua soudainement sur son lit comme s'il se réveillait. Maintenant, vous croyez peut-être que je me retirai, — mais non. Sa chambre était aussi noire que de la poix, tant les ténèbres étaient épaisses, — car les volets étaient soigneusement fermés, de crainte des voleurs, — et, sachant qu'il ne pouvait pas voir l'entrebâillement de la porte, je continuai à la pousser davantage, toujours davantage.

J'avais passé ma tête, et j'étais au moment d'ouvrir la lanterne, quand mon pouce glissa sur la fermeture de fer-blanc, et le vieux homme se dressa sur son lit, criant : — Qui est là?

Je restai complètement immobile et ne dis rien.

Pendant une heure entière, je ne remuai pas un muscle, et pendant tout ce temps je ne l'entendis pas se recoucher.

Il était toujours sur son séant, aux écoutes; — juste comme j'avais fait pendant des nuits entières, écoutant les horloges-de-mort dans le mur.

Mais voilà que j'entendis un faible gémissement, et je reconnus que c'était le gémissement d'une terreur mortelle. Ce n'était pas un gémissement de douleur ou de chagrin; — oh! non, — c'était le bruit sourd et étouffé qui s'élève du fond d'une âme surchargée d'effroi. Je connaissais bien ce bruit. Bien des nuits, à minuit juste, pendant que le monde entier dormait, il avait jailli de mon propre sein, creusant avec son terrible écho les terreurs qui me travaillaient. Je dis que je le connaissais bien. Je savais ce qu'éprouvait le vieux homme, et j'avais pitié de lui, quoique j'eusse le rire dans le cœur. Je savais qu'il était resté éveillé, depuis le premier petit bruit, quand il s'était retourné dans son lit. Ses craintes avaient toujours été grossissant. Il avait tâché de se persuader qu'elles étaient sans cause, mais il n'avait pas pu. Il s'était dit à lui-même : — Ce n'est rien, que le vent dans la cheminée; — ce n'est qu'une souris qui traverse le parquet; — ou : c'est simplement un grillon qui a poussé son cri. Oui, il s'est efforcé de se fortifier avec ces hypothèses; mais tout cela a été vain. *Tout a été vain*, parce que la Mort qui s'approchait avait passé devant lui avec sa grande ombre noire, et qu'elle avait ainsi enveloppé sa victime. Et c'était l'influence funèbre de l'ombre inaperçue qui lui faisait sentir,

— quoiqu'il ne vît et n'entendît rien, — qui lui faisait *sentir* la présence de ma tête dans la chambre.

Quand j'eus attendu un long temps très-patiemment, sans l'entendre se recoucher, je me résolus à entrouvrir un peu la lanterne, mais si peu, si peu que rien. Je l'ouvris donc, — si furtivement, si furtivement que vous ne sauriez l'imaginer, — jusqu'à ce. qu'enfin un seul rayon pâle, comme un fil d'araignée, s'élançât de la fente et s'abattît sur l'œil de vautour.

Il était ouvert, — tout grand ouvert, et j'entrai en fureur aussitôt que je l'eus regardé. Je le vis avec une parfaite netteté, — tout entier d'un bleu terne et recouvert d'un voile hideux qui glaçait la moelle dans mes os; mais je ne pouvais voir que cela de la face ou de la personne du vieillard; car j'avais dirigé le rayon, comme par instinct, précisément sur la place maudite.

Et maintenant, ne vous ai-je pas dit que ce que vous preniez pour de la folie n'est qu'une hyperacuité des sens? — Maintenant, je vous le dis, un bruit sourd, étouffé, fréquent vint à mes oreilles, semblable à celui que fait une montre enveloppée dans du coton. *Ce son-là*, je le reconnus bien aussi. C'était le battement du cœur du vieux. Il accrut ma fureur, comme le battement du tambour exaspère le courage du soldat.

Mais je me contins encore, et je restai sans bouger. Je respirais à peine. Je tenais la lanterne immobile. Je m'appliquais à maintenir le rayon droit sur l'œil. En même temps, la charge infernale du cœur battait plus fort; elle devenait de plus en plus précipitée, et à chaque instant de plus en plus haute. La terreur du vieillard *devait* être extrême! Ce battement, dis-je, devenait de plus en plus fort à chaque minute! — Me suivez-vous bien? Je vous ai dit que j'étais nerveux; je le suis en effet. Et maintenant, au plein cœur de la nuit, parmi le silence redoutable de cette vieille maison, un si étrange bruit jeta en moi une terreur irrésistible. Pendant quelques minutes encore je me contins et restai calme. Mais le battement devenait toujours plus fort, toujours plus fort! Je croyais que le cœur allait crever. Et voilà qu'une nouvelle angoisse s'empara de moi : — le bruit pouvait être entendu par un voisin! L'heure du vieillard était venue! Avec un grand hurlement j'ouvris brusquement la lanterne et m'élançai dans la chambre. Il ne poussa qu'un cri, — un seul. En un instant, je le précipitai sur le parquet, et je renversai sur lui tout le poids écrasant du lit. Alors je souris avec bonheur, voyant ma besogne fort avancée. Mais pendant quelques minutes, le cœur battit avec un son voilé. Cela toutefois ne me tourmenta pas; on ne pouvait l'entendre à travers le mur. A la longue, il cessa. Le vieux était mort. Je relevai le lit, et j'examinai le corps. Oui, il était roide, roide mort. Je plaçai ma main sur le cœur, et l'y maintins plusieurs minutes. Aucune pulsation. Il était roide mort. Son œil désormais ne me tourmenterait plus.

Si vous persistez à me croire fou, cette croyance s'évanouira quand je vous décrirai les sages précautions que j'employai pour dissimuler le cadavre. La nuit avançait, et je travaillai vivement, mais en silence. Je coupai la tête, puis les bras, puis les jambes.

Puis j'arrachai trois planches du parquet de la chambre, et je déposai le tout entre les voliges. Puis je replaçai les feuilles si habilement, si adroitement, qu'aucun œil humain — pas même *le sien!* — n'aurait pu y découvrir quelque chose de louche. Il n'y avait rien à laver, — pas une souillure, — pas une tache de sang. J'avais été trop bien avisé pour cela. Un baquet avait tout absorbé, — ha! ha!

Quand j'eus fini tous ces travaux, il était quatre heures, — il faisait toujours aussi noir qu'à minuit. Pendant que le timbre sonnait l'heure, on frappa à la porte de la rue. Je descendis pour ouvrir, avec un cœur léger, — car qu'avais-je à craindre *maintenant?* Trois hommes entrèrent qui se présentèrent, avec une parfaite suavité, comme officiers de police. Un cri avait été entendu par un voisin pendant la nuit; cela avait éveillé le soupçon de quelque mauvais coup : une dénonciation avait été transmise au bureau de police, et ces messieurs (les officiers) avaient été envoyés pour visiter les lieux.

Je souris, — car qu'avais-je à craindre? Je souhaitai la bienvenue à ces gentlemen. — Le cri, dis-je, c'était moi qui l'avais poussé dans un rêve. Le vieux bonhomme, ajoutai-je, était en voyage dans le pays. Je promenai mes visiteurs par toute la maison. Je les invitai à chercher, à *bien* chercher. A la fin, je les conduisis dans *sa* chambre. Je leur montrai ses trésors, en parfaite sûreté, parfaitement en ordre. Dans l'enthousiasme de ma confiance, j'apportai des sièges dans la chambre, et les priai de s'y reposer de leur fatigue, tandis que moi-même, avec la folle audace d'un triomphe parfait, j'installai ma propre chaise sur l'endroit même qui recouvrait le corps de la victime.

Les officiers étaient satisfaits. Mes manières les avaient convaincus. Je me sentais singulièrement à l'aise. Ils s'assirent, et ils causèrent de choses familières auxquelles je répondis gaiement. Mais, au bout de peu de temps, je sentis que je devenais pâle, et je souhaitai leur départ. Ma tête me faisait mal, et il me semblait que les oreilles me tintaient; mais ils restaient toujours assis, et toujours ils causaient. Le tintement devint plus distinct; — il persista et devint encore plus distinct; je bavardai plus abondamment pour me débarrasser de cette sensation; mais elle tint bon et prit un caractère tout à fait décidé, — tant qu'à la fin je découvris que le bruit n'était pas dans mes oreilles.

Sans doute je devins alors très-pâle; — mais je bavardais encore plus couramment et en haussant la voix. Le son augmentait toujours, — et que pouvais-je faire? C'était *un bruit sourd, étouffé, fréquent, ressemblant beaucoup à celui que ferait une montre enveloppée dans du coton.* Je respirai laborieusement. — Les officiers n'entendaient pas encore. Je causai plus vite, — avec plus de véhémence; mais le bruit croissait incessamment. — Je me levai, et je disputai sur des niaiseries, dans un diapason très-élevé et avec une violente gesticulation; mais le bruit montait, montait toujours. — Pourquoi ne *voulaient-ils pas* s'en aller? — J'arpentai çà et là le plancher lourdement et à grands pas, comme exaspéré par les observations de mes contradicteurs; — mais le bruit croissait régulièrement. O Dieu! que pouvais-je faire? J'écumais, — je battais la campagne — je jurais! j'agitais la chaise sur laquelle j'étais assis, et je la faisais crier sur le parquet; mais le bruit dominait toujours, et croissait indéfiniment. Il devenait plus fort, — plus fort! — toujours plus fort! Et toujours les hommes causaient, plaisantaient et souriaient. Était-il possible qu'ils n'entendissent pas? Dieu tout-puissant! — Non, non! Ils entendaient! — ils soupçonnaient! — ils *savaient*, — ils se faisaient un amusement de mon effroi! — je le crus, et je le crois encore. Mais n'importe quoi était plus tolérable que cette dérision! Je ne pouvais pas supporter plus longtemps ces hypocrites sourires! Je sentis qu'il fallait crier ou mourir! — et maintenant encore, l'entendez-vous? — écoutez! plus haut! — plus haut! — toujours plus haut! — *toujours plus haut!*

— Misérables! — m'écriai-je, — ne dissimulez pas plus longtemps! J'avoue la chose! — arrachez ces planches! c'est là! c'est là! — c'est le battement de son affreux cœur!

BÉRÉNICE

Dicebant mihi sodales, si sepulchrum amicæ visitarem, curas meas
aliquantulum fore levatas.

EBN ZAIAT.

LE malheur est divers. La misère sur terre est multi-
forme. Dominant le vaste horizon comme l'arc-en-ciel,
ses couleurs sont aussi variées, — aussi distinctes, et
toutefois aussi intimement fondues. Dominant le
vaste horizon comme l'arc-en-ciel! Comment d'un
exemple de beauté ai-je pu tirer un type de laideur?
du signe d'alliance et de paix une similitude de la
douleur? Mais, comme, en éthique, le mal est la conséquence du bien, de même, dans la réalité, c'est de la
joie qu'est né le chagrin; soit que le souvenir du
bonheur passé fasse l'angoisse d'aujourd'hui, soit que
les agonies qui *sont* tirent leur origine des extases qui
peuvent avoir été.

J'ai à raconter une histoire dont l'essence est pleine

d'horreur. Je la supprimerais volontiers, si elle n'était pas une chronique de sensations plutôt que de faits.

Mon nom de baptême est Egæus; mon nom de famille, je le tairai. Il n'y a pas de château dans le pays plus chargé de gloire et d'années que mon mélancolique et vieux manoir héréditaire. Dès longtemps, on appelait notre famille une race de visionnaires; et le fait est que, dans plusieurs détails frappants, — dans le caractère de notre maison seigneuriale, — dans les fresques du grand salon, — dans les tapisseries des chambres à coucher, — dans les ciselures des piliers de la salle d'armes, — mais plus spécialement dans la galerie des vieux tableaux, — dans la physionomie de la bibliothèque, — et enfin dans la nature toute particulière du contenu de cette bibliothèque, — il y a surabondamment de quoi justifier cette croyance.

Le souvenir de mes premières années est lié intimement à cette salle et à ses volumes, — dont je ne dirai plus rien. C'est là que mourut ma mère. C'est là que je suis né. Mais il serait bien oiseux de dire que je n'ai pas vécu auparavant, — que l'âme n'a pas une existence antérieure. Vous le niez? — ne disputons pas sur cette matière. Je suis convaincu et ne cherche point à convaincre. Il y a, d'ailleurs, une ressouvenance de formes aériennes, — d'yeux intellectuels et parlants, — de sons mélodieux mais mélancoliques; — une ressouvenance qui ne veut pas s'en aller; — une sorte de mémoire semblable à une ombre, — vague, variable, indéfinie, vacillante; et de cette ombre essentielle il me sera impossible de me défaire, tant que luira le soleil de ma raison.

C'est dans cette chambre que je suis né. Émergeant ainsi au milieu de la longue nuit qui semblait être, mais qui n'était pas la non-existence, pour tomber tout d'un coup dans un pays féerique, — dans un palais de fantaisie, — dans les étranges domaines de la pensée et de l'érudition monastiques, — il n'est pas singulier que j'aie contemplé autour de moi avec un œil effrayé et ardent, — que j'aie dépensé mon enfance dans les livres et prodigué ma jeunesse en rêveries ; mais ce qui est singulier, — les années ayant marché, et le midi de ma virilité m'ayant trouvé vivant encore dans le manoir de mes ancêtres, — ce qui est étrange, c'est cette stagnation qui tomba sur les sources de ma vie, — c'est cette complète interversion qui s'opéra dans le caractère de mes pensées les plus ordinaires. Les réalités du monde m'affectaient comme des visions, et seulement comme des visions, pendant que les idées folles du pays des songes devenaient en revanche, non la pâture de mon existence de tous les jours, mais positivement mon unique et entière existence elle-même.

. . . .

Bérénice et moi, nous étions cousins, et nous grandîmes ensemble dans le manoir paternel. Mais nous grandîmes différemment, — moi, maladif et enseveli dans ma mélancolie ; — elle, agile, gracieuse et débordante d'énergie ; à elle, le vagabondage sur la colline ; — à moi, les études du cloître ; moi, vivant dans mon propre cœur et me dévouant, corps et âme, à la plus intense et à la plus pénible méditation, — elle, errant

insoucieuse à travers la vie, sans penser aux ombres
de son chemin ou à la fuite silencieuse des heures au
noir plumage. Bérénice! — j'invoque son nom, —
Bérénice! — et des ruines grises de ma mémoire se
dressent à ce son mille souvenirs tumultueux! Ah!
son image est là vivante devant moi, comme dans les
premiers jours de son allégresse et sa joie! Oh! magnifique et pourtant fantastique beauté! Oh! sylphe parmi
les bocages d'Arnheim! Oh! naïade parmi ses fontaines! Et puis, — et puis tout est mystère et terreur,
une histoire qui ne veut pas être racontée. Un mal, —
un mal fatal s'abattit sur sa constitution comme le
simoun; et, même pendant que je la contemplais,
l'esprit de métamorphose passait sur elle et l'enlevait,
pénétrant son esprit, ses habitudes, son caractère, et,
de la manière la plus subtile et la plus terrible, per-
turbant même son identité! Hélas! le destructeur
venait et s'en allait; — mais la victime, — la vraie
Bérénice, — qu'est-elle devenue? Je ne connaissais
pas celle-ci, ou du moins je ne la reconnaissais plus
comme Bérénice.

Parmi la nombreuse série de maladies amenées par
cette fatale et principale attaque, qui opéra une si
horrible révolution dans l'être physique et moral de
ma cousine, il faut mentionner, comme la plus affli-
geante et la plus opiniâtre, une espèce d'épilepsie qui
souvent se terminait en catalepsie, — catalepsie
ressemblant parfaitement à la mort, et dont elle se
réveillait, dans quelques cas, d'une manière tout à
fait brusque et soudaine. En même temps, mon propre
mal, — car on m'a dit que je ne pouvais pas l'appeler

d'un autre nom, — mon propre mal grandissait rapidement, et, ses symptômes s'aggravant par un usage immodéré de l'opium, il prit finalement le caractère d'une monomanie d'une forme nouvelle et extraordinaire. D'heure en heure, de minute en minute, il gagnait de l'énergie, et à la longue il usurpa sur moi la plus singulière et la plus incompréhensible domination. Cette monomanie, s'il faut que je me serve de ce terme, consistait dans une irritabilité morbide des facultés de l'esprit que la langue philosophique comprend dans le mot : facultés d'attention. Il est plus que probable que je ne suis pas compris, mais je crains, en vérité, qu'il ne me soit absolument impossible de donner au commun des lecteurs une idée exacte de cette nerveuse *intensité d'intérêt* avec laquelle, dans mon cas, la faculté méditative, — pour éviter la langue technique, — s'appliquait et se plongeait dans la contemplation des objets les plus vulgaires du monde.

Réfléchir infatigablement de longues heures, l'attention rivée à quelque citation puérile sur la marge ou dans le texte d'un livre, — rester absorbé, la plus grande partie d'une journée d'été, dans une ombre bizarre s'allongeant obliquement sur la tapisserie ou sur le plancher, — m'oublier une nuit entière à surveiller la flamme droite d'une lampe ou les braises du foyer, — rêver des jours entiers sur le parfum d'une fleur, — répéter, d'une manière monotone, quelque mot vulgaire, jusqu'à ce que le son, à force d'être répété, cessât de présenter à l'esprit une idée quelconque, — perdre tout sentiment de mouvement ou

d'existence physique dans un repos absolu obstiné-
ment prolongé, — telles étaient quelques-unes des
plus communes et des moins pernicieuses aberrations de mes facultés mentales, aberrations qui sans
doute ne sont pas absolument sans exemple, mais qui
défient certainement toute explication et toute analyse.

Encore, je veux être bien compris. L'anormale,
intense et morbide attention ainsi excitée par des
objets frivoles en eux-mêmes est d'une nature qui
ne doit pas être confondue avec ce penchant à la
rêverie commun à toute l'humanité, et auquel se
livrent surtout les personnes d'une imagination ardente.
Non-seulement elle n'était pas, comme on pourrait
le supposer d'abord, un terme excessif et une exagération de ce penchant, mais encore elle en était origi-
nairement et essentiellement distincte. Dans l'un de
ces cas, le rêveur, l'homme imaginatif, étant intéressé
par un objet généralement non frivole, perd peu à peu
son objet de vue à travers une immensité de déductions
et de suggestions qui en jaillit, si bien qu'à la fin d'une
de ces songeries *souvent remplies de volupté*, il trouve
l'*incitamentum* ou cause première de ses réflexions,
entièrement évanoui et oublié. Dans mon cas, le
point de départ était *invariablement frivole*, quoique
revêtant, à travers le milieu de ma vision maladive,
une importance imaginaire et de réfraction. Je faisais
peu de déductions, — si toutefois j'en faisais; et, dans
ce cas, elles retournaient opiniâtrement à l'objet
principe comme à un centre. Les méditations n'étaient
jamais agréables; et, à la fin de la rêverie, la cause
première, bien loin d'être hors de vue, avait atteint

cet intérêt surnaturellement exagéré qui était le trait dominant de mon mal. En un mot, la faculté de l'esprit plus particulièrement excitée en moi était, comme je l'ai dit, la faculté de l'attention, tandis que, chez le rêveur ordinaire, c'est celle de la méditation.

Mes livres, à cette époque, s'ils ne servaient pas positivement à irriter le mal, participaient largement, on doit le comprendre, par leur nature imaginative et irrationnelle, des qualités caractéristiques du mal lui-même. Je me rappelle fort bien, entre autres, le traité du noble italien Cœlius Secundus Curio, *De Amplitudine Beati Regni Dei;* le grand ouvrage de saint Augustin, *la Cité de Dieu*, et le *De Carne Christi*, de Tertullien, de qui l'inintelligible pensée : — *Mortuus est Dei Filius; credibile est quia ineptum est; et sepultus resurrexit; certum est quia impossibile est*, — absorba exclusivement tout mon temps, pendant plusieurs semaines d'une laborieuse et infructueuse investigation.

On jugera sans doute que, dérangée de son équilibre par des choses insignifiantes, ma raison avait quelque ressemblance avec cette roche marine dont parle Ptolémée Héphestion, qui résistait immuablement à toutes les attaques des hommes et à la fureur plus terrible des eaux et des vents, et qui tremblait seulement au toucher de la fleur nommée asphodèle. A un penseur inattentif il paraîtra tout simple et hors de doute que la terrible altération produite dans la condition *morale* de Bérénice par sa déplorable maladie dut me fournir maint sujet d'exercer cette intense et anormale méditation dont j'ai eu quelque

peine à expliquer la nature. Eh bien, il n'en était
absolument rien. Dans les intervalles lucides de mon
infirmité, son malheur me causait, il est vrai, du chagrin; cette ruine totale de sa belle et douce vie me
touchait profondément le cœur; je méditais fréquemment et amèrement sur les voies mystérieuses et éton-
nantes par lesquelles une si étrange et si soudaine
révolution avait pu se produire. Mais ces réflexions
ne participaient pas de l'idiosyncrasie de mon mal,
et étaient telles qu'elles se seraient offertes dans des
circonstances analogues à la masse ordinaire des
hommes. Quant à ma maladie, fidèle à son caractère
propre, elle se faisait une pâture des changements
moins importants, mais plus saisissants, qui se mani-
festaient dans le système *physique* de Bérénice, — dans
la singulière et effrayante distorsion de son identité
personnelle.

Dans les jours les plus brillants de son incomparable beauté, très-sûrement je ne l'avais jamais aimée.
Dans l'étrange anomalie de mon existence, les sentiments ne me sont *jamais* venus du cœur, et mes passions
sont toujours venues de l'esprit. A travers les blan-
cheurs du crépuscule, — à midi, parmi les ombres
treillissées de la forêt, — et la nuit dans le silence de
ma bibliothèque, — elle avait traversé mes yeux, et
je l'avais vue, — non comme la Bérénice vivante et
respirante, mais comme la Bérénice d'un songe; non
comme un être de la terre, un être charnel, mais
comme l'abstraction d'un tel être; non comme une
chose à admirer, mais à analyser; non comme un
objet d'amour, mais comme le thème d'une médita-

tion aussi abstruse qu'irrégulière. Et *maintenant*, —
maintenant, je frissonnais en sa présence, je pâlissais à
son approche; cependant, tout en me lamentant
amèrement sur sa déplorable condition de déchéance,
je me rappelai qu'elle m'avait longtemps aimé, et,
dans un mauvais moment, je lui parlai de mariage.

Enfin l'époque fixée pour nos noces approchait,
quand, dans une après-midi d'hiver, — dans une de
ces journées intempestivement chaudes, calmes et
brumeuses, qui sont les nourrices de la belle Halcyone,
— je m'assis, me croyant seul, dans le cabinet de la
bibliothèque. Mais en levant les yeux, je vis Bérénice
debout devant moi.

Fut-ce mon imagination surexcitée, — ou l'influence brumeuse de l'atmosphère, — ou le crépuscule
incertain de la chambre, — ou le vêtement obscur
qui enveloppait sa taille, — qui lui prêta ce contour
si tremblant et si indéfini? Je ne pourrais le dire.
Peut-être avait-elle grandi depuis sa maladie. Elle
ne dit pas un mot; et moi, pour rien au monde, je
n'aurais prononcé une syllabe. Un frisson de glace
parcourut mon corps; une sensation d'insupportable
angoisse m'oppressait; une dévorante curiosité pénétrait mon âme; et, me renversant dans le fauteuil, je
restai quelque temps sans souffle et sans mouvement,
les yeux cloués sur sa personne. Hélas! son amaigrisse-
ment était excessif, et pas un vestige de l'être primitif
n'avait survécu et ne s'était réfugié dans un seul
contour. A la fin, mes regards tombèrent ardemment
sur sa figure.

Le front était haut, très-pâle, et singulièrement

placide ; et les cheveux, autrefois d'un noir de jais,
le recouvraient en partie et ombrageaient les tempes
creuses d'innombrables boucles, actuellement d'un
blond ardent ; dont le caractère fantastique jurait
cruellement avec la mélancolie dominante de sa
physionomie. Les yeux étaient sans vie et sans éclat,
en apparence sans pupilles, et involontairement je
détournai ma vue de leur fixité vitreuse pour contempler les lèvres amincies et recroquevillées. Elles s'ouvrirent et, dans un sourire singulièrement significatif,
les dents de la nouvelle Bérénice se révélèrent lentement à ma vue. Plût à Dieu que je ne les eusse jamais
regardées, ou que, les ayant regardées, je fusse mort !

. . . .

Une porte en se fermant me troubla, et, levant les
yeux, je vis que ma cousine avait quitté la chambre.
Mais la chambre dérangée de mon cerveau, le *spectre*
blanc et terrible de ses dents ne l'avait pas quittée
et n'en voulait pas sortir. Pas une piqûre sur leur
surface, — pas une nuance de leur émail, — pas
une pointe sur leurs arêtes que ce passager sourire n'ait
suffi à imprimer dans ma mémoire ! Je les vis même
alors plus distinctement que je ne les avais vues *tout
à l'heure*. — Les dents ! — les dents ! — Elles étaient là,
— et puis là, — et partout, — visibles, palpables
devant moi ; longues, étroites et excessivement blanches,
avec les lèvres pâles se tordant autour, affreusement
distendues comme elles étaient naguère. Alors arriva
la pleine furie de ma monomanie, et je luttai en vain
contre son irrésistible et étrange influence. Dans le

nombre infini des objets du monde extérieur, je n'avais de pensées que pour les dents. J'éprouvais à leur endroit un désir frénétique. Tous les autres sujets, tous les intérêts divers furent absorbés dans cette unique contemplation. Elles — elles seules — étaient présentes à l'œil de mon esprit, et leur individualité exclusive devint l'essence de ma vie intellectuelle. Je les regardais dans tous les jours. Je les tournais dans tous les sens. J'étudiais leur caractère. J'observais leurs marques particulières. Je méditais sur leur conformation. Je réfléchissais à l'altération de leur nature. Je frissonnais en leur attribuant dans mon imagination une faculté de sensation et de sentiment, et même, sans le secours des lèvres, une puissance d'expression morale. On a fort bien dit de mademoiselle Sallé que *tous ses pas étaient des sentiments*, et de Bérénice je croyais plus sérieusement que *toutes les dents étaient des idées*. — *Des idées!* ah! voilà la pensée absurde qui m'a perdu! *Des idées!* — ah! *voilà donc pourquoi* je les convoitais si follement! Je sentais que leur possession pouvait seule me rendre la paix et rétablir ma raison.

Et le soir descendit ainsi sur moi, — et les ténèbres vinrent, s'installèrent, et puis s'en allèrent, — et un jour nouveau parut, — et les brumes d'une seconde nuit s'amoncelèrent autour de moi, — et toujours je restais immobile dans cette chambre solitaire, — toujours assis, toujours enseveli dans ma méditation, — et toujours le *fantôme* des dents maintenait son influence terrible au point qu'avec la plus vivante et la plus hideuse netteté il flottait çà et là à travers la lumière et les ombres changeantes de la chambre.

Enfin, au milieu de mes rêves, éclata un grand cri d'horreur et d'épouvante, auquel succéda, après une pause, un bruit de voix désolées, entrecoupées par de sourds gémissements de douleur ou de deuil. Je me levai, et, ouvrant une des portes de la bibliothèque, je trouvai dans l'antichambre une domestique tout en larmes, qui me dit que Bérénice n'existait plus! Elle avait été prise d'épilepsie dans la matinée; et maintenant, à la tombée de la nuit, la fosse attendait sa future habitante, et tous les préparatifs de l'ensevelissement étaient terminés.

. . . .

Le cœur plein d'angoisse, et oppressé par la crainte, je me dirigeai avec répugnance vers la chambre à coucher de la défunte. La chambre était vaste et très-sombre et à chaque pas je me heurtais contre les préparatifs de la sépulture. Les rideaux du lit, me dit un domestique, étaient fermés sur la bière, et dans cette bière, ajouta-t-il à voix basse, gisait tout ce qui restait de Bérénice.

Qui donc me demanda si je ne voulais pas voir le corps? — Je ne vis remuer les lèvres de personne; cependant la question avait été bien faite, et l'écho des dernières syllabes traînait encore dans la chambre. Il était impossible de refuser, et, avec un sentiment d'oppression, je me traînai à côté du lit. Je soulevai doucement les sombres draperies des courtines; mais, en les laissant retomber, elles descendirent sur mes épaules, et, me séparant du monde vivant, elles m'enfermèrent dans la plus étroite communion avec la défunte.

Toute l'atmosphère de la chambre sentait la mort; mais l'air particulier de la bière me faisait mal, et je m'imaginais qu'une odeur délétère s'exhalait déjà du cadavre. J'aurais donné des mondes pour échapper, pour fuir la pernicieuse influence de la mortalité, pour respirer une fois encore l'air pur des cieux éternels. Mais je n'avais plus la puissance de bouger, mes genoux vacillaient sous moi, et j'avais pris racine dans le sol, regardant fixement le cadavre rigide étendu tout de son long dans la bière ouverte.

Dieu du ciel! est-ce possible? Mon cerveau s'est-il égaré? ou le doigt de la défunte a-t-il remué dans la toile blanche qui l'enfermait? Frissonnant d'une inexprimable crainte, je levai lentement les yeux pour voir la physionomie du cadavre. On avait mis un bandeau autour des mâchoires; mais, je ne sais comment, il s'était dénoué. Les lèvres livides se tordaient en une espèce de sourire, et à travers leur cadre mélancolique les dents de Bérénice, blanches, luisantes, terribles, me *regardaient* encore avec une trop vivante réalité. Je m'arrachai convulsivement du lit, et, sans prononcer un mot, je m'élançai comme un maniaque hors de cette chambre de mystère, d'horreur et de mort.

. . . .

Je me retrouvai dans la bibliothèque; j'étais assis, j'étais seul. Il me semblait que je sortais d'un rêve confus et agité. Je m'aperçus qu'il était minuit, et j'avais bien pris mes précautions pour que Bérénice fût enterrée après le coucher du soleil; mais je n'ai

pas gardé une intelligence bien positive ni bien définie
de ce qui s'est passé durant ce lugubre intervalle.
Cependant, ma mémoire était pleine d'horreur,
— horreur d'autant plus horrible qu'elle était plus
vague, — d'une terreur que son ambiguïté rendait
plus terrible. C'était comme une page effrayante du
registre de mon existence, écrite tout entière avec des
souvenirs obscurs, hideux et inintelligibles. Je m'efforçai
de les déchiffrer, mais en vain. De temps à autre,
cependant, semblable à l'âme d'un son envolé, un
cri grêle et perçant, — une voix de femme, — semblait tinter dans mes oreilles. J'avais accompli quelque
chose; — mais qu'était-ce donc? Je m'adressais à
moi-même la question à haute voix, et les échos de la
chambre me chuchotaient en manière de réponse :
— *Qu'était-ce donc?*

Sur la table, à côté de moi, brûlait une lampe, et
auprès était une petite boîte d'ébène. Ce n'était pas
une boîte d'un style remarquable, et je l'avais déjà
vue fréquemment, car elle appartenait au médecin
de la famille; mais comment était-elle venue *là*, sur
ma table, et pourquoi frissonnai-je en la regardant?
C'étaient là des choses qui ne valaient pas la peine
d'y prendre garde; mais mes yeux tombèrent à la fin
sur les pages ouvertes d'un livre, et sur une phrase
soulignée. C'étaient les mots singuliers, mais fort
simples, du poëte Ebn Zaiat : *Dicebant mihi sodales,
si sepulchrum amicæ visitarem, curas meas aliquantulum
fore levatas.* — D'où vient donc qu'en les lisant, mes
cheveux se dressèrent sur ma tête et que mon sang se
glaça dans mes veines?

On frappa un léger coup à la porte de la bibliothèque, et, pâle comme un habitant de la tombe, un
domestique entra sur la pointe du pied. Ses regards
étaient égarés par la terreur, et il me parla d'une voix
très-basse, tremblante, étranglée. Que me dit-il?
— J'entendis quelques phrases par-ci par-là. Il me
raconta, ce me semble, qu'un cri effroyable avait
troublé le silence de la nuit, — que tous les domestiques s'étaient réunis, — qu'on avait cherché dans
la direction du son, — et enfin sa voix basse devint
distincte à faire frémir quand il me parla d'une violation de sépulture, — d'un corps défiguré, dépouillé
de son linceul, mais respirant encore, — palpitant
encore, — *encore vivant!*

Il regarda mes vêtements; ils étaient grumeleux
de boue et de sang. Sans dire un mot, il me prit doucement par la main; elle portait des stigmates d'ongles
humains. Il dirigea mon attention vers un objet placé
contre le mur. Je le regardai quelques minutes : c'était
une bêche. Avec un cri je me jetai sur la table et me
saisis de la boîte d'ébène. Mais je n'eus pas la force
de l'ouvrir; et, dans mon tremblement, elle m'échappa
des mains, tomba lourdement et se brisa en morceaux;
et il s'en échappa, roulant avec un vacarme de
ferraille, quelques instruments de chirurgie dentaire,
et avec eux trente-deux petites choses blanches,
semblables à de l'ivoire, qui s'éparpillèrent çà et là
sur le plancher.

LA CHUTE
DE LA MAISON USHER

> Son cœur est un luth suspendu;
> Sitôt qu'on le touche, il résonne.
>
> DE BÉRANGER.

PENDANT toute une journée d'automne, journée fuligineuse, sombre et muette, où les nuages pesaient
lourds et bas dans le ciel, j'avais traversé seul et à
cheval une étendue de pays singulièrement lugubre,
et enfin, comme les ombres du soir approchaient, je
me trouvai en vue de la mélancolique Maison Usher.
Je ne sais comment cela se fit, — mais, au premier
coup d'œil que je jetai sur le bâtiment, un sentiment
d'insupportable tristesse pénétra mon âme. Je dis
insupportable, car cette tristesse n'était nullement
tempérée par une parcelle de ce sentiment dont
l'essence poétique fait presque une volupté, et dont
l'âme est généralement saisie en face des images naturelles les plus sombres de la désolation et de la terreur.
Je regardais le tableau placé devant moi, et, rien qu'à

voir la maison et la perspective caractéristique de ce domaine, — les murs qui avaient froid, — les fenêtres semblables à des yeux distraits, — quelques bouquets de joncs vigoureux, — quelques troncs d'arbres blancs et dépéris, — j'éprouvais cet entier affaissement d'âme qui, parmi les sensations terrestres, ne peut se mieux comparer qu'à l'arrière-rêverie du mangeur d'opium, — à son navrant retour à la vie journalière, — à l'horrible et lente retraite du voile. C'était une glace au cœur, un abattement, un malaise, — une irrémédiable tristesse de pensée qu'aucun aiguillon de l'imagination ne pouvait raviver ni pousser au grand. Qu'était donc, — je m'arrêtai pour y penser, — qu'était donc ce je ne sais quoi qui m'énervait ainsi en contemplant la Maison Usher? C'était un mystère tout à fait insoluble, et je ne pouvais pas lutter contre les pensées ténébreuses qui s'amoncelaient sur moi pendant que j'y réfléchissais. Je fus forcé de me rejeter dans cette conclusion peu satisfaisante, qu'il existe des combinaisons d'objets naturels très-simples qui ont la puissance de nous affecter de cette sorte, et que l'analyse de cette puissance gît dans des considérations où nous perdrions pied. Il était possible, pensais-je, qu'une simple différence dans l'arrangement des matériaux de la décoration, des détails du tableau, suffît pour modifier, pour annihiler peut-être cette puissance d'impression douloureuse; et, agissant d'après cette idée, je conduisis mon cheval vers le bord escarpé d'un noir et lugubre étang, qui, miroir immobile, s'étalait devant le bâtiment; et je regardai — mais avec un frisson plus pénétrant encore que la première fois — les images répercutées et renversées des joncs grisâtres, des troncs d'arbres sinistres, et des fenêtres semblables à des yeux sans pensée.

C'était néanmoins dans cet habitacle de mélancolie que je me proposais de séjourner pendant quelques semaines. Son propriétaire, Roderick Usher, avait été l'un de mes bons camarades d'enfance ; mais plusieurs années s'étaient écoulées depuis notre dernière entrevue. Une lettre cependant m'était parvenue récemment dans une partie lointaine du pays, — une lettre de lui, — dont la tournure follement pressante n'admettait pas d'autre réponse que ma présence même. L'écriture portait la trace d'une agitation nerveuse. L'auteur de cette lettre me parlait d'une maladie physique aiguë, — d'une affection mentale qui l'oppressait, — et d'un ardent désir de me voir, comme étant son meilleur et véritablement son seul ami, — espérant trouver dans la joie de ma société quelque soulagement à son mal. C'était le ton dans lequel toutes ces choses et bien d'autres encore étaient dites, — c'était cette ouverture d'un cœur suppliant, qui ne me permettaient pas l'hésitation ; en conséquence j'obéis immédiatement à ce que je considérais toutefois comme une invitation des plus singulières.

Quoique dans notre enfance nous eussions été camarades intimes, en réalité, je ne savais pourtant que fort peu de chose de mon ami. Une réserve excessive avait toujours été dans ses habitudes. Je savais toutefois qu'il appartenait à une famille très-ancienne qui s'était distinguée depuis un temps immémorial par une sensibilité particulière de tempérament. Cette sensibilité s'était déployée, à travers les âges, dans de nombreux ouvrages d'un art supérieur et s'était manifestée, de vieille date, par les actes répétés d'une charité aussi large que discrète, ainsi que par un amour passionné pour les difficultés plutôt peut-être que pour les beautés orthodoxes, toujours si facilement reconnaissables, de la science musicale. J'avais appris aussi ce fait très-remarquable que la souche de la race d'Usher, si glorieusement ancienne qu'elle fût, n'avait jamais, à aucune époque, poussé de branche durable; en d'autres termes, que la famille entière ne s'était perpétuée qu'en ligne directe, à quelques exceptions près, très-insignifiantes et très-passagères. C'était cette absence, — pensai-je, tout en rêvant au parfait accord entre le caractère des lieux et le caractère proverbial de la race, et en réfléchissant à l'influence que dans une longue suite de siècles l'un pouvait avoir exercée sur l'autre, — c'était peut-être cette absence de branche collatérale et la transmission constante de père en fils du patrimoine et du nom qui avaient à la longue si bien identifié les deux, que le nom primitif du domaine s'était fondu dans la bizarre et équivoque appellation de *Maison Usher*, — appellation usitée parmi les paysans, et qui semblait, dans leur esprit, enfermer la famille et l'habitation de famille.

J'ai dit que le seul effet de mon expérience quelque peu puérile, — c'est-à-dire d'avoir regardé dans l'étang, — avait été de rendre plus profonde ma première et si singulière impression. Je ne dois pas douter

que la conscience de ma superstition croissante —
pourquoi ne la définirais-je pas ainsi? — n'ait principalement contribué à accélérer cet accroissement
Telle est, je le savais de vieille date, la loi paradoxale
de tous les sentiments qui ont la terreur pour base.
Et ce fut peut-être l'unique raison qui fit que, quand
mes yeux, laissant l'image dans l'étang, se relevèrent
vers la maison elle-même, une étrange idée me poussa
dans l'esprit, — une idée si ridicule, en vérité, que,
si j'en fais mention, c'est seulement pour montrer la
force vive des sensations qui m'oppressaient. Mon
imagination avait si bien travaillé, que je croyais
réellement qu'autour de l'habitation et du domaine
planait une atmosphère qui lui était particulière, ainsi
qu'aux environs les plus proches, — une atmosphère
qui n'avait pas d'affinité avec l'air du ciel, mais qui
s'exhalait des arbres dépéris, des murailles grisâtres
et de l'étang silencieux, — une vapeur mystérieuse
et pestilentielle, à peine visible, lourde, paresseuse et
d'une couleur plombée.

Je secouai de mon esprit ce qui ne pouvait être qu'un
rêve, et j'examinai avec plus d'attention l'aspect réel
du bâtiment. Son caractère dominant semblait être
celui d'une excessive antiquité. La décoloration produite par les siècles était grande. De menues fongosités,
recouvraient toute la face extérieure et la tapissaient,
à partir du toit, comme une fine étoffe curieusement
brodée. Mais tout cela n'impliquait aucune détério-
ration extraordinaire. Aucune partie de la maçonnerie
n'était tombée, et il semblait qu'il y eût une contradiction étrange entre la consistance générale intacte

de toutes ses parties et l'état particulier des pierres émiettées, qui me rappelaient complètement la spécieuse intégrité de ces vieilles boiseries qu'on a laissées longtemps pourrir dans quelque cave oubliée, loin du souffle de l'air extérieur. A part cet indice d'un vaste délabrement, l'édifice ne donnait aucun symptôme de fragilité. Peut-être l'œil d'un observateur minutieux aurait-il découvert une fissure à peine visible, qui, partant du toit de la façade, se frayait une route en zigzag à travers le mur et allait se perdre dans les eaux funestes de l'étang.

Tout en remarquant ces détails, je suivis à cheval une courte chaussée qui me menait à la maison. Un valet de chambre prit mon cheval, et j'entrai sous la voûte gothique du vestibule. Un domestique, au pas furtif, me conduisit en silence à travers maint passage obscur et compliqué vers le cabinet de son maître. Bien des choses que je rencontrai dans cette promenade contribuèrent, je ne sais comment, à renforcer les sensations vagues dont j'ai déjà parlé. Les objets qui m'entouraient, — les sculptures des plafonds, les sombres tapisseries des murs, la noirceur d'ébène des parquets et les fantasmagoriques trophées armoriaux qui bruissaient, ébranlés par ma marche précipitée, étaient choses bien connues de moi. Mon enfance avait été accoutumée à des spectacles analogues, — et, quoique je les reconnusse sans hésitation pour des choses qui m'étaient familières, j'admirais quelles pensées insolites ces images ordinaires évoquaient en moi. Sur l'un des escaliers, je rencontrai le médecin de la famille. Sa physionomie, à ce

qu'il me sembla, portait une expression mêlée de
malignité basse et de perplexité. Il me croisa précipitamment et passa. Le domestique ouvrit alors
une porte et m'introduisit en présence de son
maître.

La chambre dans laquelle je me trouvai était très-
grande et très-haute ; les fenêtres, longues, étroites, et à
une telle distance du noir plancher de chêne, qu'il
était absolument impossible d'y atteindre. De faibles
rayons d'une lumière cramoisie se frayaient un chemin
à travers les carreaux treillissés, et rendaient suffisamment distincts les principaux objets environnants ;
l'œil néanmoins s'efforçait en vain d'atteindre les
angles lointains de la chambre ou les enfoncements du
plafond arrondi en voûte et sculpté. De sombres draperies tapissaient les murs. L'ameublement général
était extravagant, incommode, antique et délabré.
Une masse de livres et d'instruments de musique
gisait éparpillée çà et là, mais ne suffisait pas à donner
une vitalité quelconque au tableau. Je sentais que je
respirais une atmosphère de chagrin. Un air de mélancolie âpre, profonde, incurable, planait sur tout et
pénétrait tout.

A mon entrée, Usher se leva d'un canapé sur lequel
il était couché tout de son long et m'accueillit avec
une chaleureuse vivacité, qui ressemblait fort, —
telle fut, du moins, ma première pensée, — à une
cordialité emphatique, — à l'effort d'un homme du
monde ennuyé, qui obéit à une circonstance. Néanmoins, un coup d'œil jeté sur sa physionomie me
convainquit de sa parfaite sincérité. Nous nous assîmes,

et, pendant quelques moments, comme il restait muet, je le contemplai avec un sentiment moitié de pitié et moitié d'effroi. A coup sûr, jamais homme n'avait aussi terriblement changé, et en aussi peu de temps, que Roderick Usher ! Ce n'était qu'avec peine que je pouvais consentir à admettre l'identité de l'homme placé en face de moi avec le compagnon de mes premières années. Le caractère de sa physionomie avait toujours été remarquable. Un teint cadavéreux, — un œil large, liquide et lumineux au-delà de toute comparaison, — des lèvres un peu minces et très-pâles, mais d'une courbe merveilleusement belle, — un nez d'un moule hébraïque, très-délicat, mais d'une ampleur de narines qui s'accorde rarement avec une pareille forme, — un menton d'un modèle charmant, mais qui, par un manque de saillie, trahissait un manque d'énergie morale, — des cheveux d'une douceur et d'une ténuité plus qu'arachnéennes, — tous ces traits, auxquels il faut ajouter un développement frontal excessif, lui faisaient une physionomie qu'il n'était pas facile d'oublier. Mais actuellement, dans la simple exagération du caractère de cette figure et de l'expression qu'elle présentait habituellement, il y avait un tel changement, que je doutais de l'homme à qui je parlais. La pâleur maintenant spectrale de la peau et l'éclat maintenant miraculeux de l'œil me saisissaient particulièrement et m'épouvantaient. Puis il avait laissé croître indéfiniment ses cheveux sans s'en apercevoir, et, comme cet étrange tourbillon aranéeux flottait plutôt qu'il ne tombait autour de sa face, je ne pouvais, même avec de la bonne volonté, trouver dans leur étonnant style arabesque rien qui rappelât la simple humanité.

Je fus tout d'abord frappé d'une certaine incohérence, — d'une inconsistance dans les manières de mon ami, et je découvris bientôt que cela provenait d'un effort incessant, aussi faible que puéril, pour maîtriser une trépidation habituelle, — une excessive agitation nerveuse. Je m'attendais bien à quelque chose dans ce genre, et j'y avais été préparé non-seulement par sa lettre, mais aussi par le souvenir de certains traits de son enfance, et par des conclusions déduites de sa singulière conformation physique et de son tempérament. Son action était alternativement vive et indolente. Sa voix passait rapidement d'une indécision tremblante, — quand les esprits vitaux semblaient entièrement absents, — à cette espèce de brièveté énergique, — à cette énonciation abrupte, solide, pausée et sonnant le creux, — à ce parler guttural et rude, parfaitement balancé et modulé, qu'on peut observer chez le parfait ivrogne ou l'incorrigible mangeur d'opium pendant les périodes de leur plus intense excitation.

Ce fut dans ce ton qu'il parla de l'objet de ma visite, de son ardent désir de me voir, et de la consolation qu'il attendait de moi. Il s'étendit assez longuement et s'expliqua à sa manière sur le caractère de sa maladie. C'était, disait-il, un mal de famille, un mal constitutionnel, un mal pour lequel il désespérait de trouver un remède, — une simple affection nerveuse, — ajouta-t-il immédiatement, — dont, sans doute, il serait bientôt délivré. Elle se manifestait par

une foule de sensations extranaturelles. Quelques-
unes, pendant qu'il me les décrivait, m'intéressèrent
et me confondirent ; il se peut cependant que les termes
et le ton de son débit y aient été pour beaucoup. Il
souffrait vivement d'une acuité morbide des sens ; les
aliments les plus simples étaient pour lui les seuls
tolérables ; il ne pouvait porter, en fait de vêtement,
que certains tissus ; toutes les odeurs de fleurs le
suffoquaient ; une lumière, même faible, lui torturait
les yeux ; et il n'y avait que quelques sons particuliers,
c'est-à-dire ceux des instruments à corde, qui ne lui
inspirassent pas d'horreur.

Je vis qu'il était l'esclave subjugué d'une espèce de
terreur tout à fait anormale. — Je mourrai, — dit-il,
— il *faut* que je meure de cette déplorable folie. C'est
ainsi, ainsi, et non pas autrement, que je périrai. Je
redoute les événements à venir, non en eux-mêmes,
mais dans leurs résultats. Je frissonne à la pensée d'un
incident quelconque, du genre le plus vulgaire, qui
peut opérer sur cette intolérable agitation de mon
âme. Je n'ai vraiment pas horreur du danger, excepté
dans son effet positif, — la terreur. Dans cet état
d'énervation, — état pitoyable, — je sens que tôt ou
tard le moment viendra où la vie et la raison m'aban-
donneront à la fois, dans quelque lutte inégale avec
le sinistre fantôme, — LA PEUR !

J'appris aussi, par intervalles, et par des confidences
hachées, des demi-mots et des sous-entendus, une
autre particularité de sa situation morale. Il était
dominé par certaines impressions superstitieuses relatives au manoir qu'il habitait, et d'où il n'avait pas osé

sortir depuis plusieurs années, — relatives à une
influence dont il traduisait la force supposée en des
termes trop ténébreux pour être rapportés ici, — une
influence que quelques particularités dans la forme
même et dans la matière du manoir héréditaire
avaient, par l'usage de la souffrance, disait-il, impri-
mée sur son esprit, — un effet que le *physique* des murs
gris, des tourelles et de l'étang noirâtre où se mirait
tout le bâtiment, avait à la longue créé sur le *moral*
de son existence.

Il admettait toutefois, mais non sans hésitation,
qu'une bonne part de la mélancolie singulière dont
il était affligé pouvait être attribuée à une origine
plus naturelle et beaucoup plus positive, — à la maladie
cruelle et déjà ancienne, — enfin, à la mort évidemment prochaine d'une sœur tendrement aimée, — sa
seule société depuis de longues années, — sa dernière
et sa seule parente sur la terre. — Sa mort, — dit-il
avec une amertume que je n'oublierai jamais, — me
laissera, — moi, le frêle et le désespéré, — dernier
de l'antique race des Usher. — Pendant qu'il parlait,
lady Madeline, — c'est ainsi qu'elle se nommait, —
passa lentement dans une partie reculée de la chambre,
et disparut sans avoir pris garde à ma présence. Je la
regardai avec un immense étonnement, où se mêlait
quelque terreur; mais il me sembla impossible de
me rendre compte de mes sentiments. Une sensation
de stupeur m'oppressait, pendant que mes yeux suivaient ses pas qui s'éloignaient. Lorsque enfin une
porte se fut fermée sur elle, mon regard chercha
instinctivement et curieusement la physionomie de

son frère ; — mais il avait plongé sa face dans ses mains, et je pus voir seulement qu'une pâleur plus qu'ordinaire s'était répandue sur les doigts amaigris, à travers lesquels filtrait une pluie de larmes passionnées.

La maladie de lady Madeline avait longtemps bafoué la science de ses médecins. Une apathie fixe, un épuisement graduel de sa personne, et des crises fréquentes, quoique passagères, d'un caractère presque cataleptique, en étaient les diagnostics très-singuliers. Jusque-là, elle avait bravement porté le poids de la maladie et ne s'était pas encore résignée à se mettre au lit ; sur la fin du soir de mon arrivée au château elle cédait — comme son frère me le dit dans la nuit avec une inexprimable agitation — à la puissance écrasante du fléau, et j'appris que le coup d'œil que j'avais jeté sur elle serait probablement le dernier, — que je ne verrais plus la dame, vivante du moins.

Pendant les quelques jours qui suivirent, son nom ne fut prononcé ni par Usher ni par moi ; et durant cette période je m'épuisai en efforts pour alléger la mélancolie de mon ami. Nous peignîmes et nous lûmes ensemble ; ou bien j'écoutais, comme dans un rêve, ses étranges improvisations sur son éloquente guitare. Et ainsi, à mesure qu'une intimité de plus en plus étroite m'ouvrait plus familièrement les profondeurs de son âme, je reconnaissais plus amèrement la vanité de tous mes efforts pour ranimer un esprit, d'où la nuit, comme une propriété qui lui aurait été inhérente, déversait sur tous les objets de l'univers physique et moral une irradiation incessante de ténèbres.

Je garderai toujours le souvenir de maintes heures

solennelles que j'ai passées seul avec le maître de la
Maison Usher. Mais j'essaierais vainement de définir
le caractère exact des études ou des occupations dans
lesquelles il m'entraînait ou me montrait le chemin.
Une idéalité ardente, excessive, morbide, projetait
sur toutes choses sa lumière sulfureuse. Ses longues et
funèbres improvisations résonneront éternellement
dans mes oreilles. Entre autres choses, je me rappelle
douloureusement une certaine paraphrase singulière,
— une perversion de l'air, déjà fort étrange, de la
dernière valse de von Weber. Quant aux peintures
que couvait sa laborieuse fantaisie, et qui arrivaient,
touche par touche, à un vague qui me donnait le
frisson, un frisson d'autant plus pénétrant que je
frissonnais sans savoir pourquoi, — quant à ces peintures, si vivantes pour moi, que j'ai encore leurs
images dans mes yeux, — j'essaierais vainement d'en
extraire un échantillon suffisant, qui pût tenir dans le
compas de la parole écrite. Par l'absolue simplicité,
par la nudité de ses dessins, il arrêtait, il subjuguait
l'attention. Si jamais mortel peignit une idée, ce mortel
fut Roderick Usher. Pour moi, du moins, — dans les
circonstances qui m'entouraient, — il s'élevait, des
pures abstractions que l'hypocondriaque s'ingéniait
à jeter sur sa toile, une terreur intense, irrésistible,
dont je n'ai jamais senti l'ombre dans la contemplation
des rêveries de Fuseli lui-même, éclatantes sans doute,
mais encore trop concrètes.

Il est une des conceptions fantasmagoriques de mon
ami où l'esprit d'abstraction n'avait pas une part aussi
exclusive, et qui peut être esquissée, quoique faible-

ment, par la parole. C'était un petit tableau représentant l'intérieur d'une cave ou d'un souterrain
immensément long, rectangulaire, avec des murs bas,
polis, blancs, sans aucun ornement, sans aucune
interruption. Certains détails accessoires de la composition servaient à faire comprendre que cette galerie
se trouvait à une profondeur excessive au-dessous de
la surface de la terre. On n'apercevait aucune issue
dans son immense parcours; on ne distinguait aucune
torche, aucune source artificielle de lumière; et cependant une effusion de rayons intenses roulait de l'un
à l'autre bout et baignait le tout d'une splendeur
fantastique et incompréhensible.

J'ai dit un mot de l'état morbide du nerf acoustique
qui rendait pour le malheureux toute musique intolérable, excepté certains effets des instruments à corde.
C'étaient peut-être les étroites limites dans lesquelles il
avait confiné son talent sur la guitare qui avaient, en
grande partie, imposé à ses compositions leur caractère fantastique. Mais, quant à la brûlante facilité
de ses improvisations, on ne pouvait s'en rendre
compte de la même manière. Il fallait évidemment
qu'elles fussent et elles étaient, en effet, dans les notes
aussi bien que dans les paroles de ses étranges fantaisies, — car il accompagnait souvent sa musique de
paroles improvisées et rimées, — le résultat de cet
intense recueillement et de cette concentration des
forces mentales, qui ne se manifestent, comme je l'ai
déjà dit, que dans les cas particuliers de la plus haute
excitation artificielle. D'une de ces rapsodies je me
suis rappelé facilement les paroles. Peut-être m'im-

pressionna-t-elle plus fortement, quand il me la
montra, parce que, dans le sens intérieur et mystérieux de l'œuvre, je découvris pour la première fois
qu'Usher avait pleine conscience de son état, —
qu'il sentait que sa sublime raison chancelait sur son
trône. Ces vers, qui avaient pour titre *Le Palais hanté*,
étaient, à très-peu de chose près, tels que je les cite :

I

Dans la plus verte de nos vallées,
  Par les bons anges habitée,
Autrefois un beau et majestueux palais,
  — Un rayonnant palais, — dressait son front.
C'était dans le domaine du monarque Pensée,
  C'était là qu'il s'élevait :
Jamais Séraphin ne déploya son aile
  Sur un édifice à moitié aussi beau.

II

Des bannières blondes, superbes, dorées,
  A son dôme flottaient et ondulaient;
(C'était, — tout cela, c'était dans le vieux,
  Dans le très-vieux temps,)
Et, à chaque douce brise qui se jouait
  Dans ces suaves journées,
Le long des remparts chevelus et pâles,
  S'échappait un parfum ailé.

III

Les voyageurs, dans cette heureuse vallée,
  A travers deux fenêtres lumineuses, voyaient
Des esprits qui se mouvaient harmonieusement
  Au commandement d'un luth bien accordé,

Tout autour d'un trône, où, siégeant
 — Un vrai Porphyrogénète, celui-là ! —
Dans un apparat digne de sa gloire,
 Apparaissait le maître du royaume.

IV

Et tout étincelante de nacre et de rubis
 Était la porte du beau palais,
Par laquelle coulait à flots, à flots, à flots,
 Et pétillait incessamment
Une troupe d'Echos dont l'agréable fonction
 Était simplement de chanter,
Avec des accents d'une exquise beauté,
 L'esprit et la sagesse de leur roi.

V

Mais des êtres de malheur, en robes de deuil,
 Ont assailli la haute autorité du monarque.
— Ah ! pleurons ! car jamais l'aube d'un lendemain
 Ne brillera sur lui, le désolé ! —
Et, tout autour de sa demeure, la gloire
 Qui s'empourprait et florissait
N'est plus qu'une histoire, souvenir ténébreux
 Des vieux âges défunts.

VI

Et maintenant les voyageurs, dans cette vallée,
 A travers les fenêtres rougeâtres, voient
De vastes formes qui se meuvent fantastiquement
 Aux sons d'une musique discordante ;
Pendant que, comme une rivière rapide et lugubre,
 A travers la porte pâle,
Une hideuse multitude se rue éternellement,
Qui va éclatant de rire, — ne pouvant plus sourire.

Je me rappelle fort bien que les inspirations naissant de cette ballade nous jetèrent dans un courant d'idées, au milieu duquel se manifesta une opinion d'Usher que je cite, non pas tant en raison de sa nouveauté, — car d'autres hommes[1] ont pensé de même, — qu'à cause de l'opiniâtreté avec laquelle il la soutenait. Cette opinion, dans sa forme générale, n'était autre que la croyance à la sensitivité de tous les êtres végétaux. Mais, dans son imagination déréglée, l'idée avait pris un caractère encore plus audacieux, et empiétait, dans de certaines conditions, jusque sur le règne inorganique. Les mots me manquent pour exprimer toute l'étendue, tout le sérieux, tout l'*abandon* de sa foi. Cette croyance toutefois se rattachait — comme je l'ai déjà donné à entendre — aux pierres grises du manoir de ses ancêtres. Ici, les conditions de sensitivité étaient remplies, à ce qu'il imaginait, par la méthode qui avait présidé à la construction, — par la disposition respective des pierres, aussi bien que de toutes les fongosités dont elles étaient revêtues, et des arbres ruinés qui s'élevaient à l'entour, — mais surtout par l'immutabilité de cet arrangement et par sa répercussion dans les eaux dormantes de l'étang. La preuve, — la preuve de cette sensitivité se faisait voir — disait-il, et je l'écoutais alors avec inquiétude, — dans la condensation graduelle, mais positive, au-dessus des eaux, autour des murs, d'une atmosphère qui leur était propre. Le résultat, — ajoutait-il, — se déclarait

1. Watson, Percival, Spallanzani, et particulièrement l'évêque de Landaff; voir les *Chemical Essays*, vol. V.

dans cette influence muette, mais importune et terrible, qui depuis des siècles avait pour ainsi dire moulé les destinées de sa famille, et qui le faisait, *lui*, tel que je le voyais maintenant, — tel qu'il était. De pareilles opinions n'ont pas besoin de commentaires, et je n'en ferai pas.

Nos livres, — les livres qui depuis des années constituaient une grande partie de l'existence spirituelle du malade, — étaient, comme on le suppose bien, en accord parfait avec ce caractère de visionnaire. Nous analysions ensemble des ouvrages tels que le *Vert-Vert* et la *Chartreuse*, de Gresset; le *Belphégor*, de Machiavel; *les Merveilles du Ciel et de l'Enfer*, de Swedenborg; le *Voyage souterrain de Nicholas Klimm*, par Holberg; *la Chiromancie*, de Robert Flud, de Jean d'Indaginé et de De la Chambre; le *Voyage dans le Bleu*, de Tieck, et *la Cité du Soleil*, de Campanella. Un de ses volumes favoris était une petite édition in-octavo du *Directorium inquisitorium*, par le dominicain Eymeric de Gironne; et il y avait des passages dans Pomponius Méla, à propos des anciens Satyres africains et des Ægipans, sur lesquels Usher rêvassait pendant des heures. Il faisait néanmoins ses principales délices de la lecture d'un in-quarto gothique excessivement rare et curieux, — le manuel d'une église oubliée, — les *Vigilæ Mortuorum secundum Chorum Ecclesiæ Maguntinæ*.

Je songeais malgré moi à l'étrange rituel contenu dans ce livre et à son influence probable sur l'hypocondriaque, quand, un soir, m'ayant informé brusquement que lady Madeline n'existait plus, il annonça l'intention de conserver le corps pendant une quin-

zaine — en attendant l'enterrement définitif — dans
un des nombreux caveaux situés sous les gros murs du
château. La raison humaine qu'il donnait de cette
singulière manière d'agir était une de ces raisons que
je ne me sentais pas le droit de contredire. Comme
frère, — me disait-il, — il avait pris cette résolution en
considération du caractère insolite de la maladie de
la défunte, d'une certaine curiosité importune et
indiscrète de la part des hommes de science, et de la
situation éloignée et fort exposée du caveau de famille.
J'avouerai que, quand je me rappelai la physionomie
sinistre de l'individu que j'avais rencontré sur l'escalier,
le soir de mon arrivée au château, je n'eus pas envie
de m'opposer à ce que je regardais comme une précaution bien innocente, sans doute, mais certainement
fort naturelle.

A la prière d'Usher, je l'aidai personnellement dans
les préparatifs de cette sépulture temporaire. Nous
mîmes le corps dans la bière, et, à nous deux, nous le
portâmes à son lieu de repos. Le caveau dans lequel
nous le déposâmes, — et qui était resté fermé depuis
si longtemps, que nos torches, à moitié étouffées dans
cette atmosphère suffocante, ne nous permettaient
guère d'examiner les lieux, — était petit, humide, et
n'offrait aucune voie à la lumière du jour ; il était situé,
à une grande profondeur, juste au-dessous de cette
partie du bâtiment où se trouvait ma chambre à
coucher. Il avait rempli probablement, dans les vieux
temps féodaux, l'horrible office d'oubliettes, et, dans
les temps postérieurs, de cave à serrer la poudre ou
toute autre matière facilement inflammable ; car une

partie du sol et toutes les parois d'un long vestibule que nous traversâmes pour y arriver étaient soigneusement revêtues de cuivre. La porte, de fer massif, avait été l'objet des mêmes précautions. Quand ce poids immense roulait sur ses gonds, il rendait un son singulièrement aigu et discordant.

Nous déposâmes donc notre fardeau funèbre sur des tréteaux dans cette région d'horreur ; nous tournâmes un peu de côté le couvercle de la bière qui n'était pas encore vissé, et nous regardâmes la face du cadavre. Une ressemblance frappante entre le frère et la sœur fixa tout d'abord mon attention ; et Usher, devinant peut-être mes pensées, murmura quelques paroles qui m'apprirent que la défunte et lui étaient jumeaux, et que des sympathies d'une nature presque inexplicable avaient toujours existé entre eux. Nos regards, néanmoins, ne restèrent pas longtemps fixés sur la morte, — car nous ne pouvions pas la contempler sans effroi. Le mal qui avait mis au tombeau lady Madeline dans la plénitude de sa jeunesse avait laissé, comme cela arrive ordinairement dans toutes les maladies d'un caractère strictement cataleptique, l'ironie d'une faible coloration sur le sein et sur la face, et sur la lèvre ce sourire équivoque et languissant qui est si terrible dans la mort. Nous replaçâmes et nous vissâmes le couvercle, et, après avoir assujetti la porte de fer, nous reprîmes avec lassitude notre chemin vers les appartements supérieurs, qui n'étaient guère moins mélancoliques.

Et alors, après un laps de quelques jours pleins du chagrin le plus amer, il s'opéra un changement visible

dans les symptômes de la maladie morale de mon ami.
Ses manières ordinaires avaient disparu. Ses occupations habituelles étaient négligées, oubliées. Il errait
de chambre en chambre d'un pas précipité, inégal
et sans but. La pâleur de sa physionomie avait revêtu
une couleur peut-être encore plus spectrale; — mais
la propriété lumineuse de son œil avait entièrement
disparu. Je n'entendais plus ce ton de voix âpre qu'il
prenait autrefois à l'occasion; et un tremblement qu'on
eût dit causé par une extrême terreur caractérisait
habituellement sa prononciation. Il m'arrivait quelquefois, en vérité, de me figurer que son esprit, incessamment agité, était travaillé par quelque suffocant
secret et qu'il ne pouvait trouver le courage nécessaire
pour le révéler. D'autres fois, j'étais obligé de conclure
simplement aux bizarreries inexplicables de la folie;
car je le voyais regardant dans le vide pendant de
longues heures, dans l'attitude de la plus profonde
attention, comme s'il écoutait un bruit imaginaire. Il
ne faut pas s'étonner que son état m'effrayât, —
qu'il m'infectât même. Je sentais se glisser en moi,
par une gradation lente mais sûre, l'étrange influence
de ses superstitions fantastiques et contagieuses.

Ce fut particulièrement une nuit, — la septième ou
la huitième depuis que nous avions déposé lady Madeline dans le caveau, — fort tard, avant de me mettre
au lit, que j'éprouvai toute la puissance de ces sensations. Le sommeil ne voulait pas approcher de ma
couche; — les heures, une à une, tombaient, tombaient toujours. Je m'efforçai de raisonner l'agitation
nerveuse qui me dominait. J'essayai de me persuader

que je devais ce que j'éprouvais, en partie, sinon absolument, à l'influence prestigieuse du mélancolique ameublement de la chambre, — des sombres draperies déchirées, qui, tourmentées par le souffle d'un orage naissant, vacillaient çà et là sur les murs, comme par accès, et bruissaient douloureusement autour des ornements du lit.

Mais mes efforts furent vains. Une insurmontable terreur pénétra graduellement tout mon être ; et à la longue une angoisse sans motif, un vrai cauchemar, vint s'asseoir sur mon cœur. Je respirai violemment, je fis un effort, je parvins à le secouer ; et, me soulevant sur les oreillers et plongeant ardemment mon regard dans l'épaisse obscurité de la chambre, je prêtai l'oreille — je ne saurais dire pourquoi, si ce n'est que j'y fus poussé par une force instinctive, — à certains sons bas et vagues qui partaient je ne sais d'où, et qui m'arrivaient à de longs intervalles, à travers les accalmies de la tempête. Dominé par une sensation intense d'horreur, inexplicable et intolérable, je mis mes habits à la hâte, — car je sentais que je ne pourrais pas dormir de la nuit, — et je m'efforçai, en marchant çà et là à grands pas dans la chambre, de sortir de l'état déplorable dans lequel j'étais tombé.

J'avais à peine fait ainsi quelques tours, quand un pas léger sur un escalier voisin arrêta mon attention. Je reconnus bientôt que c'était le pas d'Usher. Une seconde après, il frappa doucement à ma porte, et entra, une lampe à la main. Sa physionomie était, comme d'habitude, d'une pâleur cadavéreuse, — mais il y avait en outre dans ses yeux je ne sais quelle hilarité insensée, — et dans toutes ses manières une espèce d'hystérie évidemment contenue. Son air m'épouvanta : — mais tout était préférable à la solitude que j'avais endurée si longtemps, et j'accueillis sa présence comme un soulagement.

— Et vous n'avez pas vu cela? — dit-il brusquement, après quelques minutes de silence et après avoir promené autour de lui un regard fixe, — vous n'avez donc pas vu cela? — Mais attendez! vous le verrez! — Tout en parlant ainsi, et ayant soigneusement abrité sa lampe, il se précipita vers une des fenêtres, et l'ouvrit toute grande à la tempête.

L'impétueuse furie de la rafale nous enleva presque du sol. C'était vraiment une nuit d'orage affreusement belle, une nuit unique et étrange dans son horreur et sa beauté. Un tourbillon s'était probablement concentré dans notre voisinage; car il y avait des changements fréquents et violents dans la direction du vent, et l'excessive densité des nuages, maintenant descendus si bas qu'ils pesaient presque sur les tourelles du château, ne nous empêchait pas d'apprécier la vélocité vivante avec laquelle ils accouraient l'un contre l'autre de tous les points de l'horizon, au lieu de se perdre dans l'espace. Leur excessive densité ne nous empêchait pas de voir ce phénomène; pourtant nous n'apercevions pas un brin de lune ni d'étoiles, et aucun éclair ne projetait sa lueur. Mais les surfaces inférieures de ces vastes masses de vapeurs cahotées, aussi bien que tous les objets terrestres situés dans notre étroit horizon, réfléchissaient la clarté surnaturelle d'une exhalaison gazeuse qui pesait sur la

maison et l'enveloppait dans un linceul presque lumineux et distinctement visible.

— Vous ne devez pas voir cela ! — Vous ne contem-
plerez pas cela ! — dis-je en frissonnant à Usher ; et je
le ramenai avec une douce violence de la fenêtre vers
un fauteuil. — Ces spectacles qui vous mettent hors
de vous sont des phénomènes purement électriques et
fort ordinaires, — ou peut-être tirent-ils leur funeste
origine des miasmes fétides de l'étang. Fermons cette
fenêtre ; — l'air est glacé et dangereux pour votre
constitution. Voici un de vos romans favoris. Je lirai,
et vous écouterez ; — et nous passerons ainsi cette
terrible nuit ensemble.

L'antique bouquin sur lequel j'avais mis la main
était le *Mad Trist*, de sir Launcelot Canning ; mais je
l'avais décoré du titre de livre favori d'Usher par
plaisanterie ; — triste plaisanterie, car, en vérité, dans
sa niaise et baroque prolixité, il n'y avait pas grande
pâture pour la haute spiritualité de mon ami. Mais
c'était le seul livre que j'eusse immédiatement sous
la main ; et je me berçais du vague espoir que l'agitation
qui tourmentait l'hypocondriaque trouverait du soulagement (car l'histoire des maladies mentales est
pleine d'anomalies de ce genre) dans l'exagération
même des folies que j'allais lui lire. A en juger par
l'air d'intérêt étrangement tendu avec lequel il écoutait
ou feignait d'écouter les phrases du récit, j'aurais pu
me féliciter du succès de ma ruse.

J'étais arrivé à cette partie si connue de l'histoire
où Ethelred, le héros du livre, ayant en vain cherché
à entrer à l'amiable dans la demeure d'un ermite,

se met en devoir de s'introduire par la force. Ici, on s'en souvient, le narrateur s'exprime ainsi :

« Et Ethelred, qui était par nature un cœur vaillant, et qui maintenant était aussi très fort, en raison de l'efficacité du vin qu'il avait bu, n'attendit pas plus longtemps pour parlementer avec l'ermite, qui avait, en vérité, l'esprit tourné à l'obstination et à la malice, mais, sentant la pluie sur ses épaules et craignant l'explosion de la tempête, il leva bel et bien sa massue, et avec quelques coups fraya bien vite un chemin, à travers les planches de la porte, à sa main gantée de fer; et, tirant avec sa main vigoureusement à lui, il fit craquer, et se fendre, et sauter le tout en morceaux, si bien que le bruit du bois sec et sonnant le creux porta l'alarme et fut répercuté d'un bout à l'autre de la forêt. »

A la fin de cette phrase, je tressaillis et je fis une pause; car il m'avait semblé, — mais je conclus bien vite à une illusion de mon imagination, — il m'avait semblé que d'une partie très-reculée du manoir était venu confusément à mon oreille un bruit qu'on eût dit, à cause de son exacte analogie, l'écho étouffé, amorti, de ce bruit de craquement et d'arrachement si précieusement décrit par sir Launcelot. Évidemment, c'était la coïncidence seule qui avait arrêté mon attention; car, parmi le claquement des châssis des fenêtres et tous les bruits confus de la tempête toujours croissante, le son en lui-même n'avait rien vraiment qui pût m'intriguer ou me troubler. Je continuai le récit :

« Mais Ethelred, le solide champion, passant alors

la porte, fut grandement furieux et émerveillé de
n'apercevoir aucune trace du malicieux ermite, mais
en son lieu et place un dragon d'une apparence
monstrueuse et écailleuse, avec une langue de feu,
qui se tenait en sentinelle devant un palais d'or, dont
le plancher était d'argent; et sur le mur était suspendu
un bouclier d'airain brillant, avec cette légende
gravée dessus :

Celui-là qui entre ici a été le vainqueur;
Celui-là qui tue le dragon, il aura gagné le bouclier.

» Et Ethelred leva sa massue et frappa sur la tête
du dragon, qui tomba devant lui et rendit son souffle
empesté avec un rugissement si épouvantable, si âpre
et si perçant à la fois, qu'Ethelred fut obligé de se
boucher les oreilles avec ses mains, pour se garantir
de ce bruit terrible, tel qu'il n'en avait jamais entendu
de semblable. »

Ici, je fis brusquement une nouvelle pause, et cette
fois avec un sentiment de violent étonnement, — car
il n'y avait pas lieu à douter que je n'eusse réellement
entendu (dans quelle direction, il m'était impossible de
le deviner) un son affaibli et comme lointain, mais
âpre, prolongé, singulièrement perçant et grinçant, —
l'exacte contrepartie du cri surnaturel du dragon
décrit par le romancier, et tel que mon imagination
se l'était déjà figuré.

Oppressé, comme je l'étais évidemment lors de cette
seconde et très-extraordinaire coïncidence, par mille
sensations contradictoires, parmi lesquelles dominaient
un étonnement et une frayeur extrêmes, je gardai

néanmoins assez de présence d'esprit pour éviter
d'exciter par une observation quelconque la sensibilité
nerveuse de mon camarade. Je n'étais pas du tout sûr
qu'il eût remarqué les bruits en question, quoique
bien certainement une étrange altération se fût depuis
ces dernières minutes manifestée dans son maintien.
De sa position primitive, juste vis-à-vis de moi, il
avait peu à peu tourné son fauteuil de manière à se
trouver assis la face tournée vers la porte de la chambre;
en sorte que je ne pouvais pas voir ses traits d'ensemble,
— quoique je m'aperçusse bien que ses lèvres tremblaient comme si elles murmuraient quelque chose
d'insaisissable. Sa tête était tombée sur sa poitrine; —
cependant, je savais qu'il n'était pas endormi; —
l'œil que j'entrevoyais de profil était béant et fixe.
D'ailleurs, le mouvement de son corps contredisait
aussi cette idée, — car il se balançait d'un côté à
l'autre avec un mouvement très-doux, mais constant
et uniforme. Je remarquai rapidement tout cela, et
repris le récit de sir Launcelot, qui continuait ainsi :

« Et maintenant, le brave champion, ayant échappé
à la terrible furie du dragon, se souvenant du bouclier
d'airain, et que l'enchantement qui était dessus était
rompu, écarta le cadavre de devant son chemin et
s'avança courageusement, sur le pavé d'argent du
château, vers l'endroit du mur où pendait le bouclier,
lequel, en vérité, n'attendit pas qu'il fût arrivé tout
auprès, mais tomba à ses pieds sur le pavé d'argent
avec un puissant et terrible retentissement. »

A peine ces dernières syllabes avaient-elles fui mes
lèvres, que, — comme si un bouclier d'airain était

pesamment tombé, en ce moment même, sur un
plancher d'argent, — j'en entendis l'écho distinct,
profond, métallique, retentissant, mais comme assourdi.
J'étais complètement énervé ; je sautai sur mes pieds ;
mais Usher n'avait pas interrompu son balancement
régulier. Je me précipitai vers le fauteuil où il était
toujours assis. Ses yeux étaient braqués droit devant
lui, et toute sa physionomie était tendue par une rigidité de pierre. Mais, quand je posai la main sur son
épaule, un violent frisson parcourut tout son être,
un sourire malsain trembla sur ses lèvres, et je vis
qu'il parlait bas, très-bas, — un murmure précipité
et inarticulé, — comme s'il n'avait pas conscience
de ma présence. Je me penchai tout à fait contre lui,
et enfin je dévorai l'horrible signification de ses
paroles :

— Vous n'entendez pas ? — Moi, j'entends, et *j'ai*
entendu pendant longtemps, — longtemps, bien longtemps, bien des minutes, bien des heures, bien des
jours, j'ai entendu, — mais je n'osais pas, — oh ! pitié
pour moi misérable infortuné que je suis ! — je n'osais
pas, — je *n'osais pas* parler ! *Nous l'avons mise vivante
dans la tombe !* Ne vous ai-je pas dit que mes sens étaient
très-fins ? Je vous dis *maintenant* que j'ai entendu ses
premiers faibles mouvements dans le fond de la bière.
Je les ai entendus, — il y a déjà bien des jours, bien
des jours, — mais je n'osais pas, — *je n'osais pas parler !*
Et maintenant, — cette nuit, — Ethelred, — ha ! ha !
— la porte de l'ermite enfoncée, et le râle du dragon
et le retentissement du bouclier ! — dites plutôt le
bris de sa bière, et le grincement des gonds de fer de

sa prison, et son affreuse lutte dans le vestibule de
cuivre! Oh! où fuir? Ne sera-t-elle pas ici tout à
l'heure? N'arrive-t-elle pas pour me reprocher ma
précipitation? N'ai-je pas entendu son pas sur l'escalier? Est-ce que je ne distingue pas l'horrible et lourd
battement de son cœur! Insensé! — Ici, il se dressa
furieusement sur ses pieds, et hurla ces syllabes,
comme si dans cet effort suprême il rendait son âme :
— *Insensé! je vous dis qu'elle est maintenant derrière la
porte!* A l'instant même, comme si l'énergie surhumaine de sa parole eût acquis la toute-puissance d'un
charme, les vastes et antiques panneaux que désignait
Usher entrouvrirent lentement leurs lourdes mâchoires
d'ébène. C'était l'œuvre d'un furieux coup de vent; —
mais derrière cette porte se tenait alors la haute figure
de lady Madeline Usher, enveloppée de son suaire.
Il y avait du sang sur ses vêtements blancs, et toute sa
personne amaigrie portait les traces évidentes de
quelque horrible lutte. Pendant un moment, elle
resta tremblante et vacillante sur le seuil; — puis,
avec un cri plaintif et profond, elle tomba lourdement
en avant sur son frère, et, dans sa violente et définitive
agonie, elle l'entraîna à terre, — cadavre maintenant
et victime de ses terreurs anticipées.

Je m'enfuis de cette chambre et de ce manoir,
frappé d'horreur. La tempête était encore dans toute
sa rage quand je franchissais la vieille avenue. Tout
d'un coup, une lumière étrange se projeta sur la
route, et je me retournai pour voir d'où pouvait jaillir
une lueur si singulière, car je n'avais derrière moi
que le vaste château avec toutes ses ombres. Le

rayonnement provenait de la pleine lune qui se couchait, rouge de sang, et maintenant brillait vivement à travers cette fissure à peine visible naguère, qui, comme je l'ai dit, parcourait en zigzag le bâtiment depuis le toit jusqu'à la base. Pendant que je regardais, cette fissure s'élargit rapidement; — il survint une reprise de vent, un tourbillon furieux; — le disque entier de la planète éclata tout à coup à ma vue. La tête me tourna quand je vis les puissantes murailles s'écrouler en deux. — Il se fit un bruit prolongé, un fracas tumultueux comme la voix de mille cataractes, — et l'étang profond et croupi placé à mes pieds se referma tristement et silencieusement sur les ruines de la *Maison Usher*.

LE PUITS ET LE PENDULE

Impia tortorum longos hic turba furores,
Sanguinis innocui non satiata, aluit.
Sospite nunc patria, fracto nunc funeris antro,
Mors ubi dira fuit vita salusque patent.

Quatrain composé pour les portes d'un marché qui
devait s'élever sur l'emplacement du club des Jaco-
bins, à Paris[1].

J'ÉTAIS brisé, — brisé jusqu'à la mort par cette longue
agonie; et, quand enfin ils me délièrent et qu'il me
fut permis de m'asseoir, je sentis que mes sens m'aban-
donnaient. La sentence, — la terrible sentence de
mort, — fut la dernière phrase distinctement accen-
tuée qui frappa mes oreilles. Après quoi, le son des
voix des inquisiteurs me parut se noyer dans le bourdonnement indéfini d'un rêve. Ce bruit apportait
dans mon âme l'idée d'une rotation, — peut-être à
cause que dans mon imagination je l'associais avec
une roue de moulin. Mais cela ne dura que fort peu
de temps; car tout d'un coup je n'entendis plus rien.

---

1. Ce marché — marché Saint-Honoré — n'a jamais eu ni
portes ni inscription. L'inscription a-t-elle existé en projet? (C. B.)

Toutefois, pendant quelque temps encore, je vis;
mais avec quelle terrible exagération! Je voyais les
lèvres des juges en robe noire. Elles m'apparaissaient
blanches, — plus blanches que la feuille sur laquelle
je trace ces mots, — et minces jusqu'au grotesque;
amincies par l'intensité de leur expression de dureté,
— d'immuable résolution, — de rigoureux mépris
de la douleur humaine. Je voyais que les décrets de
ce qui pour moi représentait le Destin coulaient
encore de ces lèvres. Je les vis se tordre en une phrase
de mort. Je les vis figurer les syllabes de mon nom; et
je frissonnai, sentant que le son ne suivait pas le
mouvement. Je vis aussi, pendant quelques moments
d'horreur délirante, la molle et presque imperceptible
ondulation des draperies noires qui revêtaient les
murs de la salle. Et alors ma vue tomba sur les sept
grands flambeaux qui étaient posés sur la table.
D'abord, ils revêtirent l'aspect de la Charité, et
m'apparurent comme des anges blancs et sveltes qui
devaient me sauver; mais alors, et tout d'un coup,
une nausée mortelle envahit mon âme, et je sentis
chaque fibre de mon être frémir comme si j'avais
touché le fil d'une pile voltaïque; et les formes angé_
liques devenaient des spectres insignifiants, avec des
têtes de flamme, et je voyais bien qu'il n'y avait aucun
secours à espérer d'eux. Et alors se glissa dans mon
imagination comme une riche note musicale, l'idée
du repos délicieux qui nous attend dans la tombe.
L'idée vint doucement et furtivement, et il me sembla
qu'il me fallut un long temps pour en avoir une appréciation complète; mais, au moment même où mon

esprit commençait enfin à bien sentir et à choyer cette idée, les figures des juges s'évanouirent comme par magie; les grands flambeaux se réduisirent à néant; leurs flammes s'éteignirent entièrement; le noir des ténèbres survint : toutes sensations parurent s'engloutir comme dans un plongeon fou et précipité de l'âme dans l'Hadès. Et l'univers ne fut plus que nuit, silence, immobilité.

J'étais évanoui; mais cependant je ne dirai pas que j'eusse perdu toute conscience. Ce qu'il m'en restait, je n'essaierai pas de le définir, ni même de le décrire; mais enfin tout n'était pas perdu. Dans le plus profond sommeil, — non! Dans le délire, — non! Dans l'évanouissement, — non! Dans la mort, — non! Même dans le tombeau tout n'est pas perdu. Autrement, il n'y aurait pas d'immortalité pour l'homme. En nous éveillant du plus profond sommeil, nous déchirons la toile aranéeuse de quelque rêve. Cependant, une seconde après, — tant était frêle peut-être ce tissu, — nous ne nous souvenons pas d'avoir rêvé. Dans le retour de l'évanouissement à la vie, il y a deux degrés : le premier, c'est le sentiment de l'existence morale ou spirituelle; le second, le sentiment de l'existence physique. Il semble probable que, si, en arrivant au second degré, nous pouvions évoquer les impressions du premier, nous y retrouverions tous les éloquents souvenirs du gouffre transmondain. Et ce gouffre, quel est-il? Comment du moins distinguerons-nous ses ombres de celles de la tombe? Mais, si les impressions de ce que j'ai appelé le premier degré ne reviennent pas à l'appel de la volonté, toutefois,

après un long intervalle, n'apparaissent-elles pas
sans y être invitées, cependant que nous nous émer-
veillons d'où elles peuvent sortir? Celui-là qui ne
s'est jamais évanoui n'est pas celui qui découvre
d'étranges palais et des visages bizarrement familiers
dans les braises ardentes; ce n'est pas lui qui contemple,
flottantes au milieu de l'air, les mélancoliques visions
que le vulgaire ne peut apercevoir; ce n'est pas lui
qui médite sur le parfum de quelque fleur inconnue,
— ce n'est pas lui dont le cerveau s'égare dans le
mystère de quelque mélodie qui jusqu'alors n'avait
jamais arrêté son attention.

Au milieu de mes efforts répétés et intenses, de mon
énergique application à ramasser quelque vestige de
cet état de néant apparent dans lequel avait glissé
mon âme, il y a eu des moments où je rêvais que je
réussissais; il y a eu de courts instants, de très-courts
instants où j'ai conjuré des souvenirs que ma raison
lucide, dans une époque postérieure, m'a affirmé ne
pouvoir se rapporter qu'à cet état où la conscience
paraît annihilée. Ces ombres de souvenirs me pré-
sentent, très-indistinctement, de grandes figures qui
m'enlevaient, et silencieusement me transportaient
en bas, — et encore en bas, — toujours plus bas, —
jusqu'au moment où un vertige horrible m'oppressa
à la simple idée de l'infini dans la descente. Elles
me rappellent aussi je ne sais quelle vague horreur
que j'éprouvais au cœur, en raison même du calme
surnaturel de ce cœur. Puis vient le sentiment d'une
immobilité soudaine dans tous les êtres environnants;
comme si ceux qui me portaient, — un cortège de

spectres! — avaient dépassé dans leur descente les
limites de l'illimité, et s'étaient arrêtés, vaincus par
l'infini ennui de leur besogne. Ensuite mon âme
retrouve une sensation de fadeur et d'humidité; et
puis tout n'est plus que folie, — folie d'une mémoire
qui s'agite dans l'abominable.

Très-soudainement revinrent dans mon âme son
et mouvement, — le mouvement tumultueux du cœur,
et dans mes oreilles le bruit de ses battements. Puis
une pause dans laquelle tout disparaît. Puis, de nouveau, le son, le mouvement et le toucher, — comme
une sensation vibrante pénétrant mon être. Puis, la
simple conscience de mon existence, sans pensée, —
situation qui dura longtemps. Puis, très-soudainement,
la *pensée*, et une terreur frissonnante, et un ardent
effort de comprendre au vrai mon état. Puis un vif
désir de retomber dans l'insensibilité. Puis brusque
renaissance de l'âme et tentative réussie de mouvement. Et alors le souvenir complet du procès, des
draperies noires, de la sentence, de ma faiblesse,
de mon évanouissement. Quant à tout ce qui suivit,
l'oubli le plus complet; ce n'est que plus tard et par
l'application la plus énergique que je suis parvenu
à me le rappeler vaguement.

Jusque-là, je n'avais pas ouvert les yeux, je sentais
que j'étais couché sur le dos et sans liens. J'étendis ma
main, et elle tomba lourdement sur quelque chose
d'humide et dur. Je la laissai reposer ainsi pendant
quelques minutes, m'évertuant à deviner où je pouvais
être et *ce que* j'étais devenu. J'étais impatient de me
servir de mes yeux, mais je n'osais pas. Je redoutais

le premier coup d'œil sur les objets environnants. Ce n'était pas que je craignisse de regarder des choses horribles, mais j'étais épouvanté de l'idée de ne rien voir. A la longue, avec une folle angoisse de cœur, j'ouvris vivement les yeux. Mon affreuse pensée se trouvait donc confirmée. La noirceur de l'éternelle nuit m'enveloppait. Je fis un effort pour respirer. Il me semblait que l'intensité des ténèbres m'oppressait et me suffoquait. L'atmosphère était intolérablement lourde. Je restai paisiblement couché, et je fis un effort pour exercer ma raison. Je me rappelai les procédés de l'Inquisition, et, partant de là, je m'appliquai à en déduire ma position réelle. La sentence avait été prononcée, et il me semblait que, depuis lors, il s'était écoulé un long intervalle de temps. Cependant, je n'imaginai pas un seul instant que je fusse réellement mort. Une telle idée, en dépit de toutes les fictions littéraires, est tout à fait incompatible avec l'existence réelle; — mais où étais-je, et dans quel état? — Les condamnés à mort, je le savais, mouraient ordinairement dans les *auto-da-fé*. Une solennité de ce genre avait été célébrée le soir même du jour de mon jugement. Avais-je été réintégré dans mon cachot pour y attendre le prochain sacrifice qui ne devait avoir lieu que dans quelques mois? Je vis tout d'abord que cela ne pouvait pas être. Le contingent des victimes avait été mis immédiatement en réquisition; de plus, mon premier cachot, comme toutes les cellules des condamnés à Tolède, était pavé de pierres, et la lumière n'en était pas tout à fait exclue.

Tout à coup une idée terrible chassa le sang par

torrents vers mon cœur, et, pendant quelques instants, je retombai de nouveau dans mon insensibilité. En revenant à moi, je me dressai d'un seul coup sur mes pieds, tremblant convulsivement dans chaque fibre. J'étendis follement mes bras au-dessus et autour de moi, dans tous les sens. Je ne sentais rien; cependant, je tremblais de faire un pas, j'avais peur de me heurter contre les murs de ma tombe. La sueur jaillissait de tous mes pores et s'arrêtait en grosses gouttes froides sur mon front. L'agonie de l'incertitude devint à la longue intolérable, et je m'avançai avec précaution, étendant les bras et dardant mes yeux hors de leurs orbites, dans l'espérance de surprendre quelque faible rayon de lumière. Je fis plusieurs pas, mais tout était noir et vide. Je respirai plus librement. Enfin il me parut évident que la plus affreuse des destinées n'était pas celle qu'on m'avait réservée.

Et alors, comme je continuais à m'avancer avec précaution, mille vagues rumeurs qui couraient sur ces horreurs de Tolède vinrent se presser pêle-mêle dans ma mémoire. Il se racontait sur ces cachots d'étranges choses, — je les avais toujours considérées comme des fables, — mais cependant si étranges et si effrayantes, qu'on ne les pouvait répéter qu'à voix basse. Devais-je mourir de faim dans ce monde souterrain de ténèbres, — ou quelle destinée, plus terrible encore peut-être, m'attendait? Que le résultat fût la mort, et une mort d'une amertume choisie, je connaissais trop bien le caractère de mes juges pour en douter; le mode et l'heure étaient tout ce qui m'occupait et me tourmentait.

Mes mains étendues rencontrèrent à la longue un obstacle solide. C'était un mur, qui semblait construit en pierres, — très-lisse, humide et froid. Je le suivis de près, marchant avec la soigneuse méfiance que m'avaient inspirée certaines anciennes histoires. Cette opération néanmoins ne me donnait aucun moyen de vérifier la dimension de mon cachot; car je pouvais en faire le tour et revenir au point d'où j'étais parti sans m'en apercevoir, tant le mur semblait parfaitement uniforme. C'est pourquoi je cherchai le couteau que j'avais dans ma poche quand on m'avait conduit au tribunal; mais il avait disparu, mes vêtements ayant été changés contre une robe de serge grossière. J'avais eu l'idée d'enfoncer la lame dans quelque menue crevasse de la maçonnerie, afin de bien constater mon point de départ. La difficulté cependant était bien vulgaire; mais d'abord, dans le désordre de ma pensée, elle me sembla insurmontable. Je déchirai une partie de l'ourlet de ma robe, et je plaçai le morceau par terre, dans toute sa longueur et à angle droit contre le mur. En suivant mon chemin à tâtons autour de mon cachot, je ne pouvais pas manquer de rencontrer ce chiffon en achevant le circuit. Du moins, je le croyais; mais je n'avais pas tenu compte de l'étendue de mon cachot ou de ma faiblesse. Le terrain était humide et glissant. J'allai en chancelant pendant quelque temps, puis je trébuchai, je tombai. Mon extrême fatigue me décida à rester couché, et le sommeil me surprit bientôt dans cet état.

En m'éveillant et en étendant un bras, je trouvai à

côté de moi un pain et une cruche d'eau. J'étais trop épuisé pour réfléchir sur cette circonstance, mais je bus et mangeai avec avidité. Peu de temps après, je repris mon voyage autour de ma prison, et avec beaucoup de peine j'arrivai au lambeau de serge. Au moment où je tombai, j'avais déjà compté cinquante-deux pas, et, en reprenant ma promenade, j'en comptai encore quarante-huit, — quand je rencontrai mon chiffon. Donc, en tout, cela faisait cent pas; et, en supposant que deux pas fissent un yard, je présumais que le cachot avait cinquante yards de circuit. J'avais toutefois rencontré beaucoup d'angles dans le mur, et ainsi il n'y avait guère moyen de conjecturer la forme du caveau; car je ne pouvais m'empêcher de supposer que c'était un caveau.

Je ne mettais pas un bien grand intérêt dans ces recherches, — à coup sûr, pas d'espoir; mais une vague curiosité me poussa à les continuer. Quittant le mur, je résolus de traverser la superficie circonscrite. D'abord, j'avançai avec une extrême précaution; car le sol, quoique paraissant fait d'une matière dure, était traître et gluant. A la longue cependant, je pris courage, et je me mis à marcher avec assurance, m'appliquant à traverser en ligne aussi droite que possible. Je m'étais ainsi avancé de dix ou douze pas environ, quand le reste de l'ourlet déchiré de ma robe s'entortilla dans mes jambes. Je marchai dessus et tombai violemment sur le visage.

Dans le désordre de ma chute, je ne remarquai pas tout de suite une circonstance passablement sur-prenante, qui cependant, quelques secondes après, et

comme j'étais encore étendu, fixa mon attention.
Voici : mon menton posait sur le sol de la prison, mais
mes lèvres et la partie supérieure de ma tête, quoique
paraissant situées à une moindre élévation que le
menton, ne touchaient à rien. En même temps, il me
sembla que mon front était baigné d'une vapeur
visqueuse et qu'une odeur particulière de vieux
champignons montait vers mes narines. J'étendis
le bras, et je frissonnai en découvrant que j'étais
tombé sur le bord même d'un puits circulaire, dont
je n'avais, pour le moment, aucun moyen de mesurer
l'étendue. En tâtant la maçonnerie juste au-dessous
de la margelle, je réussis à déloger un petit fragment,
et je le laissai tomber dans l'abîme. Pendant quelques
secondes, je prêtai l'oreille à ses ricochets; il battait
dans sa chute les parois du gouffre; à la fin, il fit dans
l'eau un lugubre plongeon, suivi de bruyants échos.
Au même instant, un bruit se fit au-dessus de ma
tête, comme d'une porte presque aussitôt fermée
qu'ouverte, pendant qu'un faible rayon de lumière
traversait soudainement l'obscurité et s'éteignait
presque en même temps.

Je vis clairement la destinée qui m'avait été pré-
parée, et je me félicitai de l'accident opportun qui
m'avait sauvé. Un pas de plus, et le monde ne m'aurait
plus revu. Et cette mort évitée à temps portait ce
même caractère que j'avais regardé comme fabuleux
et absurde dans les contes qui se faisaient sur l'Inquisition. Les victimes de sa tyrannie n'avaient pas
d'autre alternative que la mort avec ses plus cruelles
agonies physiques, ou la mort avec ses plus abomi-

nables tortures morales. J'avais été réservé pour cette
dernière. Mes nerfs étaient détendus par une longue
souffrance, au point que je tremblais au son de
ma propre voix, et j'étais devenu à tous égards un
excellent sujet pour l'espèce de torture qui m'attendait.

Tremblant de tous mes membres, je rebroussai
chemin à tâtons vers le mur, — résolu à m'y laisser
mourir plutôt que d'affronter l'horreur des puits,
que mon imagination multipliait maintenant dans les
ténèbres de mon cachot. Dans une autre situation
d'esprit, j'aurais eu le courage d'en finir avec mes
misères, d'un seul coup, par un plongeon dans l'un
de ces abîmes; mais maintenant j'étais le plus parfait
des lâches. Et puis il m'était impossible d'oublier ce
que j'avais lu au sujet de ces puits, — que l'extinction
soudaine de la vie était une possibilité soigneusement exclue par l'infernal génie qui en avait conçu
le plan. L'agitation de mon esprit me tint éveillé
pendant de longues heures; mais à la fin je m'assoupis de nouveau. En m'éveillant, je trouvai à côté
de moi, comme la première fois, un pain et une
cruche d'eau. Une soif brûlante me consumait, et
je vidai la cruche tout d'un trait. Il faut que cette
eau ait été droguée, — car à peine l'eus-je bue que
je m'assoupis irrésistiblement. Un profond sommeil
tomba sur moi, — un sommeil semblable à celui de la
mort. Combien de temps dura-t-il, je n'en puis rien
savoir; mais, quand je rouvris les yeux, les objets autour
de moi étaient visibles. Grâce à une lueur singulière,
sulfureuse, dont je ne pus pas d'abord découvrir l'ori-

gine, je pouvais voir l'étendue et l'aspect de la prison.

Je m'étais grandement mépris sur sa dimension. Les murs ne pouvaient pas avoir plus de vingt-cinq yards de circuit. Pendant quelques minutes cette découverte fut pour moi un immense trouble; trouble bien puéril, en vérité, — car, au milieu des circonstances terribles qui m'entouraient, que pouvait-il y avoir de moins important que les dimensions de ma prison? Mais mon âme mettait un intérêt bizarre dans des niaiseries, et je m'appliquai fortement à me rendre compte de l'erreur que j'avais commise dans mes mesures. A la fin, la vérité m'apparut comme un éclair. Dans ma première tentative d'exploration, j'avais compté cinquante-deux pas, jusqu'au moment où je tombai; je devais être alors à un pas ou deux du morceau de serge; dans le fait, j'avais presque accompli le circuit du caveau. Je m'endormis alors, — et, en m'éveillant, il faut que je sois retourné sur mes pas, — créant ainsi un circuit presque double du circuit réel. La confusion de mon cerveau m'avait empêché de remarquer que j'avais commencé mon tour avec le mur à ma gauche, et que je finissais avec le mur à ma droite.

Je m'étais aussi trompé relativement à la forme de l'enceinte. En tâtant ma route, j'avais trouvé beaucoup d'angles, et j'en avais déduit l'idée d'une grande irrégularité; tant est puissant l'effet d'une totale obscurité sur quelqu'un qui sort d'une léthargie ou d'un sommeil! Ces angles étaient simplement produits par quelques légères dépressions ou retraits à des intervalles inégaux. La forme générale de la prison

était un carré. Ce que j'avais pris pour de la maçonnerie semblait maintenant du fer, ou tout autre métal,
en plaques énormes, dont les sutures et les joints occa-
sionnaient les dépressions. La surface entière de cette
construction métallique était grossièrement barbouillée de tous les emblèmes hideux et répulsifs
auxquels la superstition sépulcrale des moines a donné
naissance. Des figures de démons, avec des airs de
menace, avec des formes de squelettes, et d'autres
images d'une horreur plus réelle souillaient les murs
dans toute leur étendue. J'observai que les contours
de ces monstruosités étaient suffisamment distincts,
mais que les couleurs étaient flétries et altérées,
comme par l'effet d'une atmosphère humide. Je
remarquai alors le sol, qui était en pierre. Au centre
bâillait le puits circulaire, à la gueule duquel j'avais
échappé; mais il n'y en avait qu'un seul dans le
cachot.

Je vis tout cela indistinctement et non sans effort, —
car ma situation physique avait singulièrement changé
pendant mon sommeil. J'étais maintenant couché
sur le dos, tout de mon long, sur une espèce de charpente de bois très-basse. J'y étais solidement attaché
avec une longue bande qui ressemblait à une sangle.
Elle s'enroulait plusieurs fois autour de mes membres
et de mon corps, ne laissant de liberté qu'à ma tête
et à mon bras gauche; mais encore me fallait-il faire
un effort des plus pénibles pour me procurer la
nourriture contenue dans un plat de terre posé à
côté de moi sur le sol. Je m'aperçus avec terreur que
la cruche avait été enlevée. Je dis : avec terreur, car

j'étais dévoré d'une intolérable soif. Il me sembla qu'il entrait dans le plan de mes bourreaux d'exaspérer cette soif, — car la nourriture contenue dans le plat était une viande cruellement assaisonnée.

Je levai les yeux, et j'examinai le plafond de la prison. Il était à une hauteur de trente ou quarante pieds, et, par sa construction, il ressemblait beaucoup aux murs latéraux. Dans un de ses panneaux, une figure des plus singulières fixa toute mon attention. C'était la figure peinte du Temps, comme il est repré-senté d'ordinaire, sauf qu'au lieu d'une faux il tenait un objet qu'au premier coup d'œil je pris pour l'image peinte d'un énorme pendule, comme on en voit dans les horloges antiques. Il y avait néanmoins dans l'aspect de cette machine quelque chose qui me fit la regarder avec plus d'attention. Comme je l'obser-vais directement, les yeux en l'air, — car elle était placée juste au-dessus de moi, — je crus la voir remuer. Un instant après, mon idée était confirmée. Son balancement était court, et naturellement très-lent. Je l'épiai pendant quelques minutes, non sans une certaine défiance, mais surtout avec étonnement. Fatigué à la longue de surveiller son mouvement fastidieux, je tournai mes yeux vers les autres objets de la cellule.

Un léger bruit attira mon attention, et, regardant le sol, je vis quelques rats énormes qui le traversaient. Ils étaient sortis par le puits, que je pouvais apercevoir à ma droite. Au même instant, comme je les regardais, ils montèrent par troupes, en toute hâte, avec des yeux voraces, affriandés par le fumet de la viande. Il me fallait beaucoup d'efforts et d'attention pour les en écarter.

Il pouvait bien s'être écoulé une demi-heure, peut-être même une heure, — car je ne pouvais mesurer le temps que très-imparfaitement, — quand je levai de nouveau les yeux au-dessus de moi. Ce que je vis alors me confondit et me stupéfia. Le parcours du pendule s'était accru presque d'un yard ; sa vélocité, conséquence naturelle, était aussi beaucoup plus grande. Mais ce qui me troubla principalement fut l'idée qu'il était visiblement *descendu*. J'observai alors, — avec quel effroi, il est inutile de le dire, — que son extrémité inférieure était formée d'un croissant d'acier étincelant, ayant environ un pied de long d'une corne à l'autre ; les cornes dirigées en haut, et le tranchant inférieur évidemment affilé comme celui d'un rasoir. Comme un rasoir aussi, il paraissait lourd et massif, s'épanouissant, à partir du fil, en une forme large et solide. Il était ajusté à une lourde verge de cuivre, et le tout *sifflait* en se balançant à travers l'espace.

Je ne pouvais pas douter plus longtemps du sort qui m'avait été préparé par l'atroce ingéniosité mona-cale. Ma découverte du puits avait été devinée par les agents de l'Inquisition, — *le puits*, dont les horreurs avaient été réservées à un hérétique aussi téméraire que moi, — *le puits*, figure de l'enfer, et considéré par l'opinion comme l'*Ultima Thule* de tous leurs châti-ments ! J'avais évité le plongeon par le plus fortuit des accidents, et je savais que l'art de faire du supplice un piège et une surprise formait une branche impor-tante de tout ce fantastique système d'exécutions secrètes. Or, ayant manqué ma chute dans l'abîme, il n'entrait pas dans le plan démoniaque de m'y précipiter; j'étais donc voué — et cette fois sans alternative possible, — à une destruction différente et plus douce. — Plus douce! J'ai presque souri dans mon agonie en pensant à la singulière application que je faisais d'un pareil mot.

Que sert-il de raconter les longues, longues heures d'horreur plus que mortelles durant lesquelles je comptai les oscillations vibrantes de l'acier? Pouce par pouce, — ligne par ligne, — il opérait une descente graduée et seulement appréciable à des intervalles qui me paraissaient des siècles, — et toujours il descendait, — toujours plus bas, — toujours plus bas! Il s'écoula des jours, il se peut que plusieurs jours se soient écoulés, avant qu'il vînt se balancer assez près de moi pour m'éventer avec son souffle âcre. L'odeur de l'acier aiguisé s'introduisait dans mes narines. Je priai le ciel, — je le fatiguai de ma prière, — de faire descendre l'acier plus rapidement. Je devins fou, frénétique, et je m'efforçai de me soulever, d'aller à la rencontre de ce terrible cimeterre mouvant. Et puis, soudainement, je tombai dans un grand calme, — et je restai étendu, souriant à cette mort étincelante, comme un enfant à quelque précieux joujou.

Il se fit un nouvel intervalle de parfaite insensibilité; intervalle très-court, car, en revenant à la vie, je ne trouvai pas que le pendule fût descendu d'une quantité appréciable. Cependant, il se pourrait bien que ce temps eût été long, — car je savais qu'il y avait des démons qui avaient pris note de mon évanouisse-

ment, et qui pouvaient arrêter la vibration à leur gré.
En revenant à moi, j'éprouvai un malaise et une
faiblesse — oh! inexprimables, — comme par suite
d'une longue inanition. Même au milieu des angoisses
présentes, la nature humaine implorait sa nourriture.
Avec un effort pénible j'étendis mon bras gauche
aussi loin que mes liens me le permettaient, et je
m'emparai d'un petit reste que les rats avaient bien
voulu me laisser. Comme j'en portais une partie à
mes lèvres, une pensée informe de joie, — d'espérance,
— traversa mon esprit. Cependant, qu'y avait-il de
commun entre *moi* et l'espérance? C'était, dis-je,
une pensée informe; — l'homme en a souvent de semblables, qui ne sont jamais complétées. Je sentis que
c'était une pensée de joie, — d'espérance; mais je
sentis aussi qu'elle était morte en naissant. Vainement
je m'efforçai de la parfaire, — de la rattraper. Ma
longue souffrance avait presque annihilé les facultés
ordinaires de mon esprit. J'étais un imbécile, — un
idiot.

La vibration du pendule avait lieu dans un plan
faisant angle droit avec ma longueur. Je vis que le
croissant avait été disposé pour traverser la région
du cœur. Il éraillerait la serge de ma robe, — puis
il reviendrait et répéterait son opération, — encore, —
et encore. Malgré l'effroyable dimension de la courbe
parcourue (quelque chose comme trente pieds, peut-
être plus), et la sifflante énergie de sa descente, qui
aurait suffi pour couper même ces murailles de fer,
en somme tout ce qu'il pouvait faire, pour quelques
minutes, c'était d'érailler ma robe. Et sur cette pensée

je fis une pause. Je n'osais pas aller plus loin que cette réflexion. Je m'appesantis là-dessus avec une attention opiniâtre, comme si, par cette insistance, je pouvais arrêter *là* la descente de l'acier. Je m'appliquai à méditer sur le son que produirait le croissant en passant à travers mon vêtement, — sur la sensation particulière et pénétrante que le frottement de la toile produit sur les nerfs. Je méditai sur toutes ces futilités, jusqu'à ce que mes dents fussent agacées.

Plus bas, — plus bas encore, — il glissait toujours plus bas. Je prenais un plaisir frénétique à comparer sa vitesse de haut en bas avec sa vitesse latérale. A droite, — à gauche, — et puis il fuyait loin, loin, et puis il revenait, — avec le glapissement d'un esprit damné! — jusqu'à mon cœur, avec l'allure furtive du tigre! Je riais et je hurlais alternativement, selon que l'une ou l'autre idée prenait le dessus.

Plus bas, — invariablement, impitoyablement plus bas! Il vibrait à trois pouces de ma poitrine! Je m'efforçai violemment — furieusement, — de délivrer mon bras gauche. Il était libre seulement depuis le coude jusqu'à la main. Je pouvais faire jouer ma main depuis le plat situé à côté de moi jusqu'à ma bouche, avec un grand effort, — et rien de plus. Si j'avais pu briser les ligatures au-dessus du coude, j'aurais saisi le pendule, et j'aurais essayé de l'arrêter. J'aurais aussi bien essayé d'arrêter une avalanche!

Toujours plus bas! — incessamment, — inévitablement plus bas! Je respirais douloureusement, et je m'agitais à chaque vibration. Je me rapetissais convulsivement à chaque balancement. Mes yeux le suivaient dans sa volée ascendante et descendante, avec l'ardeur du désespoir le plus insensé; ils se refermaient spasmodiquement au moment de la descente, quoique la mort eût été un soulagement, — oh! quel indicible soulagement! Et cependant je tremblais dans tous mes nerfs, quand je pensais qu'il suffisait que la machine descendît d'un cran pour précipiter sur ma poitrine cette hache aiguisée, étincelante. C'était l'*espérance* qui faisait ainsi trembler mes nerfs, et tout mon être se replier. C'était l'*espérance*, — l'espérance qui triomphe même sur le chevalet, — qui chuchote à l'oreille des condamnés à mort, même dans les cachots de l'Inquisition.

Je vis que dix ou douze vibrations environ mettraient l'acier en contact immédiat avec mon vêtement, — et avec cette observation entra dans mon esprit le calme aigu et condensé du désespoir. Pour la première fois depuis bien des heures, — depuis bien des jours peut-être, je *pensai*. Il me vint à l'esprit que le bandage, ou sangle, qui m'enveloppait était d'un seul morceau. J'étais attaché par un lien continu. La première morsure du rasoir, du croissant, dans une partie quelconque de la sangle, devait la détacher suffisamment pour permettre à ma main gauche de la dérouler tout autour de moi. Mais combien devenait terrible dans ce cas la proximité de l'acier! Et le résultat de la plus légère secousse, mortel! Était-il vraisemblable, d'ailleurs, que les mignons du bourreau n'eussent pas prévu et paré cette possibilité? Était-il probable que le bandage traversât ma poitrine dans le parcours du pendule? Tremblant de me voir frustré de ma faible espérance, vraisemblablement ma dernière, je haussai suffisamment ma tête pour voir distinctement ma poitrine. La sangle enveloppait étroitement mes membres et mon corps dans tous les sens, — *excepté dans le chemin du croissant homicide*.

A peine avais-je laissé retomber ma tête dans sa position première, que je sentis briller dans mon esprit quelque chose que je ne saurais mieux définir que la moitié non formée de cette idée de délivrance dont j'ai déjà parlé, et dont une moitié seule avait flotté vaguement dans ma cervelle, lorsque je portai la nourriture à mes lèvres brûlantes. L'idée tout entière était maintenant présente; — faible, à peine viable, à peine définie, — mais enfin complète. Je me mis immédiatement, avec l'énergie du désespoir, à en tenter l'exécution.

Depuis plusieurs heures, le voisinage immédiat du châssis sur lequel j'étais couché fourmillait littéralement de rats. Ils étaient tumultueux, hardis, voraces, — leurs yeux rouges dardés sur moi, comme s'ils n'attendaient que mon immobilité pour faire de moi leur proie.

— A quelle nourriture, pensai-je, ont-ils été accoutumés dans ce puits?

Excepté un petit reste, ils avaient dévoré, en dépit de tous mes efforts pour les en empêcher, le contenu du plat. Ma main avait contracté une habitude de va-et-vient, de balancement vers le plat; et, à la longue, l'uniformité machinale du mouvement lui avait enlevé toute son efficacité. Dans sa voracité cette vermine fixait souvent ses dents aiguës dans mes doigts. Avec les miettes de la viande huileuse et épicée qui restait encore, je frottai fortement le bandage partout où je pus l'atteindre ; puis, retirant ma main du sol, je restai immobile et sans respirer.

D'abord, les voraces animaux furent saisis et effrayés du changement, — de la cessation du mouvement. Ils prirent l'alarme et tournèrent le dos ; plusieurs regagnèrent le puits ; mais cela ne dura qu'un moment. Je n'avais pas compté en vain sur leur gloutonnerie. Observant que je restais sans mouvement, un ou deux des plus hardis grimpèrent sur le châssis et flairèrent la sangle. Cela me parut le signal d'une invasion générale. Des troupes fraîches se précipitèrent hors du puits. Ils s'accrochèrent au bois. — ils l'escaladèrent et sautèrent par centaines sur mon corps. Le mouvement régulier du pendule ne les troublait pas le moins du monde. Ils évitaient son passage et travaillaient activement sur le bandage huilé. Ils se pressaient, — ils fourmillaient et s'amoncelaient incessamment sur moi ; ils se tortillaient sur ma gorge ; leurs lèvres froides cherchaient les miennes ; j'étais à moitié suffoqué par leur poids multiplié ; un dégoût, qui n'a pas de nom dans le monde, soulevait ma poitrine et glaçait mon cœur comme un pesant vomissement. Encore une minute, et je sentais que l'horrible opération serait finie. Je sentais positivement le relâchement du bandage ; je savais qu'il devait être déjà coupé en plus d'un endroit. Avec une résolution surhumaine, je restai *immobile*. Je ne m'étais pas trompé dans mes calculs, — je n'avais pas souffert en vain. A la longue, je sentis que j'étais *libre*. La sangle

pendait en lambeaux autour de mon corps ; mais le
mouvement du pendule attaquait déjà ma poitrine ; il
avait fendu la serge de ma robe ; il avait coupé la chemise de dessous ; il fit encore deux oscillations, — et
une sensation de douleur aiguë traversa tous mes nerfs.
Mais l'instant du salut était arrivé. A un geste de ma
main, mes libérateurs s'enfuirent tumultueusement.
Avec un mouvement tranquille et résolu, — prudent
et oblique, — lentement et en m'aplatissant, — je me
glissai hors de l'étreinte du bandage et des atteintes
du cimeterre. Pour le moment du moins, *j'étais libre!*

Libre ! — et dans la griffe de l'Inquisition ! J'étais à
peine sorti de mon grabat d'horreur, j'avais à peine
fait quelques pas sur le pavé de la prison, que le
mouvement de l'infernale machine cessa, et que je la
vis attirée par une force invisible à travers le plafond.
Ce fut une leçon qui me mit le désespoir dans le
cœur. Tous mes mouvements étaient indubitablement
épiés. Libre ! — je n'avais échappé à la mort sous une
espèce d'agonie que pour être livré à quelque chose
de pire que la mort sous quelque autre espèce. A
cette pensée, je roulai mes yeux convulsivement sur les
parois de fer qui m'enveloppaient. Quelque chose de
singulier — un changement que d'abord je ne pus
apprécier distinctement — se produisit dans la
chambre, — c'était évident. Durant quelques minutes
d'une distraction pleine de rêves et de frissons, je me
perdis dans de vaines et incohérentes conjectures.
Pendant ce temps, je m'aperçus pour la première fois
de l'origine de la lumière sulfureuse qui éclairait
la cellule. Elle provenait d'une fissure large à peu près

d'un demi-pouce, qui s'étendait tout autour de la prison à la base des murs, qui paraissaient ainsi et étaient en effet complètement séparés du sol. Je tâchai, mais bien en vain, comme on le pense, de regarder par cette ouverture.

Comme je me relevais découragé, le mystère de l'altération de la chambre se dévoila tout d'un coup à mon intelligence. J'avais observé que, bien que les contours des figures murales fussent suffisamment distincts, les couleurs semblaient altérées et indécises. Ces couleurs venaient de prendre et prenaient à chaque instant un éclat saisissant et très-intense, qui donnait à ces images fantastiques et diaboliques un aspect dont auraient frémi des nerfs plus solides que les miens. Des yeux de démons, d'une vivacité féroce et sinistre, étaient dardés sur moi de mille endroits, où primitivement je n'en soupçonnais aucun, et brillaient de l'éclat lugubre d'un feu que je voulais absolument, mais en vain, regarder comme imaginaire.

Imaginaire! — Il me suffisait de respirer pour attirer dans mes narines la vapeur du fer chauffé! Une odeur suffocante se répandit dans la prison! Une ardeur plus profonde se fixait à chaque instant dans les yeux dardés sur mon agonie! Une teinte plus riche de rouge s'étalait sur ces horribles peintures de sang! J'étais haletant! Je respirais avec effort! Il n'y avait pas à douter du dessein de mes bourreaux. Oh! les plus impitoyables, oh! les plus démoniaques des hommes! Je reculai loin du métal ardent vers le centre du cachot. En face de cette destruction par le feu, l'idée de la fraîcheur du puits surprit mon âme comme un

baume. Je me précipitai vers ses bords mortels. Je
tendis mes regards vers le fond. L'éclat de la voûte
enflammée illuminait ses plus secrètes cavités. Toutefois, pendant un instant d'égarement, mon esprit se
refusa à comprendre la signification de ce que je
voyais. A la fin, cela entra dans mon âme, — de force,
victorieusement; cela s'imprima en feu sur ma raison
frissonnante. Oh! une voix, une voix pour parler! —
Oh! horreur! — Oh! toutes les horreurs, excepté
celle-là! — Avec un cri, je me rejetai loin de la margelle, et, cachant mon visage dans mes mains, je
pleurai amèrement.

La chaleur augmentait rapidement, et une fois
encore je levai les yeux, frissonnant comme dans un
accès de fièvre. Un second changement avait eu lieu
dans la cellule, — et maintenant ce changement était
évidemment dans la forme. Comme la première fois,
ce fut d'abord en vain que je cherchai à apprécier ou à
comprendre ce qui se passait. Mais on ne me laissa
pas longtemps dans le doute. La vengeance de l'Inquisition marchait grand train, déroutée deux fois par
mon bonheur, et il n'y avait pas à jouer plus longtemps
avec le Roi des Épouvantements. La chambre avait
été carrée. Je m'apercevais que deux de ses angles de
fer étaient maintenant aigus, — deux conséquemment
obtus. Le terrible contraste augmentait rapidement, avec un grondement, un gémissement sourd.
En un instant, la chambre avait changé sa forme
en celle d'un losange. Mais la transformation ne
s'arrêta pas là. Je ne désirais pas, je n'espérais
pas qu'elle s'arrêtât. J'aurais appliqué les murs

rouges contre ma poitrine, comme un vêtement d'éternelle paix.

— La mort, — me dis-je, — n'importe quelle mort, excepté celle du puits!

Insensé! comment n'avais-je pas compris qu'*il fallait le puits*, que *ce puits seul* était la raison du fer brûlant qui m'assiégeait? Pouvais-je résister à son ardeur? Et, même en le supposant, pouvais-je me roidir contre sa pression? Et maintenant, le losange s'aplatissait, s'aplatissait avec une rapidité qui ne me laissait pas le temps de la réflexion. Son centre, placé sur la ligne de sa plus grande largeur, coïncidait juste avec le gouffre béant. J'essayai de reculer, — mais les murs, en se resserrant, me pressaient irrésistiblement. Enfin, il vint un moment où mon corps brûlé et contorsionné trouvait à peine sa place, où il y avait à peine place pour mon pied sur le sol de la prison. Je ne luttais plus, mais l'agonie de mon âme s'exhala dans un grand et long cri suprême de désespoir. Je sentis que je chancelais sur le bord, — je détournai les yeux...

Mais voilà comme un bruit discordant de voix humaines! Une explosion, un ouragan de trompettes! Un puissant rugissement comme celui d'un millier de tonnerres! Les murs de feu reculèrent précipitamment! Un bras étendu saisit le mien comme je tombais, défaillant, dans l'abîme. C'était le bras du général Lasalle. L'armée française était entrée à Tolède. L'Inquisition était dans les mains de ses ennemis.

HOP-FROG

JE n'ai jamais connu personne qui eût plus d'entrain et qui fût plus porté à la facétie que ce brave roi. Il ne vivait que pour les farces. Raconter une bonne histoire dans le genre bouffon, et la bien raconter, c'était le plus sûr chemin pour arriver à sa faveur. C'est pourquoi ses sept ministres étaient tous gens distingués par leurs talents de farceurs. Ils étaient tous taillés d'après le patron royal, — vaste corpulence, adiposité, inimitable aptitude pour la bouffonnerie. Que les gens engraissent par la farce ou qu'il y ait dans la graisse quelque chose qui prédispose à la farce, c'est une question que je n'ai jamais pu décider; mais il est certain qu'un farceur maigre peut s'appeler *rara avis in terris*.

Quant aux raffinements, ou *ombres* de l'esprit, comme il les appelait lui-même, le roi s'en souciait médiocrement. Il avait une admiration spéciale pour la *largeur* dans la facétie, et il la digérait même en *longueur*, pour l'amour d'elle. Les délicatesses l'ennuyaient. Il aurait préféré le *Gargantua* de Rabelais au *Zadig* de Voltaire,

et par-dessus tout les bouffonneries en action accom-
modaient son goût, bien mieux encore que les plaisanteries en paroles.

A l'époque où se passe cette histoire, les bouffons
de profession n'étaient pas tout à fait passés de mode
à la cour. Quelques-unes des grandes *puissances* conti-
nentales gardaient encore leurs *fous;* c'étaient des
malheureux, bariolés, ornés de bonnets à sonnettes, et
qui devaient être toujours prêts à livrer, à la minute,
des bons mots subtils en échange des miettes qui tombaient de la table royale.

Notre roi, naturellement, avait son fou. Le fait est
qu'il *sentait le besoin* de quelque chose dans le sens de
la folie, — ne fût-ce que pour contrebalancer la pesante
sagesse des sept hommes sages qui lui servaient de
ministres, — pour ne pas parler de lui.

Néanmoins, son fou, son bouffon de profession,
n'était pas seulement un fou. Sa valeur était triplée aux
yeux du roi par le fait qu'il était en même temps nain
et boiteux. Dans ce temps-là, les nains étaient à la
cour aussi communs que les fous; et plusieurs mo-
narques auraient trouvé difficile de passer leur temps
— le temps est plus long à la cour que partout ailleurs
— sans un bouffon pour les faire rire, et un nain pour
en rire. Mais, comme je l'ai déjà remarqué, tous ces
bouffons, dans quatre-vingt-dix-neuf cas sur cent,
sont gras, ronds et massifs, — de sorte que c'était pour
notre roi une ample source d'orgueil de posséder dans
Hop-Frog — c'était le nom du fou — un triple trésor
en une seule personne.

Je crois que le nom de Hop-Frog n'était pas celui

dont l'avaient baptisé ses parrains, mais qu'il lui avait
été conféré par l'assentiment unanime des sept ministres, en raison de son impuissance à marcher
comme les autres hommes[1]. Dans le fait, Hop-Frog
ne pouvait se mouvoir qu'avec une sorte d'allure
interjectionnelle, — quelque chose entre le saut et le
tortillement, — une espèce de mouvement qui était
pour le roi une récréation perpétuelle et, naturellement, une jouissance; car, nonobstant la proémi-
nence de sa panse et une bouffissure constitutionnelle
de la tête, le roi passait aux yeux de toute sa cour
pour un fort bel homme.

Mais bien que Hop-Frog, grâce à la distorsion de
ses jambes, ne pût se mouvoir que très-laborieusement
dans un chemin ou sur un parquet, la prodigieuse
puissance musculaire dont la nature avait doué ses
bras, comme pour compenser l'imperfection de ses
membres inférieurs, le rendait apte à accomplir maints
traits d'une étonnante dextérité, quand il s'agissait
d'arbres, de cordes, ou de quoi que ce soit où l'on pût
grimper. Dans ces exercices-là, il avait plutôt l'air
d'un écureuil ou d'un singe que d'une grenouille.

Je ne saurais dire précisément de quel pays Hop-
Frog était originaire. Il venait sans doute de quelque
région barbare, dont personne n'avait entendu parler,
— à une vaste distance de la cour de notre roi. Hop-
Frog et une jeune fille un peu moins naine que lui,
— mais admirablement bien proportionnée et excellente danseuse, — avaient été enlevés à leurs foyers

1. *Hop*, sautiller, — *frog*, grenouille. (C.B.)

respectifs, dans des provinces limitrophes, et envoyés
en présent au roi par un de ses généraux chéris de la
victoire.

Dans de pareilles circonstances, il n'y avait rien
d'étonnant à ce qu'une étroite intimité se fût établie
entre les deux petits captifs. En réalité, ils devinrent
bien vite deux amis jurés. Hop-Frog, qui, bien qu'il se
mît en grands frais de bouffonnerie, n'était nullement
populaire, ne pouvait pas rendre à Tripetta de grands
services; mais elle, en raison de sa grâce et de son
exquise beauté, — de naine, — elle était universelle-
ment admirée et choyée; elle possédait donc beaucoup
d'influence et ne manquait jamais d'en user, en toute
occasion, au profit de son cher Hop-Frog.

Dans une grande occasion solennelle, — je ne sais
plus laquelle, — le roi résolut de donner un bal
masqué; et, chaque fois qu'une mascarade ou tout
autre fête de ce genre avait lieu à la cour, les talents
de Hop-Frog et de Tripetta étaient à coup sûr mis en
réquisition. Hop-Frog, particulièrement, était si
inventif en matière de décorations, de types nouveaux,
et de travestissements pour les bals masqués, qu'il
semblait que rien ne pût se faire sans son assistance.

La nuit marquée pour la fête était arrivée. Une
salle splendide avait été disposée, sous l'œil de Tripetta
avec toute l'ingéniosité possible pour donner de l'éclat
à une mascarade. Toute la cour était dans la fièvre de
l'attente. Quant aux costumes et aux rôles, chacun,
on le pense bien, avait fait son choix en cette matière.
Beaucoup de personnes avaient déterminé les rôles
qu'elles adopteraient, une semaine ou même un mois

d'avance; et, en somme, il n'y avait incertitude ni indécision nulle part, — excepté chez le roi et ses sept ministres. Pourquoi hésitaient-ils? je ne saurais le dire, — à moins que ce ne fût encore une manière de farce. Plus vraisemblablement, il leur était difficile d'attraper leur idée, à cause qu'ils étaient si gros! Quoi qu'il en soit, le temps fuyait, et, comme dernière ressource, ils envoyèrent chercher Tripetta et Hop-Frog.

Quand les deux petits amis obéirent à l'ordre du roi, ils le trouvèrent prenant royalement le vin avec les sept membres de son conseil privé; mais le monarque semblait de fort mauvaise humeur. Il savait que Hop-Frog craignait le vin; car cette boisson excitait le pauvre boiteux jusqu'à la folie; et la folie n'est pas une manière de sentir bien réjouissante. Mais le roi aimait ses propres charges et prenait plaisir à forcer Hop-Frog à boire, et, — suivant l'expression royale, — à *être gai*.

— Viens ici, Hop-Frog, — dit-il, comme le bouffon et son amie entraient dans la chambre; — avale-moi cette rasade à la santé de vos amis absents (ici Hop-Frog soupira), et sers-nous de ton imaginative. Nous avons besoin de types, — de *caractères*, mon brave! — de quelque chose de nouveau, — d'extraordinaire. Nous sommes fatigués de cette éternelle monotonie. Allons, bois! — le vin allumera ton génie!

Hop-Frog s'efforça, comme d'habitude, de répondre par un bon mot aux avances du roi; mais l'effort fut trop grand. C'était justement le jour de naissance du pauvre nain, et l'ordre de boire *à ses amis absents* fit jaillir les larmes de ses yeux. Quelques larges gouttes amères tombèrent dans la coupe pendant qu'il la recevait humblement de la main de son tyran.

— Ha! ha! ha! — rugit ce dernier, comme le nain épuisait la coupe avec répugnance, — vois ce que peut faire un verre de bon vin! Eh! tes yeux brillent déjà!

Pauvre garçon! Ses larges yeux étincelaient plutôt qu'ils ne brillaient, car l'effet du vin sur son excitable cervelle était aussi puissant qu'instantané. Il plaça nerveusement le gobelet sur la table, et promena sur l'assistance un regard fixe et presque fou. Ils semblaient tous s'amuser prodigieusement du succès de la *farce* royale.

— Et maintenant, à l'ouvrage! — dit le premier ministre, un très-gros homme.

— Oui, — dit le roi, — allons! Hop-Frog, prête-nous ton assistance. Des types, mon beau garçon! des caractères! nous avons besoin de *caractère!* — nous en avons tous besoin! — ah! ah! ah!

Et, comme ceci visait sérieusement au bon mot, ils firent, tous sept, chorus au rire royal. Hop-Frog rit aussi, mais faiblement et d'un rire distrait.

— Allons! allons! — dit le roi impatienté, — est-ce que tu ne trouves rien?

— Je tâche de trouver quelque chose de *nouveau*, — répéta le nain d'un air perdu; car il était tout à fait égaré par le vin.

— Tu tâches! — cria le tyran, férocement. — Qu'entends-tu par ce mot? Ah! je comprends. Vous boudez, et il vous faut encore du vin. Tiens! avale ça!

— Et il remplit une nouvelle coupe et la tendit toute

pleine au boiteux, qui la regarda et respira comme
essoufflé.

— Bois, te dis-je! — cria le monstre, — ou par
les démons!...

Le nain hésitait. Le roi devint pourpre de rage.
Les courtisans souriaient cruellement. Tripetta, pâle
comme un cadavre, s'avança jusqu'au siège du monarque, et, s'agenouillant devant lui, elle le supplia
d'épargner son ami.

Le tyran la regarda pendant quelques instants,
évidemment stupéfait d'une pareille audace. Il semblait ne savoir que dire ni que faire, — ni comment
exprimer son indignation d'une manière suffisante.
A la fin, sans prononcer une syllabe, il la repoussa
violemment loin de lui, et lui jeta à la face le contenu
de la coupe pleine jusqu'aux bords.

La pauvre petite se releva du mieux qu'elle put, et,
n'osant pas même soupirer, elle reprit sa place au
pied de la table.

Il y eut pendant une demi-minute un silence de
mort, pendant lequel on aurait entendu tomber une
feuille, une plume. Ce silence fut interrompu par une
espèce de grincement sourd, mais rauque et prolongé,
qui sembla jaillir tout d'un coup de tous les coins de
la chambre.

— Pourquoi, — pourquoi, — pourquoi faites-vous
ce bruit? — demanda le roi, se retournant avec
fureur vers le nain.

Ce dernier semblait être revenu à peu près de son
ivresse, et, regardant fixement, mais avec tranquillité,
le tyran en face, il s'écria simplement :

— Moi, — moi? Comment pourrait-ce être moi?

— Le son m'a semblé venir du dehors, — observa l'un des courtisans; — j'imagine que c'est le perroquet à la fenêtre, qui aiguise son bec aux barreaux de sa cage.

— C'est vrai, — répliqua le monarque, comme très-soulagé par cette idée, — mais, sur mon honneur de chevalier, j'aurais juré que c'était le grincement des dents de ce misérable.

Là-dessus, le nain se mit à rire (le roi était un farceur trop déterminé pour trouver à redire au rire de qui que ce fût), et déploya une large puissante et épouvantable rangée de dents. Bien mieux, il déclara qu'il était tout disposé à boire autant de vin qu'on voudrait. Le monarque s'apaisa, et Hop-Frog, ayant absorbé une nouvelle rasade sans le moindre inconvénient, entra tout de suite, et avec chaleur, dans le plan de la mascarade.

— Je ne puis expliquer, — observa-t-il fort tranquillement et comme s'il n'avait jamais goûté de vin de sa vie, — comment s'est faite cette association d'idées; mais, *juste après* que Votre Majesté eut frappé la petite et lui eut jeté le vin à la face, — *juste après* que Votre Majesté eut fait cela, et pendant que le perroquet faisait ce singulier bruit derrière la fenêtre, il m'est revenu à l'esprit un merveilleux divertissement; — c'est un des jeux de mon pays, et nous l'introduisons souvent dans nos mascarades; mais ici il sera absolument nouveau. Malheureusement, ceci demande une société de huit personnes, et...

— Eh! nous sommes huit! — s'écria le roi, riant de

sa subtile découverte; — huit, juste! — moi et mes sept ministres. Voyons! quel est ce divertissement?

— Nous appelons cela, — dit le boiteux, — *les Huit Orangs-Outangs Enchaînés*, et c'est vraiment un jeu charmant, quand il est bien exécuté.

— *Nous* l'exécuterons, — dit le roi, en se redressant et abaissant les paupières.

— La beauté du jeu, — continua Hop-Frog, — consiste dans l'effroi qu'il cause parmi les femmes.

— Excellent! — rugirent en chœur le monarque et son ministère.

— *C'est moi* qui vous habillerai en orangs-outangs, — continua le nain; — fiez-vous à moi pour tout cela. La ressemblance sera si frappante, que tous les masques vous prendront pour de véritables bêtes, — et, naturellement, ils seront aussi terrifiés qu'étonnés.

— Oh! c'est ravissant! — s'écria le roi. — Hop-Frog! nous ferons de toi un homme!

— Les chaînes ont pour but d'augmenter le désordre par leur tintamarre. Vous êtes censés avoir échappé en masse à vos gardiens. Votre Majesté ne peut se figurer l'effet produit, dans un bal masqué, par huit orangs-outangs enchaînés, que la plupart des assistants prennent pour de véritables bêtes, se précipitant avec des cris sauvages à travers une foule d'hommes et de femmes coquettement et somptueusement vêtus. Le contraste n'a pas son pareil.

— Cela sera! — dit le roi; et le conseil se leva en toute hâte, — car il se faisait tard, — pour mettre à exécution le plan de Hop-Frog.

Sa manière d'arranger tout ce monde en orangs-

outangs était très-simple, mais très-suffisante pour
son dessein. A l'époque où se passe cette histoire, on
voyait rarement des animaux de cette espèce dans les
différentes parties du monde civilisé; et, comme les
imitations faites par le nain étaient suffisamment
bestiales et plus que suffisamment hideuses, on crut
pouvoir se fier à la ressemblance.

Le roi et ses ministres furent d'abord insinués dans
des chemises et des caleçons de tricot collants. Puis on
les enduisit de goudron. A cet endroit de l'opération,
quelqu'un de la bande suggéra l'idée de plumes; mais
elle fut d'abord rejetée par le nain, qui convainquit
bien vite les huit personnages, par une démonstration
oculaire, que le poil d'un animal tel que l'orang-
outang était bien plus fidèlement représenté par du
lin. En conséquence, on en étala une couche épaisse
par-dessus la couche de goudron. On se procura alors
une longue chaîne. D'abord on la passa autour de
la taille du roi, *et on l'y assujettit;* puis autour d'un
autre individu de la bande, et on l'y assujettit également; puis, successivement autour de chacun et de la
même manière. Quand tout cet arrangement de
chaîne fut achevé, en s'écartant l'un de l'autre aussi
loin que possible, ils formèrent un cercle : et, pour
achever la vraisemblance, Hop-Frog fit passer le reste
de la chaîne à travers le cercle, en deux diamètres
à angles droits, d'après la méthode adoptée aujour-
d'hui par les chasseurs de Bornéo qui prennent des
chimpanzés ou d'autres grosses espèces.

La grande salle dans laquelle le bal devait avoir
lieu était une pièce circulaire, très-élevée, et rece-

vant la lumière du soleil par une fenêtre unique, au plafond. La nuit (c'était le temps où cette salle trouvait sa destination spéciale), elle était principalement éclairée par un vaste lustre, suspendu par une chaîne au centre du châssis, et qui s'élevait ou s'abaissait au moyen d'un contre-poids ordinaire; mais, pour ne pas nuire à l'élégance, ce dernier passait en dehors de la coupole et par-dessus le toit.

La décoration de la salle avait été abandonnée à la surveillance de Tripetta; mais dans quelques détails, elle avait probablement été guidée par le calme jugement de son ami le nain. C'était d'après son conseil que, pour cette occasion, le lustre avait été enlevé. L'écoulement de la cire, qu'il eût été impossible d'empêcher dans une atmosphère aussi chaude, aurait causé un sérieux dommage aux riches toilettes des invités, qui, vu l'encombrement de la salle, n'auraient pas pu tous éviter le centre, c'est-à-dire la région du lustre. De nouveaux candélabres furent ajustés dans différentes parties de la salle, hors de l'espace rempli par la foule; et un flambeau, d'où s'échappait un parfum agréable, fut placé dans la main droite de chacune des cariatides qui s'élevaient contre le mur, au nombre de cinquante ou soixante en tout.

Les huit ourangs-outangs, prenant conseil de Hop-Frog, attendirent patiemment, pour faire leur entrée, que la salle fût complètement remplie de masques, c'est-à-dire jusqu'à minuit. Mais l'horloge avait à peine cessé de sonner, qu'ils se précipitèrent ou plutôt qu'ils roulèrent tous en masse, — car, empêchés comme ils étaient dans leurs chaînes, quelques-uns tombèrent et tous trébuchèrent en entrant.

La sensation parmi les masques fut prodigieuse et remplit de joie le cœur du roi. Comme on s'y attendait, le nombre des invités fut grand, qui supposèrent que ces êtres de mine féroce étaient de véritables bêtes d'une certaine espèce, sinon précisément des orangs-outangs. Plusieurs femmes s'évanouirent de frayeur; et, si le roi n'avait pas pris la précaution d'interdire toutes les armes, lui et sa bande auraient pu payer leur plaisanterie de leur sang. Bref, ce fut une déroute générale vers les portes; mais le roi avait donné l'ordre qu'on les fermât aussitôt après son entrée, et, d'après le conseil du nain, les clefs avaient été remises entre *ses* mains.

Pendant que le tumulte était à son comble et que chaque masque ne pensait qu'à son propre salut, — car, en somme, dans cette panique et cette cohue, il y avait un danger réel, — on aurait pu voir la chaîne qui servait à suspendre le lustre, et qui avait été également retirée, descendre jusqu'à ce que son extrémité recourbée en crochet fût arrivée à trois pieds du sol.

Peu d'instants après, le roi et ses sept amis, ayant roulé à travers la salle dans toutes les directions, se trouvèrent enfin au centre et en contact immédiat avec la chaîne. Pendant qu'ils étaient dans cette position, le nain, qui avait toujours marché sur leurs talons, les engageant à prendre garde à la commotion, se saisit de leur chaîne à l'intersection des deux parties diamétrales. Alors, avec la rapidité de la pensée, il y ajusta le crochet qui servait d'ordinaire à suspendre le lustre; et en un instant, retirée comme par un agent invisible, la chaîne remonta assez haut pour mettre le crochet hors de toute portée, et conséquemment enleva les orangs-outangs tous ensemble les uns contre les autres, et face à face.

Les masques, pendant ce temps, étaient à peu près revenus de leur alarme; et, comme ils commençaient à prendre tout cela pour une plaisanterie adroitement concertée, ils poussèrent un immense éclat de rire, en voyant la position des singes.

— Gardez-les-*moi!* — cria alors Hop-Frog; et sa voix perçante se faisait entendre à travers le tumulte, — gardez-les-*moi*, je crois que je les connais, *moi*. Si je peux seulement les bien voir, *moi*, je vous dirai tout de suite qui ils sont.

Alors, chevauchant des pieds et des mains sur les têtes de la foule, il manœuvra de manière à atteindre le mur; puis, arrachant un flambeau à l'une des cariatides, il retourna, comme il était venu, vers le centre de la salle, — bondit avec l'agilité d'un singe sur la tête du roi, — et grimpa de quelques pieds après la chaîne, — abaissant la torche pour examiner le groupe des orangs-outangs, et criant toujours : — Je découvrirai bien vite qui ils sont!

Et alors, pendant que toute l'assemblée — y compris les singes — se tordait de rire, le bouffon poussa soudainement un sifflement aigu; la chaîne remonta vivement de trente pieds environ, — tirant avec elle les orangs-outangs terrifiés qui se débattaient, et les laissant suspendus en l'air entre le châssis et le plan-

cher. Hop-Frog, cramponné à la chaîne, était remonté
avec elle et gardait toujours sa position relativement
aux huit masques, rabattant toujours sa torche vers
eux, comme s'il s'efforçait de découvrir qui ils pouvaient être.

Toute l'assistance fut tellement stupéfiée par cette
ascension, qu'il en résulta un silence profond, d'une
minute environ. Mais il fut interrompu par un bruit
sourd, une espèce de grincement rauque, comme celui
qui avait déjà attiré l'attention du roi et de ses conseillers, quand celui-ci avait jeté le vin à la face de Tripetta. Mais, dans le cas présent, il n'y avait pas lieu
de chercher d'où partait le bruit. Il jaillissait des dents
du nain, qui faisait grincer ses crocs, comme s'il les
broyait dans l'écume de sa bouche, et dardait des
yeux étincelant d'une rage folle vers le roi et ses sept
compagnons, dont les figures étaient tournées vers
lui.

— Ah! ah! — dit enfin le nain furibond, — ah! ah!
je commence à voir qui sont ces gens-là, maintenant!

Alors sous prétexte d'examiner le roi de plus près, il
approcha le flambeau du vêtement de lin dont celui-ci
était revêtu, et qui se fondit instantanément en une
nappe de flamme éclatante. En moins d'une demi-
minute, les huit orangs-outangs flambaient furieusement, au milieu des cris d'une multitude qui les
contemplait d'en bas, frappée d'horreur, et impuis-
sante à leur porter le plus léger secours.

A la longue, les flammes, jaillissant soudainement
avec plus de violence, contraignirent le bouffon à
grimper plus haut sur sa chaîne, hors de leur atteinte,

et, pendant qu'il accomplissait cette manœuvre, la foule retomba, pour un instant encore, dans le silence. Le nain saisit l'occasion, et prit de nouveau la parole :

— Maintenant, — dit-il, — je vois *distinctement* de quelle espèce sont ces masques. Je vois un grand roi et ses sept conseillers privés, un roi qui ne se fait pas scrupule de frapper une fille sans défense, et ses sept conseillers qui l'encouragent dans son atrocité. Quant à moi, je suis simplement Hop-Frog, le bouffon, — et *ceci est ma dernière bouffonnerie!*

Grâce à l'extrême combustibilité du chanvre et du goudron auquel il était collé, le nain avait à peine fini sa courte harangue que l'œuvre de vengeance était accomplie. Les huit cadavres se balançaient sur leurs chaînes, — masse confuse, fétide, fuligineuse, hideuse. Le boiteux lança sa torche sur eux, grimpa tout à loisir vers le plafond, et disparut à travers le châssis.

On suppose que Tripetta, en sentinelle sur le toit de la salle, avait servi de complice à son ami dans cette vengeance incendiaire, et qu'ils s'enfuirent ensemble vers leur pays; car on ne les a jamais revus.

LA BARRIQUE D'AMONTILLADO

J'avais supporté du mieux que j'avais pu les mille injustices de Fortunato; mais, quand il en vint à l'insulte, je jurai de me venger. Vous cependant, qui connaissez bien la nature de mon âme, vous ne supposerez pas que j'aie articulé une seule menace. A la longue, je devais être vengé; c'était un point définitivement arrêté; — mais la perfection même de ma résolution excluait toute idée de péril. Je devais non-seulement punir, mais punir impunément. Une injure n'est pas redressée quand le châtiment atteint le redresseur; elle n'est pas non plus redressée quand le vengeur n'a pas soin de se faire connaître à celui qui a commis l'injure.

Il faut qu'on sache que je n'avais donné à Fortunato aucune raison de douter de ma bienveillance, ni par mes paroles, ni par mes actions. Je continuai, selon mon habitude, à lui sourire en face, et il ne devinait pas que mon sourire désormais ne traduisait que la pensée de son immolation.

Il avait un côté faible — ce Fortunato, — bien qu'il

fût à tous autres égards un homme à respecter, et même à craindre. Il se faisait gloire d'être connaisseur en vins. Peu d'Italiens ont le véritable esprit de connaisseur ; leur enthousiasme est la plupart du temps emprunté, accommodé au temps et à l'occasion ; c'est un charlatanisme pour agir sur les millionnaires anglais et autrichiens, En fait de peintures et de pierres précieuses, Fortunato, comme ses compatriotes, était un charlatan ; mais, en matière de vieux vins, il était sincère. A cet égard, je ne différais pas essentiellement de lui ; j'étais moi-même très-entendu dans les crus italiens, et j'en achetais considérablement toutes les fois que je le pouvais.

Un soir, à la brune, au fort de la folie du carnaval, je rencontrai mon ami. Il m'accosta avec une très-chaude cordialité, car il avait beaucoup bu. Mon homme était déguisé. Il portait un vêtement collant et mi-parti, et sa tête était surmontée d'un bonnet conique avec des sonnettes. J'étais si heureux de le voir, que je crus que je ne finirai jamais de lui pétrir la main. Je lui dis :

— Mon cher Fortunato, je vous rencontre à propos. Quelle excellente mine vous avez aujourd'hui ! — Mais j'ai reçu une pipe d'amontillado, ou du moins d'un vin qu'on me donne pour tel, et j'ai des doutes.

— Comment, — dit-il, — de l'amontillado ? Une pipe ? Pas possible ! — Et au milieu du carnaval !

— J'ai des doutes, — répliquai-je, — et j'ai été assez bête pour payer le prix total de l'amontillado sans vous consulter. On n'a pas pu vous trouver, et je tremblais de manquer une occasion.

— De l'amontillado!

— J'ai des doutes.

— De l'amontillado!

— Et je veux les tirer au clair.

— De l'amontillado!

— Puisque vous êtes invité quelque part, je vais chercher Luchesi. Si quelqu'un a le sens critique, c'est lui. Il me dira...

— Luchesi est incapable de distinguer l'amontillado du xérès.

— Et cependant, il y a des imbéciles qui tiennent que son goût est égal au vôtre.

— Venez, allons!

— Où?

— A vos caves.

— Mon ami, non; je ne veux pas abuser de votre bonté. Je vois que vous êtes invité. Luchesi...

— Je ne suis pas invité; — partons!

— Mon ami, non. Ce n'est pas la question de l'invitation, mais c'est le cruel froid dont je m'aperçois que vous souffrez. Les caves sont insupportablement humides; elles sont tapissées de nitre.

— N'importe, allons! Le froid n'est absolument rien. De l'amontillado! On vous en a imposé. — Et, quant à Luchesi, il est incapable de distinguer le xérès de l'amontillado.

En parlant ainsi, Fortunato s'empara de mon bras. Je mis un masque de soie noire, et, m'enveloppant soigneusement d'un manteau, je me laissai traîner par lui jusqu'à mon palais.

Il n'y avait pas de domestiques à la maison; ils

s'étaient cachés pour faire ripaille en l'honneur de la saison. Je leur avais dit que je ne rentrerais pas avant le matin, et je leur avais donné l'ordre formel de ne pas bouger de la maison. Cet ordre suffisait, je le savais bien, pour qu'ils décampassent en toute hâte, tous, jusqu'au dernier, aussitôt que j'aurais tourné le dos.

Je pris deux flambeaux à la glace, j'en donnai un à Fortunato, et je le dirigeai complaisamment, à travers une enfilade de pièces, jusqu'au vestibule qui conduisait aux caves. Je descendis devant lui un long et tortueux escalier, me retournant et lui recommandant de prendre bien garde. Nous atteignîmes enfin les derniers degrés, et nous nous trouvâmes ensemble sur le sol humide des catacombes des Montrésors.

La démarche de mon ami était chancelante, et les clochettes de son bonnet cliquetaient à chacune de ses enjambées.

— La pipe d'amontillado? — dit-il.

— C'est plus loin, — dis-je; — mais observez cette broderie blanche qui étincelle sur les murs de ce caveau.

Il se retourna vers moi et me regarda dans les yeux avec deux globes vitreux qui distillaient les larmes de l'ivresse.

— Le nitre? — demanda-t-il à la fin.

— Le nitre, — répliquai-je. — Depuis combien de temps avez-vous attrapé cette toux?

— Euh! euh! euh! — euh! euh! euh! — euh! euh! euh! — euh!!!

Il fut impossible à mon pauvre ami de répondre avant quelques minutes.

— Ce n'est rien, — dit-il enfin.

— Venez, — dis-je avec fermeté, — allons-nous-en; votre santé est précieuse. Vous êtes riche, respecté, admiré, aimé; vous êtes heureux, comme je le fus autrefois; vous êtes un homme qui laisserait un vide. Pour moi, ce n'est pas la même chose. Allons-nous-en; vous vous rendrez malade. D'ailleurs, il y a Luchesi...

— Assez, — dit-il; — la toux, ce n'est rien. Cela ne me tuera pas. Je ne mourrai pas d'un rhume.

— C'est vrai, — c'est vrai, — répliquai-je, — et, en vérité, je n'avais pas l'intention de vous alarmer inutilement; — mais vous devriez prendre des précautions. Un coup de ce médoc vous défendra contre l'humidité.

Ici, j'enlevai une bouteille à une longue rangée de ses compagnes qui étaient couchées par terre, et je fis sauter le goulot.

— Buvez, — dis-je, en lui présentant le vin.

Il porta la bouteille à ses lèvres, en me regardant du coin de l'œil. Il fit une pause, me salua familièrement (les grelots sonnèrent), et dit :

— Je bois aux défunts qui reposent autour de nous!

— Et moi, à votre longue vie!

Il reprit mon bras, et nous nous remîmes en route.

— Ces caveaux, — dit-il, — sont très-vastes.

— Les Montrésors, — répliquai-je, — étaient une grande et nombreuse famille.

— J'ai oublié vos armes.

— Un grand pied d'or sur champ d'azur; le pied écrase un serpent rampant dont les dent s'enfoncent dans le talon.

— Et la devise?

— *Nemo me impune lacessit.*

— Fort beau! — dit-il.

Le vin étincelait dans ses yeux, et les sonnettes tintaient. Le médoc m'avait aussi échauffé les idées. Nous étions arrivés, à travers des murailles d'ossements empilés, entremêlés de barriques et de pièces de vin, aux dernières profondeurs des catacombes. Je m'arrêtai de nouveau, et, cette fois, je pris la liberté de saisir Fortunato par un bras, au-dessus du coude.

— Le nitre! — dis-je; — voyez, cela augmente. Il pend comme de la mousse le long des voûtes. Nous sommes sous le lit de la rivière. Les gouttes d'humidité filtrent à travers les ossements. Venez, partons, avant qu'il soit trop tard. Votre toux...

— Ce n'est rien, — dit-il, — continuons. Mais, d'abord, encore un coup de ce médoc.

Je cassai un flacon de vin de Grave, et je le lui tendis. Il le vida d'un trait. Ses yeux brillèrent d'un feu ardent. Il se mit à rire, et jeta la bouteille en l'air avec un geste que je ne pus pas comprendre.

Je le regardai avec surprise. Il répéta le mouvement, un mouvement grotesque.

— Vous ne comprenez pas? — dit-il.

— Non, — répliquai-je.

— Alors, — vous n'êtes pas de la loge?

— Comment?

— Vous n'êtes pas maçon?

— Si! si! — dis-je, — si! si!

— Vous? impossible! vous maçon?

— Oui, maçon, — répondis-je.

— Un signe! — dit-il.

— Voici, — répliquai-je en tirant une truelle de dessous les plis de mon manteau.

— Vous voulez rire, — s'écria-t-il, — en reculant de quelques pas. Mais allons à l'amontillado.

— Soit, — dis-je en replaçant l'outil sous ma roquelaure et lui offrant de nouveau mon bras.

Il s'appuya lourdement dessus. Nous continuâmes notre route à la recherche de l'amontillado. Nous passâmes sous une rangée d'arceaux fort bas; nous descendîmes, nous fîmes quelques pas, et, descendant encore, nous arrivâmes à une crypte profonde, où l'impureté de l'air faisait rougir plutôt que briller nos flambeaux.

Tout au fond de cette crypte, on en découvrait une autre moins spacieuse. Ses murs avaient été revêtus avec les débris humains empilés dans les caves au-dessus de nous, à la manière des grandes catacombes de Paris. Trois côtés de cette seconde crypte étaient encore décorés de cette façon. Du quatrième, les os avaient été arrachés et gisaient confusément sur le sol, formant en un point un rempart d'une certaine hauteur. Dans le mur, ainsi mis à nu par le déplacement des os, nous apercevions encore une autre niche, profonde de quatre pieds environ, large de trois, haute de six ou sept. Elle ne semblait pas avoir été construite pour un usage spécial, mais formait simplement l'intervalle entre deux des piliers énormes qui supportaient la voûte des catacombes, et s'appuyait à l'un des murs de granit massif qui délimitaient l'ensemble.

Ce fut en vain que Fortunato, élevant sa torche malade, s'efforça de scruter la profondeur de la niche. La lumière affaiblie ne nous permettait pas d'en apercevoir l'extrémité.

— Avancez, — dis-je, c'est là qu'est l'amontillado. Quant à Luchesi...

— C'est un être ignare! — interrompit mon ami, prenant les devants et marchant tout de travers, pendant que je suivais sur ses talons.

En un instant, il avait atteint l'extrémité de la niche, et, trouvant sa marche arrêtée par le roc, il s'arrêta stupidement ébahi. Un moment après, je l'avais enchaîné au granit. Sur la paroi il y avait deux crampons de fer, à la distance d'environ deux pieds l'un de l'autre dans le sens horizontal. A l'un des deux était suspendue une courte chaîne, à l'autre un cadenas. Ayant jeté la chaîne autour de sa taille, l'assujettir fut une besogne de quelques secondes. Il était trop étonné pour résister. Je retirai la clef, et reculai de quelques pas hors de la niche.

— Passez votre main sur le mur, — dis-je; — vous ne pouvez pas ne pas sentir le nitre. Vraiment, il est très-humide. Laissez-moi vous *supplier* une fois encore de vous en aller. — Non? — Alors, il faut positivement que je vous quitte. Mais je vous rendrai d'abord tous les petits soins qui sont en mon pouvoir.

— L'amontillado! — s'écria mon ami, qui n'était pas encore revenu de son étonnement.

— C'est vrai, — répliquai-je, l'amontillado.

Tout en prononçant ces mots, j'attaquais la pile d'ossements dont j'ai déjà parlé. Je les jetai de côté, et je découvris bientôt une bonne quantité de moellons et de mortier. Avec ces matériaux, et à l'aide de ma truelle, je commençai activement à murer l'entrée de la niche.

J'avais à peine établi la première assise de ma maçonnerie, que je découvris que l'ivresse de Fortunato était en grande partie dissipée. Le premier indice que j'en eus fut un cri sourd, un gémissement, qui sortit du fond de la niche. *Ce n'était pas le cri d'un homme ivre!* Puis il y eut un long et obstiné silence. Je posai la seconde rangée, puis la troisième, puis la quatrième; et alors j'entendis les furieuses vibrations de la chaîne. Le bruit dura quelques minutes, pendant lesquelles, pour m'en délecter plus à l'aise, j'interrompis ma besogne et m'accroupis sur les ossements. A la fin, quand le tapage s'apaisa, je repris ma truelle et j'achevai sans interruption la cinquième, la sixième et la septième rangée. Le mur était alors presque à la hauteur de ma poitrine. Je fis une nouvelle pause, et, élevant les flambeaux au-dessus de la maçonnerie, je jetai quelques faibles rayons sur le personnage inclus.

Une suite de grands cris, de cris aigus, fit soudainement explosion du gosier de la figure enchaînée, et me rejeta pour ainsi dire violemment en arrière. Pendant un instant, j'hésitai, — je tremblai. Je tirai mon épée, et je commençai à fourrager à travers la niche; mais un instant de réflexion suffit à me tranquilliser. Je posai la main sur la maçonnerie

massive du caveau, et je fus tout à fait rassuré. Je me
rapprochai du mur. Je répondis aux hurlements
de mon homme. Je leur fis écho et accompagnement,
— je les surpassai en volume et en force. Voilà comme
je fis, et le braillard se tint tranquille.

Il était alors minuit, et ma tâche tirait à sa fin.
J'avais complété ma huitième, ma neuvième et ma
dixième rangée. J'avais achevé une partie de la
onzième et dernière; il ne restait plus qu'une seule
pierre à ajuster et à plâtrer. Je la remuai avec effort;
je la plaçai à peu près dans la position voulue. Mais
alors s'échappa de la niche un rire étouffé qui me fit
dresser les cheveux sur la tête. A ce rire succéda une
voix triste que je reconnus difficilement pour celle du
noble Fortunato. La voix disait :

— Ha! ha! ha! — Hé! hé! — Une très-bonne
plaisanterie, en vérité! — une excellente farce! Nous
en rirons de bon cœur au palais, — hé! hé! — de notre
bon vin! — hé! hé! hé!

— De l'amontillado? — dis-je.

— Hé! hé! — hé! hé! — oui, de l'amontillado.
Mais ne se fait-il pas tard? Ne nous attendront-ils
pas au palais, la signora Fortunato et les autres?
Allons-nous-en.

— Oui, — dis-je, — allons-nous-en.

— *Pour l'amour de Dieu, Montrésor!*

— Oui, — dis-je, — pour l'amour de Dieu!

Mais à ces mots point de réponse; je tendis l'oreille
en vain. Je m'impatientai. J'appelai très-haut :

— Fortunato!

Pas de réponse. J'appelai de nouveau :

— Fortunato!

Rien. — J'introduisis une torche à travers l'ouverture qui restait et la laissai tomber en dedans. Je ne reçus en manière de réplique qu'un cliquetis de sonnettes. Je me sentis mal au cœur, — sans doute par suite de l'humidité des catacombes. Je me hâtai de mettre fin à ma besogne. Je fis un effort, et j'ajustai la dernière pierre; je la recouvris de mortier. Contre la nouvelle maçonnerie je rétablis l'ancien rempart d'ossements. Depuis un demi-siècle aucun mortel ne les a dérangés. *In pace requiescat!*

LE MASQUE
DE LA MORT ROUGE

La *Mort Rouge* avait pendant longtemps dépeuplé la contrée. Jamais peste ne fut si fatale, si horrible. Son avatar, c'était le sang, — la rougeur et la hideur du sang. C'étaient des douleurs aiguës, un vertige soudain, et puis un suintement abondant par les pores, et la dissolution de l'être. Des taches pourpres sur le corps, et spécialement sur le visage de la victime, la mettaient au ban de l'humanité, et lui fermaient tout secours et toute sympathie. L'invasion, le progrès, le résultat de la maladie, tout cela était l'affaire d'une demi-heure.

Mais le prince Prospero était heureux, et intrépide, et sagace. Quand ses domaines furent à moitié dépeuplés, il convoqua un millier d'amis vigoureux et allègres de cœur, choisis parmi les chevaliers et les dames de sa cour, et se fit avec eux une retraite profonde dans une de ses abbayes fortifiées. C'était un vaste et magnifique bâtiment, une création du prince, d'un goût excentrique et cependant grandiose. Un

mur épais et haut lui faisait une ceinture. Ce mur
avait des portes de fer. Les courtisans, une fois entrés,
se servirent de fourneaux et de solides marteaux pour
souder les verrous. Ils résolurent de se barricader
contre les impulsions soudaines du désespoir extérieur
et de fermer toute issue aux frénésies du dedans.
L'abbaye fut largement approvisionnée. Grâce à
ces précautions, les courtisans pouvaient jeter le défi à
la contagion. Le monde extérieur s'arrangerait
comme il pourrait. En attendant, c'était folie de
s'affliger ou de penser. Le prince avait pourvu à tous les
moyens de plaisir. Il y avait des bouffons, il y avait
des improvisateurs, des danseurs, des musiciens, il y
avait le beau sous toutes ses formes, il y avait le vin.
En dedans, il y avait toutes ces belles choses et la
sécurité. Au-dehors, la *Mort Rouge*.

Ce fut vers la fin du cinquième ou sixième mois de
sa retraite, et pendant que le fléau sévissait au-dehors
avec le plus de rage, que le prince Prospero gratifia
ses mille amis d'un bal masqué de la plus insolite
magnificence.

Tableau voluptueux que cette mascarade! Mais
d'abord laissez-moi vous décrire les salles où elle eut
lieu. Il y en avait sept, — une enfilade impériale.
Dans beaucoup de palais, ces séries de salons forment
de longues perspectives en ligne droite, quand les
battants des portes sont rabattus sur les murs de chaque
côté, de sorte que le regard s'enfonce jusqu'au bout
sans obstacle. Ici, le cas était fort différent, comme on
pouvait s'y attendre de la part du duc et de son goût
très-vif pour le bizarre. Les salles étaient si irrégu-

lièrement disposées, que l'œil n'en pouvait guère embrasser plus d'une à la fois. Au bout d'un espace de vingt à trente yards, il y avait un brusque détour, et à chaque coude un nouvel aspect. A droite et à gauche, au milieu de chaque mur, une haute et étroite fenêtre gothique donnait sur un corridor fermé qui suivait les sinuosités de l'appartement. Chaque fenêtre était faite de verres coloriés en harmonie avec le ton dominant dans les décorations de la salle sur laquelle elle s'ouvrait. Celle qui occupait l'extrémité orientale, par exemple, était tendue de bleu, — et les fenêtres étaient d'un bleu profond. La seconde pièce était ornée et tendue de pourpre, et les carreaux étaient pourpres. La troisième, entièrement verte, et vertes les fenêtres. La quatrième, décorée d'orange, était éclairée par une fenêtre orangée, — la cinquième, blanche, — la sixième, violette.

La septième salle était rigoureusement ensevelie de tentures de velours noir qui revêtaient tout le plafond et les murs, et retombaient en lourdes nappes sur un tapis de même étoffe et de même couleur. Mais, dans cette chambre seulement, la couleur des fenêtres ne correspondait pas à la décoration. Les carreaux étaient écarlates, — d'une couleur intense de sang.

Or, dans aucune des sept salles, à travers les ornements d'or éparpillés à profusion çà et là ou suspendus aux lambris, on ne voyait de lampe ni de candélabre. Ni lampes, ni bougies; aucune lumière de cette sorte dans cette longue suite de pièces. Mais, dans les corridors qui leur servaient de ceinture, juste en face de chaque fenêtre, se dressait un énorme trépied, avec un brasier éclatant, qui projetait ses rayons à travers les carreaux de couleur et illuminait la salle d'une manière éblouissante. Ainsi se produisaient une multitude d'aspects chatoyants et fantastiques. Mais, dans la chambre de l'ouest, la chambre noire, la lumière du brasier qui ruisselait sur les tentures noires à travers les carreaux sanglants était épouvantablement sinistre, et donnait aux physionomies des imprudents qui y entraient un aspect tellement étrange, que bien peu de danseurs se sentaient le courage de mettre les pieds dans son enceinte magique.

C'était aussi dans cette salle que s'élevait, contre le mur de l'ouest, une gigantesque horloge d'ébène. Son pendule se balançait avec un tic-tac sourd, lourd, monotone ; et quand l'aiguille des minutes avait fait le circuit du cadran et que l'heure allait sonner, il s'élevait des poumons d'airain de la machine un son clair, éclatant, profond et excessivement musical, mais d'une note si particulière et d'une énergie telle, que d'heure en heure, les musiciens de l'orchestre étaient contraints d'interrompre un instant leurs accords pour écouter la musique de l'heure ; les valseurs alors cessaient forcément leurs évolutions ; un trouble momentané courait dans toute la joyeuse compagnie ; et, tant que vibrait le carillon, on remarquait que les plus fous devenaient pâles, et que les plus âgés et les plus rassis passaient leurs mains sur leurs fronts, comme dans une méditation ou une rêverie délirante. Mais, quand l'écho s'était tout à fait évanoui, une légère hilarité circulait par toute l'assemblée ; les musiciens s'entre-regardaient et souriaient de leurs nerfs et de leur folie, et se juraient tout bas, les uns aux autres, que la prochaine sonnerie ne produirait pas en eux la même émotion; et puis, après la fuite des soixante minutes qui comprennent les trois mille six cents secondes de l'heure disparue, arrivait une nouvelle sonnerie de la fatale horloge, et c'était le même trouble, le même frisson, les mêmes rêveries.

Mais, en dépit de tout cela, c'était une joyeuse et magnifique orgie. Le goût du duc était tout particulier. Il avait un œil sûr à l'endroit des couleurs et des effets. Il méprisait le *décorum* de la mode. Ses plans étaient téméraires et sauvages, et ses conceptions brillaient d'une splendeur barbare. Il y a des gens qui l'auraient jugé fou. Ses courtisans sentaient bien qu'il ne l'était pas. Mais il fallait l'entendre, le voir, le toucher, pour être sûr qu'il ne l'était pas.

Il avait, à l'occasion de cette grande fête, présidé en grande partie à la décoration mobilière des sept salons, et c'était son goût personnel qui avait commandé le style des travestissements. A coup sûr, c'étaient des conceptions grotesques. C'était éblouissant, étincelant; il y avait du piquant et du fantastique, — beaucoup de ce qu'on a vu dans *Hernani*. Il y avait des figures vraiment arabesques, absurdement équipées, incongrûment bâties; des fantaisies monstrueuses comme la folie; il y avait du beau, du licencieux, du bizarre en quantité, tant soit peu du terrible, et du dégoûtant à foison. Bref, c'était comme une multitude de rêves qui se pavanaient çà et là dans les sept salons. Et ces rêves se contorsionnaient en tous sens, prenant la couleur des chambres; et l'on eût dit qu'ils exécutaient la musique avec leurs pieds, et que les airs étranges de l'orchestre étaient l'écho de leurs pas.

Et, de temps en temps, on entend sonner l'horloge d'ébène de la salle de velours. Et alors, pour un moment, tout s'arrête, tout se tait, excepté la voix de l'horloge. Les rêves sont glacés, paralysés dans leurs postures. Mais les échos de la sonnerie s'évanouissent, — ils n'ont duré qu'un instant, — et à peine ont-ils fui, qu'une hilarité légère et mal contenue circule partout. Et la musique s'enfle de nouveau, et les rêves revivent, et ils se tordent çà et là plus joyeusement que jamais, reflétant la couleur des fenêtres à travers lesquelles ruisselle le rayonnement des trépieds. Mais, dans la chambre qui est là-bas tout à l'ouest, aucun masque n'ose maintenant s'aventurer; car la nuit avance, et une lumière plus rouge afflue à travers les carreaux couleur de sang, et la noirceur des draperies funèbres est effrayante; et à l'étourdi qui met le pied sur le tapis funèbre l'horloge d'ébène envoie un carillon plus lourd, plus solennellement énergique que celui qui frappe les oreilles des masques tourbillonnant dans l'insouciance lointaine des autres salles.

Quant à ces pièces-là, elles fourmillaient de monde, et le cœur de la vie y battait fiévreusement. Et la fête tourbillonnait toujours lorsque s'éleva enfin le son de minuit de l'horloge. Alors, comme je l'ai dit, la musique s'arrêta; le tournoiement des valseurs fut suspendu; il se fit partout, comme naguère, une anxieuse immobilité. Mais le timbre de l'horloge

avait cette fois douze coups à sonner; aussi, il se peut
bien que plus de pensée se soit glissée dans les méditations de ceux qui pensaient parmi cette foule fes-
toyante. Et ce fut peut-être aussi pour cela que plusieurs personnes parmi cette foule, avant que les derniers échos du dernier coup fussent noyés dans le
silence, avaient eu le temps de s'apercevoir de la présence d'un masque qui jusque-là n'avait aucunement
attiré l'attention. Et, la nouvelle de cette intrusion
s'étant répandue en un chuchotement à la ronde, il
s'éleva de toute l'assemblée un bourdonnement, un
murmure significatif d'étonnement et de désappro-
bation, — puis, finalement, de terreur, d'horreur et de
dégoût.

Dans une réunion de fantômes telle que je l'ai
décrite, il fallait sans doute une apparition bien extraordinaire pour causer une telle sensation. La licence
carnavalesque de cette nuit était, il est vrai, à peu près
illimitée; mais le personnage en question avait
dépassé l'extravagance d'un Hérode, et franchi les
bornes — cependant complaisantes — du décorum
imposé par le prince. Il y a dans les cœurs des plus
insouciants des cordes qui ne se laissent pas toucher
sans émotion. Même chez les dépravés, chez ceux
pour qui la vie et la mort sont également un jeu, il y a
des choses avec lesquelles on ne peut pas jouer. Toute
l'assemblée parut alors sentir profondément le mauvais
goût et l'inconvenance de la conduite et du costume de
l'étranger. Le personnage était grand et décharné, et
enveloppé d'un suaire de la tête aux pieds. Le masque
qui cachait le visage représentait si bien la physiono-

mie d'un cadavre raidi, que l'analyse la plus minutieuse aurait difficilement découvert l'artifice. Et
cependant, tous ces fous joyeux auraient peut-être
supporté, sinon approuvé, cette laide plaisanterie.
Mais le masque avait été jusqu'à adopter le type de la
Mort Rouge. Son vêtement était barbouillé de sang,
— et son large front, ainsi que tous les traits de sa
face, étaient aspergés de l'épouvantable écarlate.

Quand les yeux du prince Prospero tombèrent sur
cette figure de spectre, — qui, d'un mouvement lent,
solennel, emphatique, comme pour mieux soutenir
son rôle, se promenait çà et là à travers les danseurs,
— on le vit d'abord convulsé par un violent frisson de
terreur ou de dégoût; mais, une seconde après, son
front s'empourpra de rage.

— Qui ose, — demanda-t-il, d'une voix enrouée,
aux courtisans debout près de lui, — qui ose nous
insulter par cette ironie blasphématoire? Emparez-
vous de lui, et démasquez-le — que nous sachions
qui nous aurons à pendre aux créneaux, au lever du
soleil!

C'était dans la chambre de l'est ou chambre bleue
que se trouvait le prince Prospero, quand il prononça
ces paroles. Elles retentirent fortement et clairement
à travers les sept salons, — car le prince était un
homme impérieux et robuste, et la musique s'était
tue à un signe de sa main.

C'était dans la chambre bleue que se tenait le
prince, avec un groupe de pâles courtisans à ses
côtés. D'abord, pendant qu'il parlait, il y eut parmi
le groupe un léger mouvement en avant dans la direc-

tion de l'intrus, qui fut un instant presque à leur portée, et qui maintenant, d'un pas délibéré et majestueux, se rapprochait de plus en plus du prince. Mais, par suite d'une certaine terreur indéfinissable que l'audace insensée du masque avait inspirée à toute la société, il ne se trouva personne pour lui mettre la main dessus; si bien que, ne trouvant aucun obstacle, il passa à deux pas de la personne du prince; et pendant que l'immense assemblée, comme obéissant à un seul mouvement, reculait du centre de la salle vers les murs, il continua sa route sans interruption, de ce même pas solennel et mesuré qui l'avait tout d'abord caractérisé, de la chambre bleue à la chambre pourpre, — de la chambre pourpre à la chambre verte, — de la verte à l'orange, — de celle-ci à la blanche, — et de celle-là à la violette, avant qu'on eût fait un mouvement décisif pour l'arrêter.

Ce fut alors, toutefois, que le prince Prospero, exaspéré par la rage et la honte de sa lâcheté d'une minute, s'élança précipitamment à travers les six chambres, où nul ne le suivit; car une terreur mortelle s'était emparée de tout le monde. Il brandissait un poignard nu, et s'était approché impétueusement à une distance de trois ou quatre pieds du fantôme qui battait en retraite, quand ce dernier, arrivé à l'extrémité de la salle de velours, se retourna brusquement et fit face à celui qui le poursuivait. Un cri aigu partit, — et le poignard glissa avec un éclair sur le tapis funèbre où le prince Prospero tombait mort une seconde après.

Alors, invoquant le courage violent du désespoir, une foule de masques se précipita à la fois dans la chambre noire; et, saisissant l'inconnu, qui se tenait, comme une grande statue, droit et immobile dans l'ombre de l'horloge d'ébène, ils se sentirent suffoqués par une terreur sans nom, en voyant que sous le linceul et le masque cadavéreux, qu'ils avaient empoignés avec une si violente énergie, ne logeait aucune forme palpable.

On reconnut alors la présence de la *Mort Rouge*. Elle était venue comme un voleur de nuit. Et tous les convives tombèrent un à un dans les salles de l'orgie inondées d'une rosée sanglante, et chacun mourut dans la posture désespérée de sa chute.

Et la vie de l'horloge d'ébène disparut avec celle du dernier de ces êtres joyeux. Et les flammes des trépieds expirèrent. Et les Ténèbres, et la Ruine, et la *Mort Rouge*, établirent sur toutes choses leur empire illimité.

LE ROI PESTE
HISTOIRE CONTENANT UNE ALLÉGORIE

> Les dieux souffrent et autorisent fort
> bien chez les rois les choses qui leur font
> horreur dans les chemins de la canaille.
> BUCKHURST. — *Ferrex et Porrex.*

VERS minuit environ, pendant une nuit du mois
d'octobre, sous le règne chevaleresque d'Édouard III,
deux matelots appartenant à l'équipage du *Free-and-Easy*, goélette de commerce faisant le service entre
l'Écluse (Belgique) et la Tamise, et qui était alors à
l'ancre dans cette rivière, furent très-émerveillés de se
trouver assis dans la salle d'une taverne de la paroisse
Saint-André, à Londres, — laquelle taverne portait
pour enseigne la portraiture du *Joyeux Loup de mer*.

La salle, quoique mal construite, noircie par la
fumée, basse de plafond, et ressemblant d'ailleurs à
tous les cabarets de cette époque, était néanmoins,
dans l'opinion des groupes grotesques de buveurs
disséminés çà et là, suffisamment bien appropriée
à sa destination.

De ces groupes, nos deux matelots formaient, je crois, le plus intéressant, sinon le plus remarquable.

Celui qui paraissait être l'aîné, et que son compagnon appelait du nom caractéristique de *Legs* (jambes), était aussi de beaucoup le plus grand des deux. Il pouvait bien avoir six pieds et demi, et une courbure habituelle des épaules semblait la conséquence nécessaire d'une aussi prodigieuse stature. — Son superflu en hauteur était néanmoins plus que compensé par des déficits à d'autres égards. Il était excessivement maigre, et il aurait pu, comme l'affirmaient ses camarades, remplacer, quand il était ivre, une flamme de tête de mât, et à jeun le bout-dehors du foc. Mais évidemment ces plaisanteries et d'autres analogues n'avaient jamais produit aucun effet sur les muscles cachinnatoires du loup de mer. Avec ses pommettes saillantes, son grand nez de faucon, son menton fuyant, sa mâchoire inférieure déprimée et ses énormes yeux blancs protubérants, l'expression de sa physionomie, quoique empreinte d'une espèce d'indifférence bourrue pour toutes choses, n'en était pas moins solennelle et sérieuse au-delà de toute imitation et de toute description.

Le plus jeune matelot était, dans toute son apparence extérieure, l'inverse et la *réciproque* de son camarade. Une paire de jambes arquées et trapues supportait sa personne lourde et ramassée, et ses bras singulièrement courts et épais, terminés par des poings plus qu'ordinaires, pendillaient et se balançaient à ses côtés comme les ailerons d'une tortue de mer. De petits yeux, d'une couleur non précise,

scintillaient, profondément enfoncés dans sa tête.
Son nez restait enfoui dans la masse de chair qui enveloppait sa face ronde, pleine et pourprée, et sa grosse
lèvre supérieure se reposait complaisamment sur
l'inférieure, encore plus grosse, avec un air de satisfaction personnelle, augmenté par l'habitude qu'avait
le propriétaire desdites lèvres de les lécher de temps à
autre. Il regardait évidemment son grand camarade
de bord avec un sentiment moitié d'ébahissement,
moitié de raillerie; et parfois, quand il le contemplait
en face, il avait l'air du soleil empourpré contemplant,
avant de se coucher, le haut des rochers de Ben-
Nevis.

Cependant, les pérégrinations du digne couple
dans les différentes tavernes du voisinage pendant les
premières heures de la nuit avaient été variées et
pleines d'événements. Mais les fonds, même les plus
vastes, ne sont pas éternels, et c'était avec des poches
vides que nos amis s'étaient aventurés dans le cabaret
en question.

Au moment précis où commence proprement cette
histoire, Legs et son compagnon Hugh Tarpaulin
étaient assis, chacun avec les deux coudes appuyés sur
la vaste table de chêne, au milieu de la salle, et les joues
entre les mains. A l'abri d'un vaste flacon de *humming-
stuff* non payé, ils lorgnaient les mots sinistres : — *Pas
de craie*[1], — qui, non sans étonnement et sans indignation de leur part, étaient écrits sur la porte en caractères de craie, — cette impudente craie qui osait se

1. Pas de crédit (C.B.)

déclarer absente! Non que la faculté de déchiffrer les
caractères écrits — faculté considérée parmi le peuple
de ce temps comme un peu moins cabalistique que
l'art de les tracer — eût pu, en stricte justice, être
imputée aux deux disciples de la mer; mais il y avait,
pour dire la vérité, un certain tortillement dans la
tournure des lettres, — et dans l'ensemble je ne sais
quelle indescriptible embardée, — qui présageaient,
dans l'opinion des deux marins, une sacrée secousse
et un sale temps, et qui les décidèrent tout d'un coup,
suivant le langage métaphorique de Legs, à veiller
aux pompes, à serrer toute la toile et à fuir devant
le vent. En conséquence, ayant consommé ce qui
restait d'ale, et solidement agrafé leurs courts pour-
points, finalement ils prirent leur élan vers la rue.
Tarpaulin, il est vrai, entra deux fois dans la cheminée,
la prenant pour la porte, mais enfin leur fuite s'effec-
tua heureusement, et, une demi-heure après minuit,
nos deux héros avaient paré au grain et filaient ron-
dement à travers une ruelle sombre dans la direction
de l'escalier Saint-André, chaudement poursuivis
par la tavernière du *Joyeux Loup de mer*.

Bien des années avant et après l'époque où se passe
cette dramatique histoire, toute l'Angleterre, mais
plus particulièrement la métropole, retentissait pério-
diquement du cri sinistre : « La Peste! » La Cité était
en grande partie dépeuplée, — et, dans ces horribles
quartiers avoisinant la Tamise, parmi ces ruelles et
ces passages noirs, étroits et immondes, que le Démon
de la Peste avait choisis, supposait-on alors, pour le
lieu de sa nativité, on ne pouvait rencontrer, se pava-

nant à l'aise, que l'Effroi, la Terreur et la Superstition.

Par ordre du roi, ces quartiers étaient condamnés,
et il était défendu à toute personne, sous peine de
mort, de pénétrer dans leurs affreuses solitudes. Cependant, ni le décret du monarque, ni les énormes
barrières élevées à l'entrée des rues, ni la perspective
de cette hideuse mort, qui, presque à coup sûr,
engloutissait le misérable qu'aucun péril ne pouvait
détourner de l'aventure, n'empêchaient les habitations démeublées et inhabitées d'être dépouillées,
par la main d'une rapine nocturne, du fer, du cuivre,
des plombages, enfin de tout article pouvant devenir
l'objet d'un lucre quelconque.

Il fut particulièrement constaté, à chaque hiver, à
l'ouverture annuelle des barrières, que les serrures, les
verrous et les caves secrètes n'avaient protégé que
médiocrement ces amples provisions de vins et
liqueurs, que, vu les risques et les embarras du déplacement, plusieurs des nombreux marchands ayant
boutique dans le voisinage s'étaient résignés, durant
la période de l'exil, à confier à une aussi insuffisante
garantie.

Mais, parmi le peuple frappé de terreur, bien peu
de gens attribuaient ces faits à l'action des mains
humaines. Les Esprits et les Gobelins de la peste, les
Démons de la fièvre, tels étaient pour le populaire les
vrais suppôts de malheur; et il se débitait sans cesse
là-dessus des contes à glacer le sang, si bien que toute
la masse des bâtiments condamnés fut à la longue
enveloppée de terreur comme d'un suaire, et que le

voleur lui-même, souvent épouvanté par l'horreur superstitieuse qu'avaient créée ses propres déprédations, laissait le vaste circuit du quartier maudit aux ténèbres, au silence, à la peste et à la mort.

Ce fut par l'une des redoutables barrières dont il a été parlé, et qui indiquaient que la région située au-delà était condamnée, que Legs et le digne Hugh Tarpaulin, qui dégringolaient à travers une ruelle, trouvèrent leur course soudainement arrêtée. Il ne pouvait pas être question de revenir sur leurs pas, et il n'y avait pas de temps à perdre; car ceux qui leur donnaient la chasse étaient presque sur leurs talons. Pour des matelots pur sang, grimper sur la charpente grossièrement façonnée n'était qu'un jeu; et, exaspérés par la double excitation de la course et des liqueurs, ils sautèrent résolument de l'autre côté, puis, reprenant leur course ivre avec des cris et des hurlements, s'égarèrent bientôt dans ces profondeurs compliquées et malsaines.

S'ils n'avaient pas été ivres au point d'avoir perdu le sens moral, leurs pas vacillants eussent été paralysés par les horreurs de leur situation. L'air était froid et brumeux. Parmi le gazon haut et vigoureux qui leur montait jusqu'aux chevilles, les pavés déchaussés gisaient dans un affreux désordre. Des maisons tombées bouchaient les rues. Les miasmes les plus fétides et les plus délétères régnaient partout; — et, grâce à cette pâle lumière qui, même à minuit, émane toujours d'une atmosphère vaporeuse et pestilentielle, on aurait pu discerner, gisant dans les allées et les ruelles, ou pourrissant dans les habitations sans fenêtres, la charogne de maint voleur nocturne arrêté par la main de la peste dans la perpétration de son exploit.

Mais il n'était pas au pouvoir d'images, de sensations et d'obstacles de cette nature d'arrêter la course de deux hommes qui, naturellement braves, et, cette nuit-là surtout, pleins jusqu'aux bords de courage et de *humming-stuff*, auraient intrépidement roulé, aussi droit que l'aurait permis leur état, dans la gueule même de la Mort. En avant, — toujours en avant allait le sinistre Legs, faisant retentir les échos de ce désert solennel de cris semblables au terrible hurlement de guerre des Indiens; et avec lui toujours, toujours roulait le trapu Tarpaulin, accroché au pourpoint de son camarade plus agile, et surpassant encore les plus valeureux efforts de ce dernier dans la musique vocale par des mugissements de *basse* tirés des profondeurs de ses poumons stentoriens.

Évidemment, ils avaient atteint la place forte de la peste. A chaque pas ou à chaque culbute, leur route devenait plus horrible et plus infecte, les chemins plus étroits et plus embrouillés. De grosses pierres et des poutres tombant de temps en temps des toits délabrés rendaient témoignage, par leurs chutes lourdes et funestes, de la prodigieuse hauteur des maisons environnantes; et, quand il leur fallait faire un effort énergique pour se pratiquer un passage à travers les fréquents monceaux de gravats, il n'était pas rare que leur main tombât sur un squelette ou s'empêtrât dans des chairs décomposées.

Tout à coup les marins trébuchèrent contre l'entrée

d'un vaste bâtiment d'apparence sinistre; un cri plus aigu, que de coutume jaillit du gosier de l'exaspéré Legs, et il fut répondu de l'intérieur par une explosion rapide, successive, de cris sauvages, démoniaques, presque des éclats de rire. Sans s'effrayer de ces sons, qui, par leur nature, dans un pareil lieu, dans un pareil moment, auraient figé le sang dans des poitrines moins irréparablement incendiées, nos deux ivrognes piquèrent tête baissée dans la porte, l'enfoncèrent, et s'abattirent au milieu des choses avec une volée d'imprécations.

La salle dans laquelle ils tombèrent se trouva être le magasin d'un entrepreneur des pompes funèbres; mais une trappe ouverte dans un coin du plancher, près de la porte, donnait sur une enfilade de caves, dont les profondeurs, comme le proclama un son de bouteilles qui se brisent, étaient bien approvisionnées de leur contenu traditionnel. Dans le milieu de la salle, une table était dressée, — au milieu de la table, un gigantesque bol plein de punch, à ce qu'il semblait. Des bouteilles de vins et de liqueurs, concurremment avec des pots, des cruches et des flacons de toute forme et de toute espèce, étaient éparpillées à profusion sur la table. Tout autour, sur des tréteaux funèbres, siégeait une société de six personnes. Je vais essayer de vous les décrire une à une.

En face de la porte d'entrée, et un peu plus haut que ses compagnons, était assis un personnage qui semblait être le président de la fête. C'était un être décharné, d'une grande taille, et Legs fut stupéfié de se trouver en face d'un plus maigre que lui. Sa figure était aussi jaune que du safran; — mais aucun trait, à l'exception d'un seul, n'était assez marqué pour mériter une description particulière. Ce trait unique consistait dans un front si anormalement et si hideusement haut, qu'on eût dit un bonnet ou une couronne de chair ajoutée à sa tête naturelle. Sa bouche grimaçante était plissée par une expression d'affabilité spectrale, et ses yeux, comme les yeux de toutes les personnes attablées, brillaient du singulier vernis que font les fumées de l'ivresse. Ce gentleman était vêtu des pieds à la tête d'un manteau de velours de soie noir, richement brodé, qui flottait négligemment autour de sa taille à la manière d'une cape espagnole. Sa tête était abondamment hérissée de plumes de corbillard, qu'il balançait de-çi de-là avec un air d'afféterie consommée; et, dans sa main droite, il tenait un grand fémur humain, avec lequel il venait de frapper, à ce qu'il semblait, un des membres de la compagnie pour lui commander une chanson.

En face de lui, et le dos tourné à la porte, était une dame dont la physionomie extraordinaire ne lui cédait en rien. Quoique aussi grande que le personnage que nous venons de décrire, celle-ci n'avait aucun droit de se plaindre d'une maigreur anormale. Elle en était évidemment au dernier période de l'hydropisie, et sa tournure ressemblait beaucoup à celle de l'énorme pièce de *bière d'Octobre* qui se dressait, défoncée par le haut, juste à côté d'elle, dans un coin de la chambre. Sa figure était singulièrement ronde, rouge et pleine; et la même particularité, ou plutôt l'absence de particularité que j'ai déjà men-

tionnée dans le cas du président, marquait sa physionomie, — c'est-à-dire qu'un seul trait de sa face
méritait une caractérisation spéciale; le fait est que le
clairvoyant Tarpaulin vit tout de suite que la même
remarque pouvait s'appliquer à toutes les personnes
de la société; chacune semblait avoir accaparé pour
elle seule un morceau de physionomie. Dans la dame
en question, ce morceau, c'était la bouche : — une
bouche qui commençait à l'oreille droite, et courait
jusqu'à la gauche en dessinant un abîme terrifique,
— ses très-courts pendants d'oreilles trempant à
chaque instant dans le gouffre. La dame néanmoins
faisait tous ses efforts pour garder cette bouche fermée
et se donner un air de dignité; sa toilette consistait
en un suaire fraîchement empesé et repassé, qui
lui montait jusque sous le menton, avec une colle-
rette plissée en mousseline de batiste.

A sa droite était assise une jeune dame minuscule
qu'elle semblait patronner. Cette délicate petite
créature laissait voir dans le tremblement de ses
doigts émaciés, dans le ton livide de ses lèvres et dans
la légère tache hectique plaquée sur son teint d'ailleurs plombé, des symptômes évidents d'une phtisie
effrénée. Un air de haute distinction, néanmoins,
était répandu sur toute sa personne; elle portait
d'une manière gracieuse et tout à fait dégagée un
vaste et beau linceul en très-fin linon des Indes;
ses cheveux tombaient en boucles sur son cou; un
doux sourire se jouait sur sa bouche; mais son nez,
extrêmement long, mince, sinueux, flexible et pus-
tuleux, pendait beaucoup plus bas que sa lèvre infé-

rieure; et cette trompe, malgré la façon délicate dont
elle la déplaçait de temps à autre et la mouvait à
droite et à gauche avec sa langue, donnait à sa physionomie une expression tant soit peu équivoque.

De l'autre côté, à la gauche de la dame hydro-
pique, était assis un vieux petit homme, enflé, asthma-
tique et goutteux. Ses joues reposaient sur ses épaules comme deux énormes outres de vin d'Oporto.
Avec ses bras croisés et l'une de ses jambes entourée
de bandages et reposant sur la table, il semblait se
regarder comme ayant droit à quelque considération.
Il tirait évidemment beaucoup d'orgueil de chaque
pouce de son enveloppe personnelle, mais prenait
un plaisir plus spécial à attirer les yeux par son surtout de couleur voyante. Il est vrai que ce surtout
n'avait pas dû lui coûter peu d'argent, et qu'il était
de nature à lui aller parfaitement bien; — il était
fait d'une de ces housses de soie curieusement brodées,
appartenant à ces glorieux écussons qu'on suspend, en
Angleterre et ailleurs, dans un endroit bien visible,
au-dessus des maisons des grandes familles absentes.

A côté de lui, à la droite du président, était un
gentleman avec de grands bas blancs et un caleçon
de coton. Tout son être était secoué d'une manière
risible par un tic nerveux que Tarpaulin appelait
les affres de l'ivresse. Ses mâchoires, fraîchement
rasées, étaient étroitement serrées dans un bandage
de mousseline, et ses bras liés de la même manière
par les poignets, ne lui permettaient pas de se servir
lui-même trop librement des liqueurs de la table;
précaution rendue nécessaire, dans l'opinion de

Legs, par le caractère singulièrement abruti de sa face de biberon. Toutefois, une paire d'oreilles prodigieuses, qu'il était sans doute impossible d'enfermer, surgissaient dans l'espace, et étaient de temps en temps comme piquées d'un spasme au son de chaque bouchon qu'on faisait sauter.

Sixième et dernier, et lui faisant face, était placé un personnage qui avait l'air singulièrement raide, et qui, étant affligé de paralysie, devait se sentir, pour parler sérieusement, fort peu à l'aise dans ses très-incommodes vêtements. Il était habillé (habillement peut-être unique dans son genre) d'une belle bière d'acajou toute neuve. Le haut du couvercle portait sur le crâne de l'homme comme un armet, et l'enveloppait comme un capuchon, donnant à toute la face une physionomie d'un intérêt indescriptible. Des emmanchures avaient été pratiquées des deux côtés, autant pour la commodité que pour l'élégance; mais cette toilette toutefois empêchait le malheureux qui en était paré de se tenir droit sur son siège, comme ses camarades; et, comme il était déposé contre son tréteau, et incliné suivant un angle de quarante-cinq degrés, ses deux gros yeux à fleur de tête roulaient et dardaient vers le plafond leurs terribles globes blanchâtres, comme dans un absolu étonnement de leur propre énormité.

Devant chaque convive était placée une moitié de crâne, dont il se servait en guise de coupe. Au-dessus de leurs têtes pendait un squelette humain, au moyen d'une corde nouée autour d'une des jambes et fixée à un anneau du plafond. L'autre jambe, qui n'était pas retenue par un lien semblable, jaillissait du corps à angle droit, faisant danser et pirouetter toute la carcasse éparse et frémissante, chaque fois qu'une bouffée de vent se frayait un passage dans la salle. Le crâne de l'affreuse chose contenait une certaine quantité de charbon enflammé qui jetait sur toute la scène une lueur vacillante mais vive; et les bières et tout le matériel d'un entrepreneur de sépultures, empilés à une grande hauteur autour de la chambre et contre les fenêtres, empêchaient tout rayon de lumière de se glisser dans la rue.

A la vue de cette extraordinaire assemblée et de son attirail encore plus extraordinaire, nos deux marins ne se conduisirent pas avec tout le décorum qu'on aurait eu le droit d'attendre d'eux. Legs, s'appuyant contre le mur auprès duquel il se trouvait, laissa tomber sa mâchoire inférieure encore plus bas que de coutume, et déploya ses vastes yeux dans toute leur étendue; pendant que Hugh Tarpaulin, se baissant au point de mettre son nez de niveau avec la table et posant ses mains sur ses genoux, éclata en un rire immodéré et intempestif, c'est-à-dire en un long, bruyant, étourdissant rugissement.

Cependant, sans prendre ombrage d'une conduite si prodigieusement grossière, le grand président sourit très-gracieusement à nos intrus, — leur fit, avec sa tête de plumes noires, un signe plein de dignité, — et, se levant, prit chacun par un bras, et le conduisit vers un siège que les autres personnes de la compagnie venaient d'installer à son intention. Legs ne fit pas à tout cela la plus légère résistance, et s'assit où on le conduisit; pendant que le galant Hugh, enlevant son tréteau du haut bout de la table, porta son installation dans le voisinage de la petite dame phtisique au linceul, s'abattit à côté d'elle en grande joie, et, se versant un crâne de vin rouge, l'avala en l'honneur d'une plus intime connaissance. Mais, à cette présomption, le raide gentleman à la bière parut singulièrement exaspéré; et cela aurait pu donner lieu à de sérieuses conséquences, si le président n'avait pas, en frappant sur la table avec son sceptre, ramené l'attention de tous les assistants au discours suivant :

— L'heureuse occasion qui se présente nous fait un devoir...

— Tiens bon là! — interrompit Legs avec un air de grand sérieux, — tiens bon, un bout de temps, que je dis, et dis-nous qui diable vous êtes tous, et quelle besogne vous faites ici, équipés comme de sales démons, et avalant le bon petit *tord-boyaux* de notre honnête camarade, Will Wimble le croque-mort, et toutes ses provisions arrimées pour l'hiver!

A cet impardonnable échantillon de mauvaise éducation toute l'étrange société se dressa à moitié sur ses pieds, et proféra rapidement une foule de cris diaboliques, semblables à ceux qui avaient d'abord attiré l'attention des matelots. Le président, néanmoins, fut le premier à recouvrer son sang-froid, et, à la longue, se tournant vers Legs avec une grande dignité, il reprit :

— C'est avec un parfait bon vouloir que nous satisferons toute curiosité raisonnable de la part d'hôtes aussi illustres, bien qu'ils n'aient pas été invités. Sachez donc que je suis le monarque de cet empire, et que je règne ici sans partage, sous ce titre : le Roi Peste Ier.

» Cette salle, que vous supposez très-injurieusement être la boutique de Will Wimble, l'entrepreneur de pompes funèbres, — un homme que nous ne connaissons pas, et dont l'appellation plébéienne n'avait jamais, avant cette nuit, écorché nos oreilles royales, — cette salle, dis-je, est la Salle du Trône de notre Palais, consacrée aux conseils de notre royaume et à d'autres destinations d'un ordre sacré et supérieur.

» La noble dame assise en face de nous est la Reine Peste, notre Sérénissime Épouse. Les autres personnages illustres que vous contemplez sont tous de notre famille, et portent la marque de l'origine royale dans leurs noms respectifs : Sa Grâce l'Archiduc Pest-Ifère, — Sa Grâce le Duc Pest-Ilentiel, — Sa Grâce le Duc Tem-Pestueux, — et Son Altesse Sérénissime, l'Archiduchesse Ana-Peste.

» En ce qui regarde, — ajouta-t-il, — votre question, relativement aux affaires que nous traitons ici en conseil, il nous serait loisible de répondre qu'elles concernent notre intérêt royal et privé, et, ne concernant que lui, n'ont absolument d'importance que pour nous-même. Mais, en considération de ces égards que vous pourriez revendiquer en votre qualité d'hôtes et d'étrangers, nous daignerons encore vous expliquer que nous sommes ici cette nuit, — préparés par de profondes recherches et de soigneuses investigations, — pour examiner, analyser et déterminer péremptoirement l'esprit indéfinissable, les incom-

préhensibles qualités et la nature de ces inestimables
trésors de la bouche, vins, ales et liqueurs de cette
excellente métropole; pour, en agissant ainsi, non-
seulement atteindre notre but, mais aussi augmenter
la véritable prospérité de ce souverain qui n'est pas
de ce monde, qui règne sur nous tous, dont les domaines sont sans limites, et dont le nom est : la Mort!

— Dont le nom est Davy Jones — s'écria Tarpaulin, servant à la dame à côté de lui un plein crâne
de liqueur, et s'en versant un second à lui-même.

— Profane coquin! — dit le président, tournant
alors son attention vers le digne Hugh, — profane et
exécrable drôle! — Nous avons dit qu'en considération
de ces droits que nous ne nous sentons nullement enclin
à violer, même dans ta sale personne, nous condes-
cendions à répondre à tes grossières et intempestives
questions. Néanmoins, nous croyons que, vu votre
profane intrusion dans nos conseils, il est de notre
devoir de vous condamner, toi et ton compagnon,
chacun à un gallon de *black-strap*, — que vous boirez
à la prospérité de notre royaume, — d'un seul trait,
— et à genoux; — aussitôt après, vous serez libres l'un
et l'autre de continuer votre route, ou de rester et de
partager les privilèges de notre table, selon votre
goût personnel et respectif.

— Ce serait une chose d'une absolue impossibilité,
— répliqua Legs, à qui les grands airs et la dignité du
roi Peste Ier avaient évidemment inspiré quelques
sentiments de respect, et qui s'était levé et appuyé
contre la table pendant que celui-ci parlait; — ce
serait, s'il plaît à Votre Majesté, une chose d'une

absolue impossibilité d'arrimer dans ma cale le quart seulement de cette liqueur dont vient de parler Votre Majesté. Pour ne rien dire de toutes les marchandises que nous avons chargées à notre bord dans la matinée en manière de lest, et sans mentionner les diverses ales et liqueurs que nous avons embarquées ce soir dans différents ports, j'ai, pour le moment, une forte cargaison de *humming-stuff*, prise et *dûment payée* à l'enseigne du *Joyeux Loup de mer*. Votre Majesté voudra donc être assez gracieuse pour prendre la bonne volonté pour le fait; — car je ne puis ni ne veux en aucune façon avaler une goutte de plus, — encore moins une goutte de cette vilaine eau de cale qui répond au salut de *black-strap*.

— Amarre ça! — interrompit Tarpaulin, non moins étonné de la longueur du speech de son camarade que de la nature de son refus. — Amarre ça, matelot d'eau douce! — Lâcheras-tu bientôt le crachoir, que je dis, Legs! Ma coque est encore légère, bien que toi, je le confesse, tu me paraisses un peu trop chargé par le haut; et, quant à ta part de cargaison, eh bien, plutôt que de faire lever un grain, je trouverai pour elle de la place à mon bord, mais...

— Cet arrangement, interrompit le président, est en complet désaccord avec les termes de la sentence, ou condamnation, qui de sa nature est médique, incommutable et sans appel. Les conditions que nous avons imposées seront remplies à la lettre, et cela sans une minute d'hésitation; — faute de quoi, nous décrétons que vous serez attachés ensemble par le cou et les talons, et dûment noyés comme rebelles dans la pièce de *bière d'Octobre* que voilà!

— Voilà une sentence! — Quelle sentence! — Équitable, judicieuse sentence! — Un glorieux décret! — Une très-digne, très-irréprochable et très-sainte condamnation! — crièrent à la fois tous les membres de la famille Peste. Le roi fit jouer son front en innombrables rides; le vieux petit homme goutteux souffla comme un soufflet; la dame au linceul de linon fit onduler son nez à droite et à gauche; le gentleman au caleçon convulsa ses oreilles; la dame au suaire ouvrit la gueule comme un poisson à l'agonie; et l'homme à la bière d'acajou parut encore plus raide et roula ses yeux vers le plafond.

— Hou! hou! — fit Tarpaulin, s'épanouissant de rire, sans prendre garde à l'agitation générale. — Hou! hou! hou! — Hou! hou! hou! — Je disais, quand M. le Roi Peste est venu fourrer son épissoir, que, pour quant à la question de deux ou trois gallons de *black-strap* de plus ou de moins, c'était une bagatelle pour un bon et solide bateau comme moi, quand il n'était pas trop chargé; — mais, quand il s'agit de boire à la santé du Diable (que Dieu puisse absoudre!) et de me mettre à genoux devant la vilaine Majesté que voilà, que je sais, aussi bien que je me connais pour un pécheur, n'être pas autre que Tim Hurlygurly le paillasse! — oh! pour cela, c'est une tout autre affaire, et qui dépasse absolument mes moyens et mon intelligence.

Il ne lui fut pas accordé de finir tranquillement son

discours. Au nom de Tim Hurlygurly, tous les convives bondirent sur leurs sièges.

— Trahison! — hurla Sa Majesté le Roi Peste Ier.

— Trahison! — dit le petit homme à la goutte.

— Trahison! — glapit l'Archiduchesse Ana-Peste.

— Trahison! — marmotta le gentleman aux mâchoires attachées.

— Trahison! — grogna l'homme à la bière.

— Trahison! trahison! — cria Sa Majesté, la femme à la gueule; et, saisissant par la partie postérieure de ses culottes l'infortuné Tarpaulin, qui commençait justement à remplir pour lui-même un crâne de liqueur, elle le souleva vivement en l'air et le fit tomber sans cérémonie dans le vaste tonneau défoncé plein de son ale favorite. Ballotté çà et là pendant quelques secondes, comme une pomme dans un bol de toddy, il disparut finalement dans le tourbillon d'écume que ses efforts avaient naturellement soulevé dans le liquide déjà fort mousseux par sa nature.

Toutefois, le grand matelot ne vit pas avec résignation la déconfiture de son camarade. Précipitant le Roi Peste à travers la trappe ouverte, le vaillant Legs ferma violemment la porte sur lui avec un juron, et courut vers le centre de la salle. Là, arrachant le squelette suspendu au-dessus de la table, il le tira à lui avec tant d'énergie et de bon vouloir, qu'il réussit, en même temps que les derniers rayons de lumière s'éteignaient dans la salle, à briser la cervelle du petit homme à la goutte. Se précipitant alors de toute sa force sur le fatal tonneau plein d'*ale d'Octobre* et de

Hugh Tarpaulin, il le culbuta en un instant et le fit rouler sur lui-même. Il en jaillit un déluge de liqueur si furieux, — si impétueux, — si envahissant, — que la chambre fut inondée d'un mur à l'autre, — la table renversée avec tout ce qu'elle portait, — les tréteaux jetés sens dessus dessous, — le baquet de punch dans la cheminée, — et les dames dans des attaques de nerfs. Des piles d'articles funèbres se débattaient çà et là. Les pots, les cruches, les grosses bouteilles habillées de jonc se confondaient dans une affreuse mêlée, et les flacons d'osier se heurtaient désespérément contre les gourdes cuirassées de corde. L'homme aux *affres* fut noyé sur place, — le petit gentleman paralytique naviguait au large dans sa bière, — et le victorieux Legs, saisissant par la taille la grosse dame au suaire, se précipita avec elle dans la rue, et mit le cap tout droit dans la direction du *Free-and-Easy*, prenant bien le vent et remorquant le redoutable Tarpaulin, qui, ayant éternué trois ou quatre fois, haletait et soufflait derrière lui en compagnie de l'Archiduchesse Ana-Peste.

LE DIABLE
DANS LE BEFFROI

Quelle heure est-il?
Vieille locution.

CHACUN sait d'une manière vague que le plus bel endroit du monde est — ou *était*, hélas! — le bourg hollandais de Vondervotteimittiss. Cependant, comme il est à quelque distance de toutes les grandes routes, dans une situation pour ainsi dire extraordinaire, il n'y a peut-être qu'un petit nombre de mes lecteurs qui lui aient rendu visite. Pour l'agrément de ceux qui n'ont pu le faire, je juge donc à propos d'entrer dans quelques détails à son sujet. Et c'est en vérité d'autant plus nécessaire que, si je me propose de donner un récit des événements calamiteux qui ont fondu tout récemment sur son territoire, c'est avec l'espoir de conquérir à ses habitants la sympathie publique. Aucun de ceux qui me connaissent ne doutera que le devoir que je m'impose ne soit exécuté avec tout ce que j'y peux mettre d'habileté, avec cette impartialité rigoureuse, cette scrupuleuse vérification des faits et cette laborieuse collation des autorités qui doivent toujours distinguer celui qui aspire au titre d'historien.

Par le secours réuni des médailles, manuscrits et inscriptions, je suis autorisé à affirmer positivement que le bourg de Vondervotteimittiss a toujours existé dès son origine précisément dans la même condition où on le voit encore aujourd'hui. Mais, quant à la date de cette origine, il m'est pénible de n'en pouvoir parler qu'avec cette *précision indéfinie* dont les mathématiciens sont quelquefois obligés de s'accommoder dans certaines formules algébriques. La date, il m'est permis de m'exprimer ainsi, eu égard à sa prodigieuse antiquité, ne peut pas être moindre qu'une quantité déterminable quelconque.

Relativement à l'étymologie du nom Vondervotteimittiss, je me confesse, non sans peine, également en défaut. Parmi une multitude d'opinions sur ce point délicat, — quelques-unes très-subtiles, quelques-unes très-érudites, quelques-unes suffisamment inverses, — je n'en trouve aucune qui puisse être considérée comme satisfaisante. Peut-être l'idée de Grogswigg, — qui coïncide presque avec celle de Kroutaplenttey, — doit-elle être *prudemment* préférée. Elle est ainsi conçue : — *Vondervotteimittiss*, — *Vonder, lege Donder*, — *Votteimittiss, quasi und Bleitziz*, — *Belitziz, obsoletum pro Blitzen*. Cette étymologie, pour dire la vérité, se trouve assez bien confirmée par quelques traces de fluide électrique, qui sont encore visibles au sommet du clocher de la Maison-de-Ville. Toutefois, je ne me soucie pas de me compromettre dans une thèse d'une pareille importance, et je prierai le lecteur curieux d'informations d'en référer aux *Oratiunculæ de Rebus Præter-Veteris*, de Dundergutz. Voyez aussi Blunderbuzzard, *De Derivationibus*, de la page 27 à la page 5 010, in-folio, édition gothique, caractères rouges et noirs, avec réclames et sans signatures ; — consultez aussi dans cet ouvrage les notes marginales autographes de Stuffundpuff, avec les sous-commentaires de Gruntundguzzell.

Malgré l'obscurité qui enveloppe ainsi la date de la fondation de Vondervotteimittiss et l'étymologie de son nom, on ne peut douter, comme je l'ai déjà dit, qu'il n'ait toujours existé tel que nous le voyons présentement. L'homme le plus vieux du bourg ne se rappelle pas la plus légère différence dans l'aspect d'une partie quelconque de sa patrie, et en vérité la simple suggestion d'une telle possibilité y serait considérée comme une insulte. Le village est situé dans une vallée parfaitement circulaire, dont la circonférence est d'un quart de mille à peu près, et complètement environnée par de jolies collines dont les habitants ne se sont jamais avisés de franchir les sommets. Ils donnent d'ailleurs une excellente raison de leur conduite, c'est qu'ils ne croient pas qu'il y ait quoi que ce soit de l'autre côté.

Autour de la lisière de la vallée (qui est tout à fait unie et pavée dans toute son étendue de tuiles plates) s'étend un rang continu de soixante petites maisons. Elles sont appuyées par-derrière sur les collines, et naturellement elles regardent toutes le centre de la plaine, qui est juste à soixante yards de la porte de face de chaque habitation. Chaque maison a devant

elle un petit jardin, avec une allée circulaire, un
cadran solaire et vingt-quatre choux. Les constructions elles-mêmes sont si parfaitement semblables,
qu'il est impossible de distinguer l'une de l'autre.
A cause de son extrême antiquité, le style de l'architecture est quelque peu bizarre; mais, pour cette
raison même, il n'est que plus remarquablement
pittoresque. Elles sont faites de petites briques bien
durcies au feu, rouges, avec des coins noirs, de sorte
que les murs ressemblent à un échiquier dans de
vastes proportions. Les pignons sont tournés du côté
de la façade, et il y a des corniches, aussi grosses que
le reste de la maison, aux rebords des toits et aux portes
principales. Les fenêtres sont étroites et profondes,
avec de tout petits carreaux et force châssis. Le toit
est recouvert d'une multitude de tuiles à oreillettes
roulées. La charpente est partout d'une couleur
sombre, très-ouvragée, mais avec peu de variété dans
les dessins; car, de temps immémorial, les sculpteurs
en bois de Vondervotteimittiss n'ont jamais su tailler
plus de deux objets, — une horloge et un chou. Mais
ils les font admirablement bien, et ils les prodiguent
avec une singulière ingéniosité, partout où ils trouvent
une place pour le ciseau.

Les habitations se ressemblent autant à l'intérieur
qu'au-dehors, et l'ameublement est façonné d'après
un seul modèle. Le sol est pavé de tuiles carrées, les
chaises et les tables sont en bois noir, avec des pieds
tors, grêles, et amincis par le bas. Les cheminées
sont larges et hautes, et n'ont pas seulement des horloges et des choux sculptés sur la face de leurs cham-

branles, mais elles supportent au milieu de la tablette une véritable horloge qui fait un prodigieux tic-tac, avec deux pots à fleurs contenant chacun un chou, qui se tient ainsi à chaque bout en manière de chasseur ou de piqueur. Entre chaque chou et l'horloge, il y a encore un petit magot chinois à grosse panse avec un grand trou au milieu, à travers lequel apparaît le cadran d'une montre.

Les foyers sont vastes et profonds, avec des chenets farouches et contournés. Il y a constamment un grand feu et une énorme marmite dessus, pleine de choucroute et de porc, que la bonne femme de la maison surveille incessamment. C'est une grosse et vieille petite dame, aux yeux bleus et à la face rouge, qui porte un immense bonnet, semblable à un pain de sucre, agrémenté de rubans de couleur pourpre et jaune. Sa robe est de tiretaine orangée, très-ample par-derrière et très-courte de taille, — et fort courte en vérité sous d'autres rapports, car elle ne descend pas à mi-jambes. Ces jambes sont quelque peu épaisses, ainsi que les chevilles, mais elles sont revêtues d'une belle paire de bas verts. Ses souliers — de cuir rose — sont attachés par un nœud de rubans jaunes épanouis et fripés en forme de chou. Dans sa main gauche, elle tient une lourde petite montre hollandaise; de la droite, elle manie une grande cuiller pour la choucroute et le porc. A côté d'elle se tient un gros chat moucheté, qui porte à sa queue une montre-joujou en cuivre doré, à répétition, que les *garçons* lui ont ainsi attachée en manière de farce.

Quant aux garçons eux-mêmes, ils sont tous trois

dans le jardin, et veillent au cochon. Ils ont chacun deux pieds de haut. Ils portent des chapeaux à trois cornes, des gilets pourpres qui leur tombent presque sur les cuisses, des culottes en peau de daim, des bas rouges drapés, de lourds souliers avec de grosses boucles d'argent, et de longues vestes avec de larges boutons de nacre. Chacun porte aussi une pipe à la bouche, et une petite montre ventrue dans la main droite. Une bouffée de fumée, un coup d'œil à la montre, — un coup d'œil à la montre, une bouffée de fumée, — ils vont ainsi. Le cochon, — qui est corpulent et fainéant, — s'occupe tantôt à glaner les feuilles épaves qui sont tombées des choux, tantôt à ruer contre la montre dorée que ces petits polissons ont aussi attachée à la queue de ce personnage, dans le but de le faire aussi beau que le chat.

Juste devant la porte d'entrée, dans un fauteuil à grand dossier, à fond de cuir, aux pieds tors et grêles comme ceux des tables, est installé le vieux propriétaire de la maison lui-même. C'est un vieux petit monsieur excessivement bouffi, avec de gros yeux ronds et un vaste menton double. Sa tenue ressemble à celle des petits garçons, — et je n'ai pas besoin d'en dire davantage. Toute la différence est que sa pipe est quelque peu plus grosse que les leurs, et qu'il peut faire plus de fumée. Comme eux, il a une montre, mais il porte sa montre dans sa poche. Pour dire la vérité, il a quelque chose de plus important à faire qu'une montre à surveiller, — et, ce que c'est, je vais l'expliquer. Il est assis, la jambe droite sur le genou gauche, la physionomie grave, et tient toujours au moins un de ses yeux résolument braqué sur un certain objet fort intéressant au centre de la plaine.

Cet objet est situé dans le clocher de la Maison-de-Ville. Les membres du conseil sont tous hommes très-petits, très-ronds, très-adipeux, très-intelligents, avec des yeux gros comme des saucières et de vastes mentons doubles, et ils ont des habits beaucoup plus longs et des boucles de souliers beaucoup plus grosses que les vulgaires habitants de Vondervotteimittiss. Depuis que j'habite le bourg, ils ont tenu plusieurs séances extraordinaires, et ont adopté ces trois importantes décisions :

I

C'est un crime de changer le bon vieux train des choses.

II

Il n'existe rien de tolérable en dehors de Vondervotteimittiss.

III

Nous jurons fidélité éternelle à nos horloges et à nos choux.

Au-dessus de la chambre des séances est le clocher, et dans le clocher ou beffroi est et a été de temps immémorial l'orgueil et la merveille du village, — la grande horloge du bourg de Vondervotteimittiss. Et c'est là l'objet vers lequel sont tournés les yeux des vieux messieurs qui sont assis dans les fauteuils à fond de cuir.

La grande horloge a sept cadrans, — un sur chacun des sept pans du clocher, — de sorte qu'on peut l'apercevoir aisément de tous les quartiers. Les cadrans sont vastes et blancs, les aiguilles lourdes et noires. Au beffroi est attaché un homme dont l'unique fonction est d'en avoir soin; mais cette fonction est la plus parfaite des sinécures, — car, de mémoire d'homme, l'horloge de Vondervotteimittiss n'avait jamais réclamé son secours. Jusqu'à ces derniers jours, la simple supposition d'une pareille chose était considérée comme une hérésie. Depuis l'époque la plus ancienne dont fassent mention les archives, les heures avaient été régulièrement sonnées par la grosse cloche. Et, en vérité, il en était de même pour toutes les autres horloges et montres du bourg. Jamais il n'y eut pareil endroit pour bien marquer l'heure, et en mesure. Quand le gros battant jugeait le moment venu de dire : Midi! tous les obéissants serviteurs ouvraient simultanément leurs gosiers et répondaient comme un même écho. Bref, les bons bourgeois raffolaient de leur choucroute, mais ils étaient fiers de leurs horloges.

Tous les gens qui tiennent des sinécures sont tenus en plus ou moins grande vénération; et, comme l'homme du beffroi de Vondervotteimittiss a la plus parfaite des sinécures, il est le plus parfaitement respecté de tous les mortels. Il est le principal dignitaire du bourg, et les cochons eux-mêmes le considèrent avec un sentiment de révérence. La queue de son habit est *beaucoup* plus longue, — sa pipe, ses boucles de souliers, ses yeux et son estomac sont *beaucoup* plus gros que ceux d'aucun autre vieux monsieur du village; et, quant à son menton, il n'est pas seulement double, il est triple.

J'ai peint l'état heureux de Vondervotteimittiss;

hélas! quelle grande pitié qu'un si ravissant tableau fût condamné à subir un jour un cruel changement!

C'est depuis bien longtemps, un dicton accrédité parmi les plus sages habitants, que *rien de bon ne peut venir d'au-delà des collines*, et vraiment il faut croire que ces mots contenaient en eux quelque chose de prophétique. Il était midi moins cinq, — avant-hier, — quand apparut un objet d'un aspect bizarre au sommet de la crête, — du côté de l'est. Un tel événement devait attirer l'attention universelle, et chaque vieux petit monsieur assis dans son fauteuil à fond de cuir tourna l'un de ses yeux, avec l'ébahissement de l'effroi, sur le phénomène, gardant toujours l'autre œil fixé sur l'horloge du clocher.

Il était midi moins trois minutes, quand on s'aperçut que le singulier objet en question était un jeune homme tout petit, et qui avait l'air étranger. Il descendait la colline avec une très-grande rapidité, de sorte que chacun put bientôt le voir tout à son aise. C'était bien le plus précieux petit personnage qui se fût jamais fait voir dans Vondervotteimittiss. Il avait la face d'un noir de tabac, un long nez crochu, des yeux comme des pois, une grande bouche et une magnifique rangée de dents qu'il semblait jaloux de montrer en ricanant d'une oreille à l'autre. Ajoutez à cela des favoris et des moustaches, il n'y avait, je crois, plus rien à voir de sa figure. Il avait la tête nue, et sa chevelure avait été soigneusement arrangée avec des papillotes. Sa toilette se composait d'un habit noir collant terminé en queue d'hirondelle, laissant pendiller par l'une de ses poches un long bout de mouchoir blanc, — de culottes de casimir noir, de bas noirs, et d'escarpins qui ressemblaient à des moitiés de souliers, avec d'énormes bouffettes de ruban de satin noir pour cordons. Sous l'un de ses bras, il portait un vaste claque, et sous l'autre, un violon presque cinq fois gros comme lui. Dans sa main gauche était une tabatière en or, où il puisait incessamment du tabac de l'air le plus glorieux du monde, pendant qu'il cabriolait en descendant la colline, et dessinait toutes sortes de pas fantastiques. Bonté divine! — c'était là un spectacle pour les honnêtes bourgeois de Vondervotteimittiss!

Pour parler nettement, le gredin avait, en dépit de son ricanement, un audacieux et sinistre caractère dans la physionomie; et, pendant qu'il galopait tout droit vers le village, l'aspect bizarrement tronqué de ses escarpins suffit pour éveiller maints soupçons; et plus d'un bourgeois qui le contempla ce jour-là aurait donné quelque chose pour jeter un coup d'œil sous le mouchoir de batiste blanche qui pendait d'une façon si irritante de la poche de son habit à queue d'hirondelle. Mais ce qui occasionna principalement une juste indignation fut que ce misérable freluquet, tout en brodant tantôt un fandango, tantôt une pirouette, n'était nullement *réglé* dans sa danse, et ne possédait pas la plus vague notion de ce qu'on appelle aller en mesure[1].

Cependant, le bon peuple du bourg n'avait pas en-

1. La même expression signifie *être à l'heure* et *aller en mesure*. Il n'y a donc qu'un mot, et ce mot explique l'indignation de Vondervotteimittiss, — pays où l'on est toujours à l'heure. (C. B.)

core eu le temps d'ouvrir ses yeux tout grands, quand, juste une demi-minute avant midi, le gueux s'élança, comme je vous le dis, droit au milieu de ces braves gens, fit ici un chassé, là un balancé; puis, après une pirouette et un pas de zéphyr, partit comme à pigeon-vole vers le beffroi de la Maison-de-Ville, où le gardien de l'horloge stupéfait fumait dans une attitude de dignité et d'effroi. Mais le petit garnement l'empoigna tout d'abord par le nez, le lui secoua et le lui tira, lui flanqua son gros claque sur la tête, le lui enfonça par-dessus les yeux et la bouche; puis, levant son gros violon, le battit avec, si longtemps et si vigoureusement que, — vu que le gardien était si ballonné, et le violon si vaste et si creux, — vous auriez juré que tout un régiment de grosses caisses battait le rantanplan du diable dans le beffroi du clocher de Vondervot-teimittiss.

On ne sait pas à quel acte désespéré de vengeance cette attaque révoltante aurait pu pousser les habitants, n'était ce fait très-important qu'il manquait une demi-seconde pour qu'il fût midi. La cloche allait sonner, et c'était une affaire d'absolue et supérieure nécessité que chacun eût l'œil à sa montre. Il était évident toutefois que, juste en ce moment, le gaillard fourré dans le clocher en avait à la cloche, et se mêlait de ce qui ne le regardait pas. Mais, comme elle commençait à sonner, personne n'avait le temps de surveiller les manœuvres du traître, car chacun était tout oreilles pour compter les coups.

— Un! — dit la cloche.

— Hine! — répliqua chaque vieux petit monsieur

de Vondervotteimittiss dans chaque fauteuil à fond de cuir. — Hine! — dit sa montre; hine! — dit la montre de sa *phâme*, et — hine! — dirent les montres des garçons et les petits joujoux dorés pendus aux queues du chat et du cochon.

— Deux! — continua la grosse cloche; et

— Teusse! — répétèrent tous les échos mécaniques.

— Trois! quatre! cinq! six! sept! huit! neuf! dix! — dit la cloche.

— Droisse! gâdre! zingue! zisse! zedde! vitte! neff! tisse! — répondirent les autres.

— Onze! — dit la grosse.

— Honsse! — approuva tout le petit personnel de l'horlogerie inférieure.

— Douze! — dit la cloche.

— Tousse! — répondirent-ils, tous parfaitement édifiés et laissant tomber leurs voix en cadence.

— Et il aître miti, tonc! — dirent tous les vieux petits messieurs, rempochant leurs montres. Mais la grosse cloche n'en avait pas encore fini avec eux.

— Treize! — dit-elle.

— Tarteifle, — anhélèrent tous les vieux petits messieurs, devenant pâles et laissant tomber leurs pipes de leurs bouches et leurs jambes droites de dessus leurs genoux gauches.

— Tarteifle! — gémirent-ils. — Draisse! — draisse! — Mein Gott, il aître draisse heires!!!

Dois-je essayer de décrire la terrible scène qui s'ensuivit? Tout Vondervotteimittiss éclata d'un seul coup en un lamentable tumulte.

— Qu'arrife-d-il tonc à mon phandre? — glapirent

tous les petits garçons, — ch'ai vaim tébouis hine heire.

— Qu'arrife-d-il tonc à mes joux? — crièrent toutes les *phâmes;* — ils toiffent aître en pouillie tébouis hine heire!

— Qu'arrife-d-il tonc à mon bibe? — jurèrent tous les vieux petits messieurs, — donnerre et églairs! il toit aître édeint tébouis hine heire!

Et ils rebourrèrent leurs pipes en grande rage, et, s'enfonçant dans leurs fauteuils, ils soufflèrent si vite et si férocement, que toute la vallée fut immédiatement encombrée d'un impénétrable nuage.

Cependant, les choux tournaient tous au rouge pourpre, et il semblait que le vieux Diable lui-même avait pris possession de tout ce qui avait forme d'horloge. Les pendules sculptées sur les meubles se prenaient à danser comme si elles étaient ensorcelées, pendant que celles qui étaient sur les cheminées pouvaient à peine se contenir dans leur fureur, et s'acharnaient dans une si opiniâtre sonnerie de « Draisse! — Draisse! — Draisse! » — et dans un tel trémoussement et remuement de leurs balanciers, que c'était réellement épouvantable à voir. — Mais, — pire que tout, — les chats et les cochons ne pouvaient plus endurer l'inconduite des petites montres à répétition attachées à leurs queues, et ils le faisaient bien voir en détalant tous vers la place, — égratignant et farfouillant, — criant et hurlant, — affreux sabbat de miaulements et de grognements! — et s'élançant à la figure des gens, et se fourrant sous les cotillons, et créant le plus épouvantable charivari et la plus hideuse confusion qu'il soit possible à une personne raisonnable d'imaginer. Et le misérable petit vaurien installé dans le clocher faisait évidemment tout son possible pour rendre les choses encore plus navrantes. On a pu de temps à autre apercevoir le scélérat à travers la fumée. Il était toujours là, dans le beffroi, assis sur l'homme du beffroi, qui gisait à plat sur le dos. Dans ses dents, l'infâme tenait la corde de la cloche, qu'il secouait incessamment, de droite et de gauche avec sa tête, faisant un tel vacarme que mes oreilles en tintent encore, rien que d'y penser. Sur ses genoux reposait l'énorme violon qu'il raclait sans accord ni mesure, avec les deux mains, faisant affreusement semblant — l'infâme paillasse! — de jouer l'air de Judy O'Flannagan et Paddy O'Rafferty!

Les affaires étant dans ce misérable état, de dégoût je quittai la place, et maintenant je fais un appel à tous les amants de l'heure exacte et de la fine choucroute. Marchons en masse sur le bourg, et restaurons l'ancien ordre de choses à Vondervotteimittiss en précipitant ce petit drôle du clocher.

LIONNERIE

Tout le populaire se dressa
Sur ses dix doigts de pied dans un étrange ébahissement.

L'ÉVÊQUE HALL. — *Satires.*

JE SUIS, — c'est-à-dire j'*étais* un grand homme; mais je ne suis ni l'auteur du *Junius*, ni l'homme au masque de fer; car mon nom est, je crois, Robert Jones, et je suis né quelque part dans la cité de Fum-Fudge.

La première action de ma vie fut d'empoigner mon nez à deux mains. Ma mère vit cela et m'appela un génie; — mon père pleura de joie et me fit cadeau d'un traité de nosologie. Je le possédais à fond avant de porter des culottes.

Je commençai dès lors à pressentir ma voie dans la science, et je compris bientôt que tout homme, pourvu qu'il ait un nez suffisamment marquant, peut, en se laissant conduire par lui, arriver à la dignité de Lion. Mais mon attention ne se confina pas dans les pures théories. Chaque matin, je tirais deux fois ma trompe, et j'avalais une demi-douzaine de petits verres.

Quand je fus arrivé à ma majorité, mon père me demanda un jour si je voulais le suivre dans son cabinet.

— Mon fils, — dit-il quand nous fûmes assis, — quel est le but principal de votre existence?

— Mon père, — répondis-je, — c'est l'étude de la nosologie.

— Et qu'est-ce que la nosologie, Robert?

— Monsieur, — dis-je, — c'est la science des nez[1].

— Et pouvez-vous me dire, — demanda-t-il, — quel est le sens du mot *nez?*

— Un nez, mon père, — répliquai-je en baissant le ton, — a été défini diversement par un millier d'auteurs. (Ici, je tirai ma montre.) Il est maintenant midi, ou peu s'en faut, — nous avons donc le temps, d'ici à minuit, de les passer tous en revue. Je commence donc : — Le nez, suivant Bartholinus, est cette protubérance, — cette bosse, — cette excroissance, — cette...

— Cela va bien, Robert, — interrompit le bon vieux gentleman. — Je suis foudroyé par l'immensité de vos connaissances, — positivement je le suis, — oui, sur mon âme! (Ici, il ferma les yeux et posa la main sur son cœur.) Approchez! (Puis il me prit par le bras.) Votre éducation peut être considérée maintenant comme achevée — il est grandement temps que vous vous poussiez dans le monde, — et vous n'avez rien de mieux à faire que de suivre simplement votre nez. — Ainsi — ainsi... (alors, il me conduisit à coups de pied tout le long des escaliers jusqu'à la

---

1. *Nose*, nez, — *Naseaulogie*, nosologie. (C.B.)

porte), ainsi sortez de chez moi, et que Dieu vous assiste !

Comme je sentais en moi l'*afflatus* divin, je considérai cet accident presque comme un bonheur. Je jugeai que l'avis paternel était bon. Je résolus de suivre mon nez. Je le tirai tout d'abord deux ou trois fois, et j'écrivis incontinent une brochure sur la nosologie.

Tout Fum-Fudge fut sens dessus dessous.

— Étonnant génie ! — dit le *Quarterly*.

— Admirable physiologiste ! — dit le *Westminster*.

— Habile gaillard ! — dit le *Foreign*.

— Bel écrivain ! — dit l'*Edinburgh*.

— Profond penseur ! — dit le *Dublin*.

— Grand homme ! — dit *Bentley*.

— Ame divine ! — dit *Fraser*.

— Un des nôtres ! — dit *Blackwood*.

— Qui peut-il être ? — dit mistress Bas-Bleu.

— Que peut-il être ? — dit la grosse miss Bas-Bleu.

— Où peut-il être ? — dit la petite miss Bas-Bleu.

Mais je n'accordai aucune attention à toute cette populace, — j'allai tout droit à l'atelier d'un artiste.

La duchesse de Dieu-me-Bénisse posait pour son portrait ; le marquis de Tel-et-Tel tenait le caniche de la duchesse ; le comte de Choses-et-d'Autres jouait avec le flacon de sels de la dame et Son Altesse Royale de *Noli-me-Tangere* se penchait sur le dos de son fauteuil.

Je m'approchai de l'artiste, et je dressai mon nez.

— Oh ! très-beau ! — soupira Sa Grâce.

— Oh ! au secours ! — bégaya le marquis.

— Oh ! choquant ! — murmura le comte.

— Oh ! abominable ! — grogna Son Altesse Royale.

— Combien en voulez-vous? — demanda l'artiste.

— De son *nez?* — s'écria Sa Grâce.

— Mille livres, — dis-je, en m'asseyant.

— Mille livres? — demanda l'artiste, d'un air rêveur.

— Mille livres, — dis-je.

— C'est très-beau! — dit-il, en extase.

— C'est mille livres, — dis-je.

— Le garantissez-vous? — demanda-t-il, en tournant le nez vers le jour.

— Je le garantis, — dis-je en le mouchant vigoureusement.

— Est-ce bien un original? — demanda-t-il, en le touchant avec respect.

— Hein? — dis-je, en le tortillant de côté.

— Il n'en a pas été fait de copie? — demanda-t-il, en l'étudiant au microscope.

— Jamais! — dis-je, en le redressant.

— Admirable! — s'écria-t-il tout étourdi par la beauté de la manœuvre.

— Mille livres, — dis-je.

— *Mille* livres? — dit-il.

— Précisément, — dis-je.

— Mille *livres?* — dit-il.

— Juste, — dis-je.

— Vous les aurez, — dit-il; — quel morceau capital!

Il me fit immédiatement un billet, et prit un croquis de mon nez. Je louai un appartement dans *Jermyn street*, et j'adressai à Sa Majesté la quatre-vingt-dix-neuvième édition de ma *Nosologie*, avec un portrait de la trompe.

Le prince de Galles, ce mauvais petit libertin, m'invita à dîner.

Nous étions tous Lions et gens du meilleur ton.

Il y avait là un néoplatonicien. Il cita Porphyre, Jamblique, Plotin, Proclus, Hiéroclès, Maxime de Tyr, et Syrianus.

Il y avait un professeur de perfectibilité humaine. Il cita Turgot, Price, Priestley, Condorcet, de Staël, et l'*Ambitious Student in Ill Health*.

Il y avait sir Positif Paradoxe. Il remarqua que tous les fous étaient philosophes, et que tous les philosophes étaient fous.

Il y avait Æsthéticus Ethix. Il parla de feu, d'unité et d'atomes; d'âme double et préexistante; d'affinité et d'antipathie; d'intelligence primitive et d'homœomérie.

Il y avait Théologos Théologie. Il bavarda sur Eusèbe et Arius; sur l'hérésie et le Concile de Nicée; sur le Puseyisme et le Consubstantialisme; sur Homoousios et Homoiousios.

Il y avait Fricassée, du Rocher de Cancale. Il parla de langue *à l'écarlate*, de choux-fleurs à la sauce *veloutée*, de veau à la Sainte-Menehould, de marinade à la Saint-Florentin, et de gelées d'orange *en mosaïque*.

Il y avait Bibulus O'Bumper. Il dit son mot sur le latour et le markbrünnen, sur le champagne mousseux et le chambertin, sur le richebourg et le saint-georges, sur le haut-brion, le léoville et le médoc, sur le barsac et le preignac, sur le grave, sur le sauterne, sur le laffite et sur le saint-péray. Il hocha la tête à l'en-

droit du clos-vougeot, et se vanta de distinguer, les
yeux fermés, le xérès de l'amontillado.

Il y avait il signor Tintotintino de Florence. Il
expliqua Cimabuë, Arpino, Tintontintino, Carpac-
cio et Agostino; il parla des ténèbres du Caravage,
de la suavité de l'Albane, du coloris du Titien, des
vastes commères de Rubens et des polissonneries de
Jean Steen.

Il y avait le recteur de l'Université de Fum-Fudge.
Il émit cette opinion, que la lune s'appelait Bendis en
Thrace, Bubastis en Égypte, Diane à Rome, et Artémis
en Grèce.

Il y avait un Grand Turc de Stamboul. Il ne pouvait
s'empêcher de croire que les anges étaient des chevaux,
des coqs et des taureaux; qu'il existait dans le sixième
ciel quelqu'un qui avait soixante et dix mille têtes, et
que la terre était supportée par une vache bleu de ciel
ornée d'un nombre incalculable de cornes vertes.

Il y avait Delphinus Polyglotte. Il nous dit ce
qu'étaient devenus les quatre-vingt-trois tragédies
perdues d'Eschyle, les cinquante-quatre oraisons
d'Isæus, les trois cent quatre-vingt-onze discours de
Lysias, les cent quatre-vingts traités de Théophraste,
le huitième livre des sections coniques d'Apollonius,
les hymnes et dithyrambes de Pindare et les quarante-
cinq tragédies d'Homère le Jeune.

Il y avait Ferdinand Fitz-Fossillus Feldspar. Il
nous renseigna sur les feux souterrains et les couches
tertiaires; sur les aériformes, les fluidiformes et les
solidiformes; sur le quartz et la marne; sur le schiste
et le schorl; sur le gypse et le trapp; sur le talc et le

calcaire; sur la blende et la horn-blende; sur le micas-
chiste et le poudingue; sur le cyanite et le lépidolithe;
sur l'hæmatite et la trémolite; sur l'antimoine et la cal-
cédoine, sur le manganèse et sur tout ce qu'il vous plaira.

Il y avait MOI. Je parlai de moi, — de moi, de moi, et
de moi; — de nosologie, de ma brochure et de moi.
Je dressai mon nez, et je parlai de moi.

— Heureux homme! homme miraculeux! — dit
le Prince.

— Superbe! — dirent les convives; et, le matin qui
suivit, Sa Grâce de Dieu-me-Bénisse me fit une visite.

— Viendrez-vous à Almack, mignonne créature?
— dit-elle, en me donnant une petite tape sous le
menton.

— Oui, sur mon honneur! — dis-je.

— Avec tout votre nez, sans exception? — deman-
da-t-elle.

— Aussi vrai que je vis, — répliquai-je.

— Voici donc une carte d'invitation, bel ange.
Dirai-je que vous viendrez?

— Chère duchesse, de tout mon cœur!

— Qui vous parle de votre cœur! — mais avec votre
nez, avec tout votre nez, n'est-ce pas?

— Pas un brin de moins, mon amour, — dis-je. —
Je le tortillai donc une ou deux fois, et je me rendis
à Almack.

Les salons étaient pleins à étouffer.

— Il arrive! — dit quelqu'un sur l'escalier.

— Il arrive! — dit un autre un peu plus haut.

— Il arrive! — dit un autre encore un peu plus
haut.

— Il est arrivé! — s'écria la duchesse; — il est arrivé, le petit amour! — Et, s'emparant fortement de moi avec ses deux mains, elle me baisa trois fois sur le nez.

Une sensation marquée parcourut immédiatement l'assemblée.

— *Diavolo!* — cria le comte de Capricornutti.

— *Dios guarda!* — murmura don Stiletto.

— *Mille tonnerres!* — jura le prince de Grenouille.

— *Mille tiaples!* — grogna l'électeur de Bluddennuff.

Cela ne pouvait pas passer ainsi. Je me fâchai. Je me tournai brusquement vers Bluddennuff.

— Monsieur! — lui dis-je, — vous êtes un babouin.

— Monsieur! — répliqua-t-il après une pause, — *Donnerre et églairs!*

Je n'en demandais pas davantage. Nous échangeâmes nos cartes. A Chalk-Farm, le lendemain matin, je lui abattis le nez, — et puis je me présentai chez mes amis.

— Bête! — dit le premier.

— Sot! — dit le second.

— Butor! — dit le troisième.

— Ane! — dit le quatrième.

— Benêt! — dit le cinquième.

— Nigaud! — dit le sixième.

— Sortez! — dit le septième.

Je me sentis très-mortifié de tout cela, et j'allai voir mon père.

— Mon père, — lui demandai-je, — quel est le but principal de mon existence?

— Mon fils, — répliqua-t-il, — c'est toujours l'étude de la nosologie; mais, en frappant l'électeur au nez, vous avez dépassé votre but. Vous avez un fort beau nez, c'est vrai; mais Bluddennuff n'en a plus. Vous êtes sifflé, et il est devenu le héros du jour. Je vous accorde que, dans Fum-Fudge, la grandeur d'un lion est proportionnée à la dimension de sa trompe; — mais, bonté divine! il n'y a pas de rivalité possible avec un lion qui n'en a pas du tout.

QUATRE BÊTES EN UNE
L'HOMME-CAMÉLÉOPARD

> Chacun a ses vertus.
> CRÉBILLON. — *Xerxès*.

ANTIOCHUS Epiphanes est généralement considéré comme le Gog du prophète Ezéchiel. Cet honneur toutefois revient plus naturellement à Cambyse, le fils de Cyrus. Et, d'ailleurs, le caractère du monarque syrien n'a vraiment aucun besoin d'enjolivures supplémentaires. Son avènement au trône, ou plutôt son usurpation de la souveraineté, cent soixante et onze ans avant la venue du Christ; sa tentative pour piller le temple de Diane à Ephèse; son implacable inimitié contre les Juifs; la violation du saint des saints, et sa mort misérable à Taba, après un règne tumultueux de onze ans, sont des circonstances d'une nature saillante, et qui ont dû généralement attirer l'attention des historiens de son temps, plus que les impies, lâches, cruels, absurdes et fantasques exploits qu'il faut ajouter pour faire le total de sa vie privée et de sa réputation.

. . . .

Supposons, gracieux lecteur, que nous sommes en l'an du monde trois mil huit cent trente, et, pour quelques minutes, transportés dans le plus fantastique des habitacles humains, dans la remarquable cité d'Antioche. Il est certain qu'il y avait en Syrie et dans d'autres contrées seize villes de ce nom, sans compter celle dont nous avons spécialement à nous occuper. Mais *la nôtre* est celle qu'on appelait Antiochia Epidaphné, à cause qu'elle était tout proche du petit village de Daphné, où s'élevait un temple consacré à cette divinité. Elle fut bâtie (bien que la chose soit controversée) par Séleucus Nicator, le premier roi du pays après Alexandre le Grand, en mémoire de son père Antiochus, et devint immédiatement la capitale de la monarchie syrienne. Dans les temps prospères de l'empire romain, elle était la résidence ordinaire du préfet des provinces orientales; et plusieurs empereurs de la cité reine (parmi lesquels peuvent être mentionnés spécialement Vérus et Valens), y passèrent la plus grande partie de leur vie. Mais je m'aperçois que nous sommes arrivés à la ville. Montons sur cette plate-forme et jetons nos yeux sur la ville et le pays circonvoisin.

— Quelle est cette large et rapide rivière qui se fraye un passage accidenté d'innombrables cascades à travers le chaos des montagnes, et enfin à travers le chaos des constructions?

— C'est l'Oronte, et c'est la seule eau qu'on aperçoive, à l'exception de la Méditerranée, qui s'étend comme un vaste miroir jusqu'à douze milles environ vers le sud. Tout le monde a vu la Méditer-

ranée; mais, permettez-moi de vous le dire, très-peu
de gens ont joui du coup d'œil d'Antioche; — très-
peu de ceux-là, veux-je dire, qui, comme vous et
moi, ont eu en même temps le bénéfice d'une éducation moderne. Ainsi laissez là la mer, et portez toute
votre attention sur cette masse de maisons qui s'étend
à nos pieds. Vous vous rappellerez que nous sommes
en l'an du monde trois mil huit cent trente. Si c'était
plus tard, — si c'était, par exemple, en l'an de Notre-
Seigneur mil huit cent quarante-cinq, nous serions
privés de cet extraordinaire spectacle. Au dix-neuvième
siècle, Antioche est — c'est-à-dire Antioche *sera* dans
un lamentable état de délabrement. D'ici là, Antioche
aura été complètement détruite à trois époques différentes par trois tremblements de terre successifs. A
vrai dire, le peu qui restera de sa première condition
se trouvera dans un tel état de désolation et de ruine,
que le patriarche aura transporté alors sa résidence,
à Damas. C'est bien. Je vois que vous suivez mon conseil, et que vous mettez votre temps à profit pour
inspecter les lieux, pour

> ..... rassasier vos yeux
> Des souvenirs et des objets fameux
> Qui font la grande gloire de cette cité.

Je vous demande pardon; j'avais oublié que
Shakespeare ne fleurira pas avant dix-sept cent cinquante ans. Mais l'aspect d'Epidaphné ne justifie-t-il
pas cette épithète de *fantastique* que je lui ai donnée?

— Elle est bien fortifiée; à cet égard, elle doit
autant à la nature qu'à l'art.

— Très-juste.

— Il y a une quantité prodigieuse d'imposants palais.

— En effet.

— Et les temples nombreux, somptueux, magnifiques, peuvent soutenir la comparaison avec les plus célèbres de l'antiquité.

— Je dois reconnaître tout cela. Cependant, il y a une infinité de huttes de bousillage et d'abominables baraques. Il nous faut bien constater une merveilleuse abondance d'ordures dans tous les ruisseaux; et, n'était la toute-puissante fumée de l'encens idolâtre, à coup sûr nous trouverions une intolérable puanteur. Vîtes-vous jamais des rues si insupportablement étroites, ou des maisons si miraculeusement hautes? Quelle noirceur leurs ombres jettent sur le sol! Il est heureux que les lampes suspendues dans ces interminables colonnades restent allumées toute la journée; autrement, nous aurions ici les ténèbres de l'Égypte au temps de sa désolation.

— C'est certainement un étrange lieu! Que signifie ce singulier bâtiment, là-bas? Regardez! il domine tous les autres et s'étend au loin à l'est de celui que je crois être le palais du roi!

— C'est le nouveau temple du Soleil, qui est adoré en Syrie sous le nom d'Elah Gabalah. Plus tard, un très-fameux empereur romain instituera ce culte dans Rome et en tirera son surnom, Heliogabalus. J'ose vous affirmer que la vue de la divinité de ce temple vous plairait fort. Vous n'avez pas besoin de regarder au ciel; Sa majesté le Soleil n'est pas là, — du moins le Soleil adoré par les Syriens. Cette déité se trouve dans l'intérieur du bâtiment situé là-bas. Elle est adorée sous la forme d'un large pilier de pierre, dont le sommet se termine en un cône ou *pyramide*, par quoi est signifié le *pyr*, le Feu.

— Écoutez! — regardez! — Quels peuvent être ces ridicules êtres, à moitié nus, à faces peintes, qui s'adressent à la canaille avec force gestes et vociférations?

— Quelques-uns, en petit nombre, sont des saltimbanques; d'autres appartiennent plus particulièrement à la race des philosophes. La plupart, toutefois, — spécialement ceux qui travaillent la populace à coups de bâton, — sont les principaux courtisans du palais, qui exécutent, comme c'est leur devoir, quelque excellente drôlerie de l'invention du Roi.

— Mais voilà du nouveau! Ciel! la ville fourmille de bêtes féroces. Quel terrible spectacle! — quelle dangereuse singularité!

— Terrible, si vous voulez, mais pas le moins du monde dangereuse. Chaque animal, si vous voulez vous donner la peine d'observer, marche tranquillement derrière son maître. Quelques-uns, sans doute, sont menés avec une corde autour du cou, mais ce sont principalement les espèces plus petites ou plus timides. Le lion, le tigre et le léopard sont entièrement libres. Ils ont été formés à leur présente profession sans aucune difficulté, et suivent leurs propriétaires respectifs en manière de *valets de chambre*. Il est vrai qu'il y a des cas où la Nature revendique son empire usurpé; — mais un héraut d'armes dévoré, un taureau

sacré étranglé, sont des circonstances beaucoup trop
vulgaires pour faire sensation dans Epidaphné.

— Mais quel extraordinaire tumulte entends-je?
A coup sûr, voilà un grand bruit, même pour Antioche! Cela dénote quelque incident d'un intérêt
inusité.

— Oui, indubitablement. Le Roi a ordonné quelque
nouveau spectacle, — quelque exhibition de gladia-
teurs à l'Hippodrome, — ou peut-être le massacre
des prisonniers Scythes — ou l'incendie de son nouveau palais — ou la démolition de quelque temple
superbe, — ou bien, ma foi, un beau feu de joie de
quelques Juifs. Le vacarme augmente. Des éclats
d'hilarité montent vers le ciel. L'air est déchiré par
les instruments à vent et par la clameur d'un million
de gosiers. Descendons, pour l'amour de la joie, et
voyons ce qui se passe. Par ici, — prenez garde!
Nous sommes ici dans la rue principale, qu'on appelle
la rue de Timarchus. Cette mer de populace arrive de
ce côté, et il nous sera difficile de remonter le courant.
Elle se répand à travers l'avenue d'Héraclides, qui
part directement du palais; — ainsi, le Roi fait très
probablement partie de la bande. Oui, — j'entends les
cris du héraut qui proclame sa venue dans la pompeuse phraséologie de l'Orient. Nous aurons le coup
d'œil de sa personne quand il passera devant le temple
d'Ashimah. Mettons-nous à l'abri dans le vestibule du
sanctuaire; il sera ici tout à l'heure. Pendant ce temps-
là, considérons cette figure. Qu'est-ce? Oh! c'est le dieu
Ashimah en personne. Vous voyez bien que ce n'est
ni un agneau, ni un bouc, ni un satyre; il n'a guère

plus de ressemblance avec le Pan des Arcadiens. Et
cependant, tous ces caractères ont été, — pardon! —
seront attribués par les érudits des siècles futurs à
l'Ashimah des Syriens. Mettez vos lunettes, et dites-
moi ce que c'est. Qu'est-ce?

— Dieu me pardonne! c'est un singe!

— Oui, vraiment! — un babouin, — mais pas le
moins du monde une déité. Son nom est une dériva-
tion du grec *Simia;* — quels terribles sots que les anti-
quaires! Mais voyez là-bas courir ce petit polisson en
guenilles. Où va-t-il? que braille-t-il? que dit-il? Oh!
il dit que le Roi arrive en triomphe; qu'il est dans son
costume des grands jours; qu'il vient, à l'instant même,
de mettre à mort, de sa propre main, mille prisonniers
israélites enchaînés! Pour cet exploit, le petit misérable le porte aux nues! Attention! voici venir une
troupe de gens tous semblablement attifés. Ils ont fait
un hymne latin sur la vaillance du roi, et le chantent
en marchant :

Mille, mille, mille,
Mille, mille, mille
Decollavimus, unus homo!
Mille, mille, mille, mille decollavimus
Mille, mille, mille!
Vivat qui mille, mille occidit!
Tantum vini habet nemo
Quantum sanguinis effudit[1].

1. Flavius Vopiscus dit que l'hymne intercalé ici fut chanté
par la populace lors de la guerre des Sarmates, en l'honneur
d'Aurélien, qui avait tué de sa propre main neuf cent cinquante
hommes à l'ennemi.

Ce qui peut être ainsi paraphrasé :

Mille, mille, mille,
Mille, mille, mille,
Avec un seul guerrier, nous en avons égorgé mille !
Mille, mille, mille, mille,
Chantons mille à jamais !
Hurrah ! — Chantons
Longue vie à notre Roi,
Qui a abattu mille hommes si joliment !

Hurrah ! Crions à tue-tête
Qu'il nous a donné une plus copieuse
Vendange de sang
Que tout le vin que peut fournir la Syrie !

— Entendez-vous cette fanfare de trompettes ?

— Oui, — le Roi arrive ! voyez ! le peuple est pantelant d'admiration et lève les yeux au ciel dans son respectueux attendrissement ! Il arrive ! — il arrive ! — le voilà.

— Qui ? — où ? — le Roi ? — Je ne le vois pas ; — je vous jure que je ne l'aperçois pas.

— Il faut que vous soyez aveugle.

— C'est bien possible. Toujours est-il que je ne vois qu'une foule tumultueuse d'idiots et de fous qui s'empressent de se prosterner devant un gigantesque caméléopard, et qui s'évertuent à déposer un baiser sur le sabot de l'animal. Voyez ! la bête vient justement de cogner rudement quelqu'un de la populace, — ah ! encore un autre, — et un autre, — et un autre. En vérité, je ne puis m'empêcher d'admirer l'animal pour l'excellent usage qu'il fait de ses pieds.

Populace, en vérité! — mais ce sont les nobles et libres citoyens d'Épidaphné! *La bête*, avez-vous dit? prenez bien garde! si quelqu'un vous entendait! Ne voyez-vous pas que l'animal a une face d'homme? Mais, mon cher monsieur, ce caméléopard n'est autre qu'Antiochus Épiphanes, — Antiochus l'Illustre, Roi de Syrie, et le plus puissant de tous les autocrates de l'Orient! Il est vrai qu'on le décore quelquefois du nom d'Antiochus Épimanes, — Antiochus le Fou, — mais c'est à cause que tout le monde n'est pas capable d'apprécier ses mérites. Il est bien certain que, pour le moment, il est enfermé dans la peau d'une bête, et qu'il fait de son mieux pour jouer le rôle d'un caméléopard; mais c'est à dessein de mieux soutenir sa dignité comme Roi. D'ailleurs, le monarque est d'une stature gigantesque, et l'habit, conséquemment, ne lui va pas mal et n'est pas trop grand. Nous pouvons toutefois supposer que, n'était une circonstance solennelle, il ne s'en serait pas revêtu. Ainsi, voici un cas, — convenez-en — le massacre d'un millier de Juifs! Avec quelle prodigieuse dignité le monarque se promène sur ses quatre pattes! Sa queue, comme vous voyez, est tenue en l'air par ses deux principales concubines, Elliné et Argélaïs; et tout son extérieur serait excessivement prévenant, n'était la protubérance de ses yeux, qui lui sortiront certainement de la tête, et la couleur étrange de sa face, qui est devenue quelque chose d'innommable par suite de la quantité de vin qu'il a engloutie. Suivons-le à

l'Hippodrome, où il se dirige, et écoutons le chant de
triomphe qu'il commence à entonner lui-même :

> Qui est roi, si ce n'est Épiphanes?
> Dites, — le savez-vous?
> Qui est roi, si ce n'est Épiphanes?
> Bravo! — bravo!
> Il n'y a pas d'autre roi qu'Épiphanes,
> Non, — pas d'autre!
> Ainsi jetez à bas les temples
> Et éteignez le soleil!

Bien et bravement chanté! La populace le salue
Prince des Poëtes et *Gloire de l'Orient*, puis *Délices de
l'Univers*, enfin *le plus Etonnant des Caméléopards*. Ils lui
font *bisser* son chef-d'œuvre, et — entendez-vous? —
il le recommence. Quand il arrivera à l'Hippodrome, il
recevra la couronne poétique, comme avant-goût
de sa victoire aux prochains Jeux Olympiques.

— Mais, bon Jupiter! que se passe-t-il dans la
foule derrière nous?

— Derrière nous, avez-vous dit? — Oh! oh! — je
comprends. Mon ami, il est heureux, que vous ayez
parlé à temps. Mettons-nous en lieu sûr, et le plus
vite possible. Ici! — réfugions-nous sous l'arche de cet
aqueduc, et je vous expliquerai l'origine de cette
agitation. Cela a mal tourné, comme je l'avais pres-
senti. Le singulier aspect de ce caméléopard avec sa
tête d'homme a, il faut croire, choqué les idées de
logique et d'harmonie acceptées par les animaux
sauvages domestiqués dans la ville. Il en est résulté
une émeute; et, comme il arrive toujours en pareil
cas, tous les efforts humains pour réprimer le mouve-

ment seront impuissants. Quelques Syriens ont déjà
été dévorés; mais les patriotes à quatre pattes semblent être d'un accord unanime pour manger le
caméléopard. Le *Prince des Poëtes* s'est donc dressé
sur ses pattes de derrière, car il s'agit de sa vie. Ses
courtisans l'ont laissé en plan, et ses concubines ont
suivi un si excellent exemple. — *Délices de l'Univers*,
tu es dans une triste passe! *Gloire de l'Orient*, tu es en
danger d'être croqué! Ainsi, ne regarde pas si piteu-
sement ta queue; elle traînera indubitablement dans
la crotte; à cela il n'y a pas de remède. Ne regarde
donc pas derrière toi, et ne t'occupe pas de son inévitable déshonneur; mais prends courage, joue vigoureusement des jambes, et file vers l'Hippodrome!
Souviens-toi que tu es Antiochus Epiphanes, Antiochus l'Illustre! et aussi le *Prince des Poëtes*, la *Gloire de
l'Orient*, les *Délices de l'Univers* et *le plus Etonnant des
Caméléopards!* Juste ciel! quelle puissance de vélocité
tu déploies! La caution des jambes, la meilleure, tu la
possèdes, celle-là! Cours, Prince! — Bravo! Épiphanes! — Tu vas bien, Caméléopard! — Glorieux
Antiochus! Il court! — il bondit! — il vole! Comme
un trait détaché par une catapulte, il se rapproche de
l'Hippodrome! Il bondit! — il crie! — il y est! —
C'est heureux; car, ô *Gloire de l'Orient*, si tu avais mis
une demi-seconde de plus à atteindre les portes de
l'amphithéâtre, il n'y aurait pas eu dans Éphidaphné
un seul petit ours qui n'eût grignoté sur ta carcasse.
— Allons-nous-en, — partons, — car nos oreilles
modernes sont trop délicates pour supporter l'immense
vacarme qui va commencer en l'honneur de la déli-

vrance du Roi! — Écoutez! il a déjà commencé. — Voyez! — toute la ville est sens dessus dessous.

— Voilà certainement la plus pompeuse cité de l'Orient! Quel fourmillement de peuple! quel pêle-mêle de tous les rangs et de tous les âges! quelle multiplicité de sectes et de nations! quelle variété de costumes! quelle Babel de langues! quels cris de bêtes! quel tintamarre d'instruments! quel tas de philosophes!

— Venez, sauvons-nous!

— Encore un moment; je vois un vaste remue-ménage dans l'Hippodrome; dites-moi, je vous en supplie, ce que cela signifie!

— Cela? — oh! rien. Les nobles et libres citoyens d'Épidaphné étant, comme ils le déclarent, parfaitement satisfaits de la loyauté, de la bravoure, de la sagesse et de la divinité de leur Roi, et, de plus, ayant été témoins de sa récente agilité surhumaine, pensent qu'ils ne font que leur devoir en déposant sur son front (en surcroît du laurier poétique) une nouvelle couronne, prix de la course à pied, — couronne qu'il *faudra* bien qu'il obtienne aux fêtes de la prochaine Olympiade, et que naturellement ils lui décernent aujourd'hui par avance.

PETITE DISCUSSION
AVEC UNE MOMIE

LE *symposium* de la soirée précédente avait un peu fatigué mes nerfs. J'avais une déplorable migraine et je tombais de sommeil. Au lieu de passer la soirée dehors, comme j'en avais le dessein, il me vint donc à l'esprit que je n'avais rien de plus sage à faire que de souper d'une bouchée, et de me mettre immédiatement au lit.

Un léger souper, naturellement. J'adore les rôties au fromage. En manger plus d'une livre à la fois, cela peut n'être pas toujours raisonnable. Toutefois, il ne peut pas y avoir d'objection matérielle au chiffre deux. Et, en réalité, entre deux et trois, il n'y a que la différence d'une simple unité. Je m'aventurai peut-être jusqu'à quatre. Ma femme tient pour cinq; — mais évidemment elle a confondu deux choses bien distinctes. Le nombre abstrait cinq, je suis disposé à l'admettre; mais, au point de vue concret, il se rapporte aux bouteilles de *Brown Stout*, sans l'assaisonnement duquel la rôtie au fromage est une chose à éviter.

Ayant ainsi achevé un frugal repas, et mis mon bonnet de nuit avec la sereine espérance d'en jouir jusqu'au lendemain midi au moins, je plaçai ma tête sur l'oreiller, et grâce à une excellente conscience, je tombai immédiatement dans un profond sommeil.

Mais quand les espérances de l'homme furent-elles remplies? Je n'avais peut-être pas achevé mon troisième ronflement, quand une furieuse sonnerie retentit à la porte de la rue, et puis d'impatients coups de marteau me réveillèrent en sursaut. Une minute après, et comme je me frottais encore les yeux, ma femme me fourra sous le nez un billet de mon vieil ami le docteur Ponnonner. Il me disait :

« Venez me trouver et laissez tout, mon cher ami, aussitôt que vous aurez reçu ceci. Venez partager notre joie. A la fin, grâce à une opiniâtre diplomatie, j'ai arraché l'assentiment des directeurs du *City Museum* pour l'examen de ma momie, — vous savez de laquelle je veux parler. J'ai la permission de la démailloter, et même de l'ouvrir, si je le juge à propos. Quelques amis seulement, seront présents ; — vous en êtes, cela va sans dire. La momie est présentement chez moi, et nous commencerons à la dérouler à onze heures de la nuit.

» Tout à vous,

« PONNONNER. »

Avant d'arriver à la signature, je m'aperçus que j'étais aussi éveillé qu'un homme peut désirer de l'être. Je sautai de mon lit dans un état de délire, bousculant tout ce qui me tombait sous la main ;

je m'habillai avec une prestesse vraiment miraculeuse, et je me dirigeai de toute ma vitesse vers la maison du docteur.

Là, je trouvai réunie une société très-animée. On m'avait attendu avec beaucoup d'impatience; la momie était étendue sur la table à manger, et, au moment où j'entrai, l'examen était commencé.

Cette momie était une des deux qui furent rapportées, il y a quelques années, par le capitaine Arthur Sabretash, un cousin de Ponnonner. Il les avait prises dans une tombe près d'Eleithias, dans les montagnes de la Libye, à une distance considérable au-dessus de Thèbes sur le Nil. Sur ce point, les caveaux, quoique moins magnifiques que les sépultures de Thèbes, sont d'un plus haut intérêt, en ce qu'ils offrent de plus nombreuses *illustrations* de la vie privée des Égyptiens. La salle d'où avait été tiré notre échantillon passait pour très-riche en documents de cette nature; — les murs étaient complètement recouverts de peintures à fresque et de bas-reliefs; des statues, des vases et une mosaïque d'un dessin très-riche témoignaient de la puissante fortune des défunts.

Cette rareté avait été déposée au *Museum* exactement dans le même état où le capitaine Sabretash l'avait trouvée, c'est-à-dire qu'on avait laissé la bière intacte. Pendant huit ans, elle était restée ainsi exposée à la curiosité publique, quant à l'extérieur seulement. Nous avions donc la momie complète à notre disposition, et ceux qui savent combien il est rare de voir des antiquités arriver dans nos contrées sans être saccagées jugeront que nous avions de fortes raisons de nous féliciter de notre bonne fortune.

En approchant de la table, je vis une grande boîte, ou caisse, longue d'environ sept pieds, large de trois pieds peut-être, et d'une profondeur de deux pieds et demi. Elle était oblongue, — mais pas en forme de bière. Nous supposâmes d'abord que la matière était du bois de sycomore; mais en l'entamant nous reconnûmes que c'était du carton, ou plus proprement, une pâte dure faite de papyrus. Elle était grossièrement décorée de peintures représentant des scènes funèbres et divers sujets lugubres, parmi lesquels serpentait un semis de caractères hiéroglyphiques, disposés en tous sens, qui signifiaient évidemment le nom du défunt. Par bonheur, M. Gliddon était de la partie, et il nous traduisit sans peine les signes, qui étaient simplement phonétiques et composaient le mot *Allamistakeo*.

Nous eûmes quelque peine à ouvrir cette boîte sans l'endommager; mais, quand enfin nous y eûmes réussi, nous en trouvâmes une seconde, celle-ci en forme de bière, et d'une dimension beaucoup moins considérable que la caisse extérieure, mais lui ressemblant exactement sous tout autre rapport. L'intervalle entre les deux était comblé de résine, qui avait jusqu'à un certain point détérioré les couleurs de la boîte intérieure.

Après avoir ouvert celle-ci, — ce que nous fîmes très-aisément, — nous arrivâmes à une troisième, également en forme de bière, et ne différant en rien de la seconde, si ce n'est par la matière, qui était du cèdre et exhalait l'odeur fortement aromatique qui caractérise ce bois. Entre la seconde et la troisième caisse, il n'y avait pas d'intervalle, — celle-ci s'adaptant exactement à celle-là.

En défaisant la troisième caisse, nous découvrîmes enfin le corps, et nous l'enlevâmes. Nous nous attendions à le trouver enveloppé comme d'habitude de nombreux rubans, ou bandelettes de lin; mais, au lieu de cela, nous trouvâmes une espèce de gaine, faite de papyrus, et revêtue d'une couche de plâtre grossièrement peinte et dorée. Les peintures représentaient des sujets ayant trait aux divers devoirs supposés de l'âme et à sa présentation à différentes divinités, puis de nombreuses figures humaines identiques, — sans doute des portraits des personnes embaumées. De la tête aux pieds s'étendait une inscription columnaire, ou verticale, en *hiéroglyphes phonétiques*, donnant de nouveau le nom et les titres du défunt et les noms et les titres de ses parents.

Autour du cou, que nous débarrassâmes du fourreau, était un collier de grains de verre cylindriques, de couleurs différentes, et disposés de manière à figurer des images de divinités, l'image du Scarabée, et d'autres, avec le globe ailé. La taille, dans sa partie la plus mince, était cerclée d'un collier ou ceinture semblable.

Ayant enlevé le papyrus, nous trouvâmes les chairs parfaitement conservées, et sans aucune odeur sensible. La couleur était rougeâtre; la peau, ferme, lisse et brillante. Les dents et les cheveux paraissaient en bon état. Les yeux, à ce qu'il semblait, avaient été enlevés, et on leur avait substitué des yeux de verre, fort beaux et simulant merveilleusement la vie, sauf leur fixité un peu trop prononcée. Les doigts et les ongles étaient brillamment dorés.

De la couleur rougeâtre de l'épiderme, M. Gliddon inféra que l'embaumement avait été pratiqué uniquement par l'asphalte; mais, ayant gratté la surface avec un instrument d'acier et jeté dans le feu les grains de poudre ainsi obtenus, nous sentîmes se dégager un parfum de camphre et d'autres gommes aromatiques.

Nous visitâmes soigneusement le corps pour trouver les incisions habituelles par où on extrait les entrailles; mais, à notre grande surprise, nous n'en pûmes découvrir la trace. Aucune personne de la société ne savait alors qu'il n'est pas rare de trouver des momies entières et non incisées. Ordinairement, la cervelle se vidait par le nez; les intestins, par une incision dans le flanc; le corps était alors rasé, lavé et salé; on le laissait ainsi reposer quelques semaines, puis commençait, à proprement parler, l'opération de l'embaumement.

Comme on ne pouvait trouver aucune trace d'ouverture, le docteur Ponnonner préparait ses instruments de dissection, quand je fis remarquer qu'il était déjà deux heures passées. Là-dessus, on s'accorda à renvoyer l'examen interne à la nuit suivante; et nous étions au moment de nous séparer, quand quelqu'un lança l'idée d'une ou deux expériences avec la pile de Volta.

L'application de l'électricité à une momie vieille au moins de trois ou quatre mille ans était une idée, sinon très-sensée, du moins suffisamment originale, et nous la saisîmes au vol. Pour ce beau projet, dans lequel il entrait un dixième de sérieux et neuf bons dixièmes de plaisanterie, nous disposâmes une batterie dans le cabinet du docteur, et nous y transportâmes l'Égyptien.

Ce ne fut pas sans beaucoup de peine que nous réussîmes à mettre à nu une partie du muscle temporal, qui semblait être d'une rigidité moins marmoréenne que le reste du corps, mais qui naturellement, comme nous nous y attendions bien, ne donna aucun indice de susceptibilité galvanique quand on le mit en contact avec le fil. Ce premier essai nous parut décisif; et, tout en riant de bon cœur de notre propre absurdité, nous nous souhaitions réciproquement une bonne nuit, quand mes yeux, tombant par hasard sur ceux de la momie, y restèrent immédiatement cloués d'étonnement. De fait, le premier coup d'œil m'avait suffi pour m'assurer que les globes, que nous avions tous supposés être de verre, et qui primitivement se distinguaient par une certaine fixité singulière, étaient maintenant si bien recouverts par les paupières, qu'une petite portion de la *tunica albuginea* restait seule visible.

Je poussai un cri, et j'attirai l'attention sur ce fait, qui devint immédiatement évident pour tout le monde.

Je ne dirai pas que j'étais *alarmé* par le phénomène, parce que le mot alarmé, dans mon cas, ne serait pas précisément le mot propre. Il aurait pu se faire toutefois que, sans ma provision de *Brown Stout*, je

me sentisse légèrement ému. Quant aux autres personnes de la société, elles ne firent vraiment aucun
effort pour cacher leur naïve terreur. Le docteur
Ponnonner était un homme à faire pitié. M. Gliddon,
par je ne sais quel procédé particulier, s'était rendu
invisible. Je présume que M. Silk Buckingham n'aura
pas l'audace de nier qu'il ne se soit fourré à quatre
pattes sous la table.

Après le premier choc de l'étonnement, nous réso-
lûmes, cela va sans dire, de tenter tout de suite une
nouvelle expérience. Nos opérations furent alors
dirigées contre le gros orteil du pied droit. Nous fîmes
une incision au-dessus de la région de l'*os sesamoideum
pollicis pedis*, et nous arrivâmes ainsi à la naissance du
muscle *abductor*. Rajustant la batterie, nous appliquâmes de nouveau le fluide aux nerfs mis à nu, —
quand, avec un mouvement plus vif que la vie elle-
même, la momie retira son genou droit comme pour
le rapprocher le plus possible de l'abdomen, puis,
redressant le membre avec une force inconcevable,
allongea au docteur Ponnonner une ruade qui eut
pour effet de décocher ce gentleman, comme le
projectile d'une catapulte, et de l'envoyer dans la rue
à travers une fenêtre.

Nous nous précipitâmes en masse pour rapporter
les débris mutilés de l'infortuné; mais nous eûmes le
bonheur de le rencontrer sur l'escalier, remontant
avec une inconcevable diligence, bouillant de la
plus grande ardeur philosophique, et plus que jamais
frappé de la nécessité de poursuivre nos expériences
avec rigueur et avec zèle.

Ce fut donc d'après son conseil que nous fîmes sur-le-champ une incision profonde dans le bout du nez du sujet; et le docteur, y jetant des mains impétueuses, le fourra violemment en contact avec le fil métallique.

Moralement et physiquement, — métaphoriquement et littéralement, — l'effet fut *électrique*. D'abord le cadavre ouvrit les yeux et les cligna très-rapidement pendant quelques minutes, comme M. Barnes dans la pantomime; puis il éternua; en troisième lieu, il se dressa sur son séant; en quatrième lieu, il mit son poing sous le nez du docteur Ponnonner; enfin, se tournant vers MM. Gliddon et Buckingham, il leur adressa, dans l'égyptien le plus pur, le discours suivant :

— Je dois vous dire, gentlemen, que je suis aussi surpris que mortifié de votre conduite. Du docteur Ponnonner, je n'avais rien de mieux à attendre : c'est un pauvre petit gros sot qui ne sait rien de rien. J'ai pitié de lui et je lui pardonne. Mais vous, monsieur Gliddon, — et vous, Silk, qui avez voyagé et résidé en Égypte, à ce point qu'on pourrait croire que vous êtes né sur nos terres, — vous, dis-je, qui avez tant vécu parmi nous, que vous parlez l'égyptien aussi bien, je crois, que vous écrivez votre langue maternelle, — vous que je m'étais accoutumé à regarder comme le plus ferme ami des momies, — j'attendais de vous une conduite plus courtoise. Que dois-je penser de votre impassible neutralité quand je suis traité aussi brutalement? Que dois-je supposer, quand vous permettez à Pierre et à Paul de me dépouiller de mes bières et de mes vêtements sous cet affreux climat de glace ? A quel point de vue, pour en finir, dois-je considérer votre fait d'aider et d'encourager ce misérable petit drôle, ce docteur Ponnonner, à me tirer par le nez ?

On croira généralement, sans aucun doute, qu'en entendant un pareil discours, dans de telles circonstances, nous avons tous filé vers la porte, ou que nous sommes tombés dans de violentes attaques de nerfs, ou dans un évanouissement unanime. L'une de ces trois choses, dis-je, était probable. En vérité, chacune de ces trois lignes de conduite et toutes les trois étaient des plus légitimes. Et, sur ma parole, je ne puis comprendre comment il se fit que nous n'en suivîmes aucune. Mais, peut-être, la vraie raison doit-elle être cherchée dans l'esprit de ce siècle, qui procède entièrement par la loi des contraires, considérée aujourd'hui comme solution de toutes les antinomies et fusion de toutes les contradictions. Ou peut-être, après tout, était-ce seulement l'air excessivement naturel et familier de la momie qui enlevait à ses paroles toute puissance terrifique. Quoi qu'il en soit, les faits sont positifs, et pas un membre de la société ne trahit d'effroi bien caractérisé et ne parut croire qu'il ne se fût passé quelque chose de particulièrement irrégulier.

Pour ma part, j'étais convaincu que tout cela était fort naturel, et je me rangeai simplement de côté, hors de la portée du poing de l'Égyptien. Le docteur Ponnonner fourra ses mains dans les poches de sa culotte, regarda la momie d'un air bourru, et devint excessivement rouge. M. Gliddon caressait ses favoris et redressait le col de sa chemise. M. Buckingham baissa la tête et mit son pouce droit dans le coin gauche de sa bouche.

L'Égyptien le regarda avec une physionomie sévère pendant quelques minutes, et à la longue lui dit avec un ricanement :

— Pourquoi ne parlez-vous pas, monsieur Buckingham? Avez-vous entendu, oui ou non, ce que je vous ai demandé? Voulez-vous bien ôter votre pouce de votre bouche!

Là-dessus, M. Buckingham fit un léger soubresaut, ôta son pouce droit du coin gauche de sa bouche, et, en manière de compensation, inséra son pouce gauche dans le coin droit de l'ouverture susdite.

Ne pouvant pas tirer une réponse de M. Buckingham, la momie se tourna avec humeur vers M. Gliddon, et lui demanda d'un ton péremptoire d'expliquer en gros ce que nous voulions tous.

M. Gliddon répliqua tout au long, en phonétique; et, n'était l'absence de caractères *hiéroglyphiques* dans les imprimeries américaines, c'eût été pour moi un grand plaisir de transcrire intégralement et en langue originale son excellent speech.

Je saisirai cette occasion pour faire remarquer que toute la conversation subséquente à laquelle prit part la momie eut lieu en égyptien primitif, — MM. Gliddon et Buckingham servant d'interprètes pour moi et les autres personnes de la société qui n'avaient pas voyagé. Ces messieurs parlaient la langue maternelle de la momie avec une grâce et une abondance inimitables; mais je ne pouvais pas m'empêcher de remarquer que les deux voyageurs, — sans doute à cause de l'introduction d'images entièrement modernes, et naturellement, tout à fait nouvelles pour l'étranger, — étaient quelquefois réduits à employer des formes sensibles pour traduire à cet esprit d'un autre âge un sens particulier. Il y eut un moment, par exemple, où M. Gliddon, ne pouvant pas faire comprendre à l'Égyptien le mot : *la Politique*, s'avisa heureusement de dessiner sur le mur, avec un morceau de charbon, un petit monsieur au nez bourgeonné, aux coudes troussés, grimpé sur un piédestal, la jambe gauche tendue en arrière, le bras droit projeté en avant, le poing fermé, les yeux convulsés vers le ciel, et la bouche ouverte sous un angle de 90 degrés.

De même, M. Buckingham n'aurait jamais réussi à lui traduire l'idée absolument moderne de *Whig* (perruque), si, à une suggestion du docteur Ponnonner, il n'était devenu très-pâle et n'avait consenti à ôter la sienne.

Il était tout naturel que le discours de M. Gliddon roulât principalement sur les immenses bénéfices que la science pouvait tirer du démaillotement et du déboyautement des momies; moyen subtil de nous justifier de tous les dérangements que nous avions pu lui causer, à elle en particulier, momie nommée Allamistakeo; il conclut en insinuant — car ce ne fut qu'une insinuation — que, puisque toutes ces petites questions étaient maintenant éclaircies, on pouvait aussi bien procéder à l'examen projeté. Ici, le docteur Ponnonner apprêta ses instruments.

Relativement aux dernières suggestions de l'ora-

teur, il paraît qu'Allamistakeo avait certains scru-
pules de conscience, sur la nature desquels je n'ai pas
été clairement renseigné; mais il se montra satisfait
de notre justification et, descendant de la table, donna
à toute la compagnie des poignées de main à la ronde.

Quand cette cérémonie fut terminée, nous nous
occupâmes immédiatement de réparer les dommages
que le scalpel avait fait éprouver au sujet. Nous
recousîmes la blessure de sa tempe, nous bandâmes son
pied, et nous lui appliquâmes un pouce carré de
taffetas noir sur le bout du nez.

On remarqua alors que le comte — tel était, à ce
qu'il paraît, le titre d'Allamistakeo — éprouvait
quelques légers frissons, — à cause du climat, sans
aucun doute. Le docteur alla immédiatement à sa
garde-robe, et revint bientôt avec un habit noir,
de la meilleure coupe de Jennings, un pantalon de
tartan bleu de ciel à sous-pieds, une chemise rose
de guingamp, un gilet de brocart à revers, un pale-
tot-sac blanc, une canne à bec de corbin, un chapeau
sans bords, des bottes en cuir breveté, des gants de che-
vreau couleur paille, un lorgnon, une paire de favoris
et une cravate cascade. La différence de taille entre
le comte et le docteur — la proportion étant comme
deux à un — fut cause que nous eûmes quelque peu
de mal à ajuster ces habillements à la personne de
l'Égyptien; mais, quand tout fut arrangé, au moins
pouvait-il dire qu'il était bien mis. M. Gliddon lui
donna donc le bras et le conduisit vers un bon fauteuil, en face du feu; pendant ce temps-là, le docteur
sonnait et demandait le vin et les cigares.

La conversation s'anima bientôt. On exprima, cela va sans dire, une grande curiosité relativement au fait quelque peu singulier d'Allamistakeo resté vivant.

— J'aurais pensé, — dit M. Buckingham, — qu'il y avait déjà beau temps que vous étiez mort.

— Comment! — répliqua le comte très-étonné, je n'ai guère plus de sept cents ans! Mon père en a vécu mille, et il ne radotait pas le moins du monde quand il est mort.

Il s'ensuivit une série étourdissante de questions et de calculs par lesquels on découvrit que l'antiquité de la momie avait été très-grossièrement estimée. Il y avait cinq mille cinquante ans et quelques mois qu'elle avait été déposée dans les catacombes d'Eleithias.

— Mais ma remarque, — reprit M. Buckingham, — n'avait pas trait à votre âge à l'époque de votre ensevelissement (je ne demande pas mieux que d'accorder que vous êtes encore un jeune homme), et j'entendais parler de l'immensité de temps pendant lequel, d'après votre propre explication, vous êtes resté confit dans l'asphalte.

— Dans quoi? — dit le comte.

— Dans l'asphalte, — persista M. Buckingham.

— Ah! oui; j'ai comme une idée vague de ce que vous voulez dire; — en effet, cela pourrait réussir, — mais, de mon temps, nous n'employions guère autre chose que le bichlorure de mercure.

— Mais ce qu'il nous est particulièrement impossible de comprendre, — dit le docteur Ponnonner, —

c'est comment il se fait qu'étant mort et ayant été
enseveli en Égypte, il y a cinq mille ans, vous soyez
aujourd'hui parfaitement vivant, et avec un air de
santé admirable.

— Si à cette époque j'étais *mort*, comme vous dites
— répliqua le comte, — il est plus que probable que
mort je serais resté; car je m'aperçois que vous en êtes
encore à l'enfance du galvanisme, et que vous ne
pouvez pas accomplir par cet agent ce qui dans le
vieux temps était chez nous chose vulgaire. Mais le
fait est que j'étais tombé en catalepsie, et que mes
meilleurs amis jugèrent que j'étais mort, ou que je
devais être mort; c'est pourquoi ils m'embaumèrent
tout de suite. — Je présume que vous connaissez le
principe capital de l'embaumement?

— Mais pas le moins du monde.

— Ah! je conçois; — déplorable condition de
l'ignorance! Je ne puis donc pour le moment entrer
dans aucun détail à ce sujet; mais il est indispensable
que je vous explique qu'en Égypte embaumer, à
proprement parler, était suspendre indéfiniment
toutes les fonctions animales soumises au procédé.
Je me sers du terme *animal* dans son sens le plus large,
comme impliquant l'être moral et vital aussi bien que
l'être physique. Je répète que le premier principe de
l'embaumement consistait, chez nous, à arrêter
immédiatement et à tenir perpétuellement en suspens
toutes les fonctions animales soumises au procédé.
Enfin, pour être bref, dans quelque état que se trou-
vât l'individu à l'époque de l'embaumement, il
restait dans cet état. Maintenant, comme j'ai le

bonheur d'être du sang du Scarabée, je fus embaumé
vivant, tel que vous me voyez présentement.

— Le sang du Scarabée! — s'écria le docteur
Ponnonner.

— Oui. Le Scarabée était l'emblème, les armes
d'une famille patricienne très-distinguée et peu nombreuse. Être du sang du Scarabée, c'est simplement
être de la famille dont le Scarabée est l'emblème.
Je parle figurativement.

— Mais qu'a cela de commun avec le fait de
votre existence actuelle?

— Eh bien, c'était la coutume générale en Égypte,
avant d'embaumer un cadavre, de lui enlever les
intestins et la cervelle; la race des Scarabées seule
n'était pas sujette à cette coutume. Si donc je n'avais
pas été un Scarabée, j'eusse été privé de mes boyaux
et de ma cervelle, et sans ces deux viscères, vivre
n'est pas chose commode.

— Je comprends cela, — dit M. Buckingham,
— et je présume que toutes les momies qui nous par-
viennent *entières* sont de la race des Scarabées.

— Sans aucun doute.

— Je croyais, — dit M. Gliddon très timidement, —
que le Scarabée était un des Dieux Égyptiens.

— Un des *quoi* Égyptiens? — s'écria la momie,
sautant sur ses pieds.

— Un des Dieux, — répéta le voyageur.

— Monsieur Gliddon, je suis réellement étonné
de vous entendre parler de la sorte, — dit le comte en
se rasseyant. — Aucune nation sur la face de la terre
n'a jamais reconnu plus d'*un* Dieu. Le Scarabée,

l'Ibis, etc., étaient pour nous (ce que d'autres créatures ont été pour d'autres nations) les symboles, les intermédiaires par lesquels nous offrions le culte au Créateur, trop auguste pour être approché directement.

Ici, il se fit une pause. A la longue, l'entretien fut repris par le docteur Ponnonner.

— Il n'est donc pas improbable, d'après vos explications, — dit-il, — qu'il puisse exister, dans les catacombes qui sont près du Nil, d'autres momies de la race du Scarabée dans de semblables conditions de vitalité?

— Cela ne peut pas faire l'objet d'une question, — répliqua le comte; — tous les Scarabées qui par accident ont été embaumés vivants sont vivants. Quelques-uns même de ceux qui ont été ainsi embaumés *à dessein* peuvent avoir été oubliés par leurs exécuteurs testamentaires et sont encore dans leurs tombes.

— Seriez-vous assez bon, — dis-je, — pour expliquer ce que vous entendez par *embaumés ainsi à dessein?*

— Avec le plus grand plaisir, — répliqua la momie, après m'avoir considéré à loisir à travers son lorgnon; car c'était la première fois que je me hasardais à lui adresser directement une question.

— Avec le plus grand plaisir, — dit-elle. — La durée ordinaire de la vie humaine, de mon temps, était de huit cents ans environ. Peu d'hommes mouraient, sauf par suite d'accidents très-extraordinaires, avant l'âge de six cents; très-peu vivaient plus de

dix siècles; mais huit siècles étaient considérés comme
le terme naturel. Après la découverte du principe
de l'embaumement, tel que je vous l'ai expliqué,
il vint à l'esprit de nos philosophes qu'on pourrait
satisfaire une louable curiosité, et en même temps
servir considérablement les intérêts de la science, en
morcelant la durée moyenne et en vivant cette vie
naturelle par à-comptes. Relativement à la science histo-
rique, l'expérience a démontré qu'il y avait quelque
chose à faire dans ce sens, quelque chose d'indispensable. Un historien, par exemple, ayant atteint
l'âge de cinq cents ans, écrivait un livre avec le plus
grand soin; puis il se faisait soigneusement embaumer,
laissant commission à ses exécuteurs testamentaires
pro tempore de le ressusciter après un certain laps de
temps, — mettons cinq ou six cents ans. Rentrant
dans la vie à l'expiration de cette époque, il trouvait
invariablement son grand ouvrage converti en une
espèce de cahier de notes accumulées au hasard,
— c'est-à-dire en une sorte d'arène littéraire ouverte
aux conjectures contradictoires, aux énigmes et aux
chamailleries personnelles de toutes les bandes de
commentateurs exaspérés. Ces conjectures, ces énigmes qui passaient sous le nom d'annotations ou corrections, avaient si complètement enveloppé, torturé, écrasé le texte, que l'auteur était réduit à
fureter partout dans ce fouillis avec une lanterne
pour découvrir son propre livre. Mais, une fois
retrouvé, ce pauvre livre ne valait jamais les peines
que l'auteur avait prises pour le ravoir. Après l'avoir
récrit d'un bout à l'autre, il restait encore une besogne

pour l'historien, un devoir impérieux : c'était de corriger, d'après sa science et son expérience personnelles, les traditions du jour concernant l'époque dans laquelle il avait primitivement vécu. Or, ce procédé de recomposition et de rectification personnelle, poursuivi de temps à autre par différents sages, avait pour résultat d'empêcher notre histoire de dégénérer en une pure fable.

— Je vous demande pardon, — dit alors le docteur Ponnonner, — posant doucement sa main sur le bras de l'Égyptien, je vous demande pardon, monsieur, mais puis-je me permettre de vous interrompre pour un moment?

— Parfaitement, *monsieur*, — répliqua le comte en s'écartant un peu.

— Je désirais simplement vous faire une question, — dit le docteur. — Vous avez parlé de corrections personnelles de l'auteur relativement aux traditions qui concernaient son époque. En moyenne, monsieur, je vous prie, dans quelle proportion la vérité se trouvait-elle généralement mêlée à ce grimoire?

— On trouva généralement que ce grimoire — pour me servir de votre excellente définition, monsieur, — était exactement au pair avec les faits rapportés dans l'histoire elle-même non récrite, — c'est-à-dire qu'on ne vit jamais dans aucune circonstance un simple iota de l'un ou de l'autre qui ne fût absolument et radicalement faux.

— Mais, puisqu'il est parfaitement clair, — reprit le docteur, que cinq mille ans au moins se sont écoulés depuis votre enterrement, je tiens pour sûr que vos annales à cette époque, sinon vos traditions, étaient suffisamment explicites sur un sujet d'un intérêt universel, la Création, qui eut lieu, comme vous le savez sans doute, seulement dix siècles auparavant, ou peu s'en faut.

— Monsieur! — fit le comte Allamistakeo.

Le docteur répéta son observation, mais ce ne fut qu'après mainte explication additionnelle qu'il parvint à se faire comprendre de l'étranger. A la fin, celui-ci dit, non sans hésitation :

— Les idées que vous soulevez sont, je le confesse, entièrement nouvelles pour moi. De mon temps, je n'ai jamais connu personne qui eût été frappé d'une si singulière idée, que l'univers (ou ce monde, si vous l'aimez mieux) pouvait avoir eu un commencement. Je me rappelle qu'une fois, mais rien qu'une fois, un homme de grande science me parla d'une tradition vague concernant la race humaine; et cet homme se servait comme vous du mot *Adam*, ou *terre rouge*. Mais il l'employait dans un sens générique, comme ayant trait à la germination spontanée par le limon, — juste comme un millier d'animalcules, — à la germination spontanée, dis-je, de cinq vastes hordes d'hommes, poussant simultanément dans cinq parties distinctes du globe presque égales entre elles.

Ici, la société haussa généralement les épaules, et une ou deux personnes se touchèrent le front avec un air très-significatif. M. Silk Buckingham, jetant un léger coup d'œil d'abord sur l'occiput, puis sur le sinciput d'Allamistakeo, prit ainsi la parole :

— La longévité humaine dans votre temps, unie

à cette pratique fréquente que vous nous avez expliquée, consistant à vivre sa vie par à-comptes, aurait dû, en vérité, contribuer puissamment au développement général et à l'accumulation des connaissances. Je présume donc que nous devons attribuer l'infériorité marquée des anciens Égyptiens dans toutes les parties de la science, quand on les compare avec les modernes et plus spécialement avec les Yankees, uniquement à l'épaisseur plus considérable du crâne égyptien.

— Je confesse de nouveau, — répliqua le comte avec une parfaite urbanité, — que je suis quelque peu en peine de vous comprendre; dites-moi, je vous prie, de quelles parties de la science voulez-vous parler?

Ici toute la compagnie, d'une voix unanime, cita les affirmations de la phrénologie et les merveilles du magnétisme animal.

Nous ayant écoutés jusqu'au bout, le comte se mit à raconter quelques anecdotes qui nous prouvèrent clairement que les prototypes de Gall et de Spurzheim avaient fleuri et dépéri en Égypte, mais dans une époque si ancienne, qu'on en avait presque perdu le souvenir, — et que les procédés de Mesmer étaient des tours misérables en comparaison des miracles positifs opérés par les savants de Thèbes, qui créaient des poux et une foule d'autres êtres semblables.

Je demandai alors au comte si ses compatriotes étaient capables de calculer les éclipses. Il sourit avec une nuance de dédain et m'affirma que oui.

Ceci me troubla un peu; cependant, je commençais

à lui faire d'autres questions relativement à leurs
connaissances astronomiques, quand quelqu'un de la
société, qui n'avait pas encore ouvert la bouche, me
souffla à l'oreille que, si j'avais besoin de renseignements sur ce chapitre, je ferais mieux de consulter
un certain monsieur Ptolémée aussi bien qu'un
nommé Plutarque, à l'article *De facie lunæ*.

Je questionnai alors la momie sur les verres ardents
et lenticulaires, et généralement sur la fabrication du
verre; mais je n'avais pas encore fini mes questions
que le camarade silencieux me poussait doucement
par le coude, et me priait, pour l'amour de Dieu,
de jeter un coup d'œil sur Diodore de Sicile. Quant
au comte, il me demanda simplement, en manière
de réplique, si, nous autres modernes, nous possédions
des microscopes qui nous permissent de graver des
onyx avec la perfection des Égyptiens. Pendant que
je cherchais la réponse à faire à cette question, le
petit docteur Ponnonner s'aventura dans une voie
très-extraordinaire.

— Voyez notre architecture! — s'écria-t-il, — à
la grande indignation des deux voyageurs qui le
pinçaient jusqu'au bleu, mais sans réussir à le faire
taire.

— Allez voir, — criait-il avec enthousiasme, la
fontaine du Jeu de boule à New York! ou, si c'est
une trop écrasante contemplation, regardez un instant le Capitole à Washington, D. C.!

Et le bon petit homme médical alla jusqu'à détail-
ler minutieusement les proportions du bâtiment en
question. Il expliqua que le portique seul n'était

pas orné de moins de vingt-quatre colonnes, de cinq
pieds de diamètre, et situées à dix pieds de distance
l'une de l'autre.

Le comte dit qu'il regrettait de ne pouvoir se rappeler pour le moment la dimension précise d'aucune
des principales constructions de la cité d'Aznac,
dont les fondations plongeaient dans la nuit du
temps, mais dont les ruines étaient encore debout, à
l'époque de son enterrement, dans une vaste plaine
de sable à l'ouest de Thèbes. Il se souvenait néanmoins, à propos de portiques, qu'il y en avait un,
appliqué à un palais secondaire, dans une espèce de
faubourg appelé Carnac, et formé de cent qua-
rante-quatre colonnes de trente-sept pieds de circonférence chacune, et distantes de vingt-cinq pieds
l'une de l'autre. On arrivait du Nil à ce portique par
une avenue de deux milles de long, formée par des
sphinx, des statues, des obélisques de vingt, de soixante et cent pieds de haut. Le palais lui-même,
autant qu'il pouvait se rappeler, avait, dans un sens
seulement, deux milles de long, et pouvait bien avoir
en tout sept milles de circuit. Ses murs étaient richement décorés en dedans et en dehors de peintures
hiéroglyphiques. Il ne prétendait pas *affirmer* qu'on
aurait pu bâtir entre ses murs cinquante ou soixante
des Capitoles du docteur ; mais il ne lui était pas démontré que deux ou trois cents n'eussent pas pu y être
empilés sans trop d'embarras. Ce palais de Carnac
était une insignifiante petite bâtisse, après tout. Le
comte, néanmoins, ne pouvait pas, en stricte conscience, se refuser à reconnaître le style ingénieux, la

magnificence et la supériorité de la fontaine du Jeu de boule, telle que le docteur l'avait décrite. Rien de semblable, il était forcé de l'avouer, n'avait jamais été vu en Égypte ni ailleurs.

Je demandai alors au comte ce qu'il pensait de nos chemins de fer.

— Rien de particulier, — dit-il. — Ils sont un peu faibles, assez mal conçus et grossièrement assemblés. Ils ne peuvent donc pas être comparés aux vastes chaussées à rainures de fer, horizontales et directes, sur lesquelles les Égyptiens transportaient des temples entiers et des obélisques massifs de cent cinquante pieds de haut.

Je lui parlai de nos gigantesques forces mécaniques. Il convint que nous savions faire quelque chose dans ce genre, mais il me demanda comment nous nous y serions pris pour dresser les impostes sur les linteaux du plus petit palais de Carnac.

Je jugeai à propos de ne pas entendre cette question, et je lui demandai s'il avait quelque idée des puits artésiens; mais il releva simplement les sourcils, pendant que M. Gliddon me faisait un clignement d'yeux très-prononcé, et me disait à voix basse que les ingénieurs chargés de forer le terrain pour trouver de l'eau dans la Grande Oasis en avaient découvert un tout récemment.

Alors, je citai nos aciers; mais l'étranger leva le nez, et me demanda si notre acier aurait jamais pu exécuter les sculptures si vives et si nettes qui décorent les obélisques, et qui avaient été entièrement exécutées avec des outils de cuivre.

Cela nous déconcerta si fort, que nous jugeâmes à propos de faire une diversion sur la métaphysique. Nous envoyâmes chercher un exemplaire d'un ouvrage qui s'appelle le *Dial*, et nous en lûmes un chapitre ou deux sur un sujet qui n'est pas très-clair mais que les gens de Boston définissent : le Grand Mouvement ou Progrès.

Le comte dit simplement que, de son temps, les grands mouvements étaient choses terriblement communes, et que, quant au progrès, il fut à une certaine époque une vraie calamité, mais ne progressa jamais.

Nous parlâmes alors de la grande beauté et de l'importance de la Démocratie, et nous eûmes beaucoup de peine à bien faire comprendre au comte la nature positive des avantages dont nous jouissions en vivant dans un pays où le suffrage était *ad libitum*, et où il n'y avait pas de roi.

Il nous écouta avec un intérêt marqué, et, en somme, il parut réellement s'amuser. Quand nous eûmes fini, il nous dit qu'il s'était passé là-bas, il y avait déjà bien longtemps quelque chose de tout à fait semblable. Treize provinces égyptiennes résolurent tout d'un coup d'être libres, et de donner ainsi un magnifique exemple au reste de l'humanité. Elles rassemblèrent leurs sages, et brassèrent la plus ingénieuse constitution qu'il est possible d'imaginer. Pendant quelque temps, tout alla le mieux du monde ; seulement, il y avait là des habitudes de blague qui étaient quelque chose de prodigieux. La chose néanmoins finit ainsi : les treize États, avec quelque chose comme quinze ou vingt autres, se consolidèrent dans le plus odieux et le plus insupportable despotisme dont on ait jamais ouï parler sur la face du globe.

Je demandai quel était le nom du tyran usurpateur.

Autant que le comte pouvait se le rappeler, ce tyran se nommait : *La Canaille.*

Ne sachant que dire à cela, j'élevai la voix, et je déplorai l'ignorance des Égyptiens relativement à la vapeur.

Le comte me regarda avec beaucoup d'étonnement, mais ne répondit rien. Le gentleman silencieux me donna toutefois un violent coup de coude dans les côtes, — me dit que je m'étais suffisamment compromis pour une fois, — et me demanda si j'étais réellement assez innocent pour ignorer que la machine à vapeur moderne descendait de l'invention de Héro, en passant par Salomon de Caus.

Nous étions pour lors en grand danger d'être battus ; mais notre bonne étoile fit que le docteur Ponnonner, s'étant rallié, accourut à notre secours, et demanda si la nation égyptienne prétendait sérieusement rivaliser avec les modernes dans l'article de la toilette, si important et si compliqué.

A ce mot, le comte jeta un regard sur les sous-pieds de son pantalon ; puis, prenant par le bout une des basques de son habit ; il l'examina curieusement pendant quelques minutes. A la fin, il la laissa retomber, et sa bouche s'étendit graduellement d'une oreille à l'autre ; mais je ne me rappelle pas qu'il ait dit quoi que ce soit en manière de réplique.

Là-dessus, nous recouvrâmes nos esprits, et le docteur, s'approchant de la momie d'un air plein de dignité, la pria de dire avec candeur, sur son honneur de gentleman, si les Égyptiens avaient compris à une époque quelconque, la fabrication soit des pastilles de Ponnonner, soit des pilules de Brandreth.

Nous attendions la réponse dans une profonde anxiété, — mais bien inutilement. Cette réponse n'arrivait pas. L'Égyptien rougit et baissa la tête. Jamais triomphe ne fut plus complet; jamais défaite ne fut supportée de plus mauvaise grâce. Je ne pouvais vraiment pas endurer le spectacle de l'humiliation de la pauvre momie. Je pris mon chapeau, je la saluai avec un certain embarras, et je pris congé.

En rentrant chez moi, je m'aperçus qu'il était quatre heures passées, et je me mis immédiatement au lit. Il est maintenant dix heures du matin. Je suis levé depuis sept, et j'écris ces notes pour l'instruction de ma famille et de l'humanité. Quant à la première, je ne la verrai plus. Ma femme est une mégère. La vérité est que cette vie et généralement tout le dix-neuvième siècle me donnent des nausées. Je suis convaincu que tout va de travers. En outre, je suis anxieux de savoir qui sera élu Président en 2045. C'est pourquoi, une fois rasé et mon café avalé, je vais tomber chez Ponnonner, et je me fais embaumer pour une couple de siècles.

PUISSANCE DE LA PAROLE

OINOS. — Pardonne, Agathos, à la faiblesse d'un esprit fraîchement revêtu d'immortalité.

AGATHOS. — Tu n'as rien dit, mon cher Oinos, dont tu aies à demander pardon. La connaissance n'est pas une chose d'intuition, pas même *ici*. Quant à la sagesse, demande avec confiance aux anges qu'elle te soit accordée!

OINOS. — Mais, pendant cette dernière existence, j'avais rêvé que j'arriverais d'un seul coup à la connaissance de toutes choses, et du même coup au bonheur absolu.

AGATHOS. — Ah! ce n'est pas dans la science qu'est le bonheur, mais dans l'acquisition de la science! Savoir pour toujours, c'est l'éternelle béatitude; mais tout savoir, ce serait une damnation de démon.

OINOS. — Mais le Très-Haut ne connaît-il pas toutes choses?

AGATHOS. — Et c'est la *chose unique* (puisqu'il est le Très-Heureux) qui doit LUI rester inconnue à LUI-même.

OINOS. — Mais, puisque chaque minute augmente notre connaissance, n'est-il pas inévitable que toutes choses nous soient connues *à la fin?*

AGATHOS. — Plonge ton regard dans les lointains de l'abîme! Que ton œil s'efforce de pénétrer ces innombrables perspectives d'étoiles, pendant que nous glissons lentement à travers, — encore, — et encore, — et toujours! La vision spirituelle elle-même n'est-elle pas absolument arrêtée par les murs d'or circulaires de l'univers, — ces murs faits de myriades de corps brillants qui se fondent en une incommensurable unité?

OINOS. — Je perçois clairement que l'infini de la matière n'est pas un rêve.

AGATHOS. — Il n'y a pas de rêves dans le Ciel; — mais il nous est révélé ici que l'*unique* destination de cet infini de matière est de fournir des sources infinies, où l'âme puisse soulager cette soif de *connaître*, qui est en elle, — inextinguible à jamais, puisque l'éteindre serait pour l'âme l'anéantissement de soi-même. Questionne-moi donc, mon Oinos, librement et sans crainte. Viens! nous laisserons à gauche l'éclatante harmonie des Pléiades, et nous irons nous abattre loin de la foule dans les prairies étoilées, au-delà d'Orion, où, au lieu de pensées, de violettes et de pensées sauvages, nous trouverons des couches de soleils triples et de soleils tricolores.

OINOS. — Et maintenant, Agathos, tout en planant à travers l'espace, instruis-moi! — Parle-moi dans le ton familier de la terre! Je n'ai pas compris ce que tu me donnais tout à l'heure à entendre, sur les modes et les procédés de Création, — de ce que nous nommions Création, dans le temps que nous étions mortels. Veux-tu dire que le Créateur n'est pas Dieu?

AGATHOS. — Je veux dire que la Divinité ne crée pas.

OINOS. — Explique-toi!

AGATHOS. — Au commencement *seulement*, elle a créé. Les créatures, — ce qui apparaît comme créé, — qui maintenant, d'un bout de l'univers à l'autre, émergent infatigablement à l'existence, ne peuvent être considérées que comme des résultats médiats ou indirects, et non comme directs ou immédiats, de la Divine Puissance Créatrice.

OINOS. — Parmi les hommes, mon Agathos, cette idée eût été considérée comme hérétique au suprême degré.

AGATHOS. — Parmi les anges, mon Oinos, elle est simplement admise comme une vérité.

OINOS. — Je puis te comprendre, en tant que tu veuilles dire que certaines opérations de l'être que nous appelons Nature, ou lois naturelles, donneront, dans de certaines conditions, naissance à ce qui porte l'*apparence* complète de création. Peu de temps avant la finale destruction de la terre, il se fit, je m'en souviens, un grand nombre d'expériences réussies que quelques philosophes, avec une emphase puérile, désignèrent sous le nom de créations d'animalcules.

AGATHOS. — Les cas dont tu parles n'étaient, en réalité, que des exemples de création secondaire, — de la seule espèce de création qui ait jamais eu lieu depuis que la parole première a proféré la première loi.

OINOS. — Les moindres étoiles qui jaillissent du fond de l'abîme du non-être et font à chaque minute explosion dans les cieux, — ces astres, Agathos, ne sont-ils pas l'œuvre immédiate de la main du Maître?

AGATHOS. — Je veux essayer, mon Oinos, de t'amener pas à pas en face de la conception que j'ai en vue. Tu sais parfaitement que, comme aucune pensée ne peut se perdre, de même il n'est pas une seule action qui n'ait un résultat infini. En agitant nos mains, quand nous étions habitants de cette terre, nous causions une vibration dans l'atmosphère ambiante. Cette vibration s'étendait indéfiniment, jusqu'à tant qu'elle se fût communiquée à chaque molécule de l'atmosphère terrestre, qui, à partir de ce moment *et pour toujours*, était mise en mouvement par cette seule action de la main. Les mathématiciens de notre planète ont bien connu ce fait. Les effets particuliers créés dans le fluide par des impulsions particulières furent de leur part l'objet d'un calcul exact, — en sorte qu'il devint facile de déterminer dans quelle période précise une impulsion d'une portée donnée pourrait faire le tour du globe et influencer, — pour toujours, — chaque atome de l'atmosphère ambiante. Par un calcul rétrograde, ils déterminèrent sans peine, — étant donné un effet dans des conditions connues, — la valeur de l'impulsion originelle. Alors, des mathématiciens, — qui virent que les résultats d'une impulsion donnée étaient absolument sans fin, — qui virent qu'une partie de ces résultats pouvait être rigoureusement suivie dans l'espace et dans le temps au moyen de l'analyse algébrique, — qui comprirent aussi la facilité du calcul rétrograde, — ces hommes, dis-je, comprirent du même coup que cette espèce d'analyse contenait, elle aussi, une puissance de progrès indéfini, — qu'il n'existait pas de bornes concevables à sa marche progressive et à son applicabilité, excepté celles de l'esprit même qui l'avait poussée ou appliquée. Mais, arrivés à ce point, nos mathématiciens s'arrêtèrent.

OINOS. — Et pourquoi, Agathos, auraient-ils été plus loin?

AGATHOS. — Parce qu'il y avait au-delà quelques considérations d'un profond intérêt. De ce qu'ils savaient, ils pouvaient inférer qu'un être d'une intelligence infinie, — un être à qui l'*absolu* de l'analyse algébrique serait dévoilé, — n'éprouverait aucune difficulté à suivre tout mouvement imprimé à l'air, — et transmis par l'air à l'éther, — jusque dans ses répercussions les plus lointaines, et même dans une époque infiniment reculée. Il est, en effet, démontrable que chaque mouvement de cette nature *imprimé à l'air* doit *à la fin* agir sur chaque être individuel compris *dans les limites de l'univers;* — et l'être doué d'une intelligence infinie, — l'être que nous avons imaginé, — pourrait suivre les ondulations lointaines du mouvement, — les suivre, au-delà et toujours au-delà, dans leurs influences sur toutes les particules de la matière, — au-delà et toujours au-delà, dans les modifications qu'elles imposent aux vieilles formes, — ou, en d'autres termes, dans *les créations neuves* qu'elles enfantent — jusqu'à ce qu'il les vît se brisant enfin, et désormais inefficaces, contre le trône de la

Divinité. Et non-seulement un tel être pourrait faire cela, mais si, à une époque quelconque, un résultat donné lui était présenté, — si une de ces innombrables comètes, par exemple, était soumise à son examen, — il pourrait, sans aucune peine, déterminer par l'analyse rétrograde à quelle impulsion primitive elle doit son existence. Cette puissance d'analyse rétrograde, dans sa plénitude et son absolue perfection — cette faculté de rapporter dans *toutes* les époques *tous* les effets à *toutes* les causes — est évidemment la prérogative de la Divinité seule; — mais cette puissance est exercée, à tous les degrés de l'échelle au-dessous de l'absolue perfection, par la population entière des Intelligences angéliques.

OINOS. — Mais tu parles simplement des mouvements imprimés à l'air.

AGATHOS. — En parlant de l'air, ma pensée n'embrassait que le monde terrestre; mais la proposition généralisée comprend les impulsions créées dans l'éther, — qui, pénétrant, et seul pénétrant tout l'espace se trouve être ainsi le grand médium de création.

OINOS. — Donc, tout mouvement, de quelque nature qu'il soit, est créateur?

AGATHOS. — Cela ne peut pas ne pas être; mais une vraie philosophie nous a dès longtemps appris que la source de tout mouvement est la pensée, — et que la source de toute pensée est...

OINOS. — Dieu.

AGATHOS. — Je t'ai parlé, Oinos — comme je devais parler à un enfant de cette belle Terre qui a péri

récemment — des mouvements produits dans l'atmosphère de la Terre...

OINOS. — Oui, cher Agathos.

AGATHOS. — Et pendant que je te parlais ainsi,
n'as-tu pas senti ton esprit traversé par quelque
pensée relative à la *puissance matérielle des paroles?*
Chaque parole n'est-elle pas un mouvement créé
dans l'air?

OINOS. — Mais pourquoi pleures-tu, Agathos? — et
pourquoi, oh! pourquoi tes ailes faiblissent-elles
pendant que nous planons au-dessus de cette belle
étoile, — la plus verdoyante et cependant la plus
terrible de toutes celles que nous avons rencontrées
dans notre vol? Ses brillantes fleurs semblent un rêve
féerique, — mais ses volcans farouches rappellent
les passions d'un cœur tumultueux.

AGATHOS. — *Ils ne semblent pas, ils sont! ils sont* rêves
et passions! Cette étrange étoile, — il y a de cela trois
siècles, — c'est moi qui, les mains crispées et les yeux
ruisselants, — aux pieds de ma bien-aimée, — l'ai
proférée à la vie avec quelques phrases passionnées.
Ses brillantes fleurs *sont* les plus chers de tous les rêves
non réalisées, et ses volcans forcenés *sont* les passions
du plus tumultueux et du plus insulté des cœurs!

COLLOQUE
ENTRE MONOS ET UNA

Choses futures.

SOPHOCLE. — *Antigone*

UNA. — *Ressuscité?*

MONOS. — Oui, très-belle et très-adorée Una, *ressuscité*. Tel était le mot sur le sens mystique duquel j'avais si longtemps médité, repoussant les explications de la prêtraille jusqu'à tant que la mort elle-même vînt résoudre l'énigme pour moi.

UNA. — La Mort!

MONOS. — Comme tu fais étrangement écho à mes paroles, douce Una! J'observe aussi une vacillation dans ta démarche, — une joyeuse inquiétude dans tes yeux. Tu es troublée, oppressée par la majestueuse nouveauté de la Vie éternelle. Oui, c'était de la Mort que je parlais. Et comme ce mot résonne singulièrement *ici*, ce mot qui jadis portait l'angoisse dans tous les cœurs, — jetait une tache sur tous les plaisirs!

UNA. — Ah! la Mort, le spectre qui s'asseyait à tous les festins! Que de fois, Monos, nous nous sommes perdus en méditations sur sa nature! Comme il se dressait, mystérieux contrôleur, devant le bonheur

humain, lui disant : « Jusque-là, et pas plus loin! »
Cet ardent amour mutuel, mon Monos, qui brûlait
dans nos poitrines, comme vainement nous nous étions
flattés, nous sentant si heureux sitôt qu'il prit naissance,
de voir notre bonheur grandir de sa force! Hélas! il
grandit, cet amour, et avec lui grandissait dans nos
cœurs la terreur de l'heure fatale qui accourait pour
nous séparer à jamais! Ainsi, avec le temps, aimer
devint une douleur. Pour lors, la haine nous eût été
une miséricorde.

MONOS. — Ne parle pas ici de ces peines, chère
Una — mienne maintenant, mienne pour toujours!

UNA. — Mais n'est-ce pas le souvenir du chagrin
passé qui fait la joie du présent? Je voudrais parler
longtemps encore, des choses qui ne sont plus. Par-
dessus tout, je brûle de connaître les incidents de ton
voyage à travers l'Ombre et la noire Vallée.

MONOS. — Quand donc la radieuse Una demandat-
elle en vain quelque chose à son Monos? Je raconterai
tout minutieusement; — mais à quel point doit
commencer le récit mystérieux?

UNA. — A quel point?

MONOS. — Oui, à quel point?

UNA. — Je te comprends, Monos. La Mort nous a
révélé à tous deux le penchant de l'homme à définir
l'indéfinissable. Je ne dirai donc pas : Commence
au point où cesse la vie, — mais : Commence à ce
triste, triste moment où, la fièvre t'ayant quitté, tu
tombas dans une torpeur sans souffle et sans mouvement, et où je fermai tes paupières pâlies avec les
doigts passionnés de l'amour.

MONOS. — Un mot d'abord, mon Una, relativement
à la condition générale de l'homme à cette époque.
Tu te rappelles qu'un ou deux sages parmi nos ancêtres, — sages en fait, quoique non pas dans l'estime
du monde, — avaient osé douter de la propriété du
mot *Progrès*, appliqué à la marche de notre civilisation. Chacun des cinq ou six siècles, qui précédèrent
notre mort vit, à un certain moment, s'élever quelque
vigoureuse intelligence luttant bravement pour ces
principes dont l'évidence illumine maintenant notre
raison, insolente affranchie remise à son rang, —
principes qui auraient dû apprendre à notre race à se
laisser guider par les lois naturelles plutôt qu'à les
vouloir contrôler. A de longs intervalles apparaissaient quelques esprits souverains, pour qui tout
progrès dans les sciences pratiques n'était qu'un recul
dans l'ordre de la véritable utilité. Parfois, l'esprit
poétique, — cette faculté, la plus sublime de toutes,
nous savons cela maintenant, — puisque des vérités
de la plus haute importance ne pouvaient nous être
révélées que par cette *Analogie*, dont l'éloquence,
irrécusable pour l'imagination, ne dit rien à la raison
infirme et solitaire, — parfois, dis-je, cet esprit poétique prit les devants sur une philosophie tâtonnière
et entendit dans la parabole mystique de l'arbre de
la science et de son fruit défendu, qui engendre la
mort, un avertissement clair, à savoir que la science
n'était pas bonne pour l'homme pendant la minorité
de son âme. Et ces hommes, — les poètes, — vivant
et mourant parmi le mépris des *utilitaires*, rudes
pédants qui usurpaient un titre dont les méprisés seuls

étaient dignes, les poètes reportèrent leurs rêveries et leurs sages regrets vers ces anciens jours où nos besoins étaient aussi simples que pénétrantes nos jouissances, — où le mot *gaieté* était inconnu, tant l'accent du bonheur était solennel et profond ! — jours saints, augustes et bénis, où les rivières azurées coulaient à pleins bords entre les collines intactes et s'enfonçaient au loin dans les solitudes des forêts primitives, odorantes, inviolées.

Cependant, ces nobles exceptions à l'absurdité générale ne servirent qu'à la fortifier par l'opposition. Hélas ! nous étions descendus dans les pires jours de tous nos mauvais jours. Le *grand mouvement*, — tel était l'argot du temps, — marchait ; perturbation morbide, morale et physique. L'art, — les arts, veux-je dire, furent élevés au rang suprême, et, une fois installés sur le trône, ils jetèrent des chaînes sur l'intelligence qui les avait élevés au pouvoir. L'homme qui ne pouvait pas ne pas reconnaître la majesté de la Nature, chanta niaisement victoire à l'occasion de ses conquêtes toujours croissantes sur les éléments de cette même Nature. Aussi bien, pendant qu'il se pavanait et faisait le Dieu, une imbécillité enfantine s'abattait sur lui. Comme on pouvait le prévoir depuis l'origine de la maladie, il fut bientôt infecté de systèmes et d'abstractions ; il s'empêtra dans des généralités. Entre autres idées bizarres, celle de l'égalité universelle avait gagné du terrain ; et, à la face de l'Analogie et de Dieu, — en dépit de la voix haute et salutaire des lois de *gradation* qui pénètrent si vivement toutes choses sur la Terre et dans le Ciel,

— des efforts insensés furent faits pour établir une Démocratie universelle. Ce mal surgit nécessairement du mal premier : la Science. L'homme ne pouvait pas en même temps devenir savant et se soumettre. Cependant, d'innombrables cités s'élevèrent, énormes et fumeuses. Les vertes feuilles se recroquevillèrent devant la chaude haleine des fourneaux. Le beau visage de la Nature fut déformé comme par les ravages de quelque dégoûtante maladie. Et il me semble, ma douce Una, que le sentiment, même assoupi, du forcé et du cherché trop loin aurait dû nous arrêter à ce point. Mais il paraît qu'en pervertissant notre *goût*, ou plutôt en négligeant de le cultiver dans les écoles, nous avions follement parachevé notre propre destruction. Car, en vérité, c'était dans cette crise que le goût seul, — cette faculté qui, marquant le milieu entre l'intelligence pure et le sens moral, n'a jamais pu être méprisée impunément, — c'était alors que le goût seul pouvait nous ramener doucement vers la Beauté, la Nature et la Vie. Mais, hélas! pur esprit contemplatif et majestueuse intuition de Platon! hélas! compréhensive *Mousikê*, qu'il regardait à juste titre comme une éducation suffisante pour l'âme! hélas! où étiez-vous? C'était quand vous aviez tous les deux disparu dans l'oubli et le mépris universels qu'on avait le plus désespérément besoin de vous!

Pascal, un philosophe que nous aimons tous deux, chère Una, a dit — avec quelle vérité! — que *tout raisonnement se réduit à céder au sentiment;* et il n'eût pas été impossible, si l'époque l'avait permis, que le sentiment du naturel eût repris son vieil ascendant sur la brutale raison mathématique des écoles. Mais cela ne devait pas être. Prématurément amenée par des orgies de science, la décrépitude du monde approchait. C'est ce que ne voyait pas la masse de l'humanité, ou ce que, vivant goulûment, quoique sans bonheur, elle affectait de ne pas voir. Mais, pour moi, les annales de la Terre m'avaient appris à attendre la ruine la plus complète comme prix de la plus haute civilisation. J'avais puisé dans la comparaison de la Chine, simple et robuste, avec l'Assyrie architecte, avec l'Égypte astrologue, avec la Nubie plus subtile encore, mère turbulente de tous les arts, la prescience de notre Destinée. Dans l'histoire de ces contrées, j'avais trouvé un rayon de l'Avenir. Les spécialités industrielles de ces trois dernières étaient des maladies locales de la Terre, et la ruine de chacune a été l'application du remède local ; mais, pour le monde infecté en grand, je ne voyais de régénération possible que dans la mort. Or, l'homme ne pouvant pas, en tant que race, être anéanti, je vis qu'il lui fallait *renaître*.

Et c'était alors, ma très-belle et ma très-chère, que nous plongions journellement notre esprit dans les rêves. C'était alors que nous discourions à l'heure du crépuscule, sur les jours à venir, — quand l'épiderme de la Terre, cicatrisé par l'Industrie, ayant subi cette purification qui seule pouvait effacer ses abominations rectangulaires, serait habillé à neuf avec les verdures, les collines et les eaux souriantes du Paradis, et redeviendrait une habitation convenable pour l'homme, — pour l'homme, purgé par la Mort, — pour l'homme dont l'intelligence ennoblie ne trou-

verait plus un poison dans la science, — pour l'homme
racheté, régénéré, béatifié, désormais immortel, et
cependant encore revêtu de matière.

UNA. — Oui, je me rappelle bien ces conversations,
cher Monos; mais l'époque du feu destructeur n'était
pas aussi proche que nous nous l'imaginions, et que la
corruption dont tu parles nous permettait certainement de le croire. Les hommes vécurent, et ils mou-
rurent individuellement. Toi-même, vaincu par la
maladie, tu as passé par la tombe, et ta constante
Una t'y a promptement suivi; et, bien que nos sens
assoupis n'aient pas été torturés par l'impatience et
n'aient pas souffert de la longueur du siècle qui
s'est écoulé depuis et dont la révolution finale nous a
rendus l'un à l'autre, cependant, cher Monos, cela a
fait encore un siècle.

MONOS. — Dis plutôt un point dans le vague infini.
Incontestablement, ce fut pendant la décrépitude de
la Terre que je mourus. Le cœur fatigué d'angoisses
qui tiraient leur origine du désordre et de la décadence
générale, je succombai à la cruelle fièvre. Après un
petit nombre de jours de souffrance, après maints
jours pleins de délire, de rêves et d'extases dont tu
prenais l'expression pour celle de la douleur, pendant
que je ne souffrais que de mon impuissance à te détrom-
per, — après quelques jours, je fus, comme tu l'as dit,
pris par une léthargie sans souffle et sans mouvement,
et ceux qui m'entouraient dirent que c'était *la Mort*.

Les mots sont choses vagues. Mon état ne me privait
pas de sentiment; il ne me paraissait pas très-différent
de l'extrême quiétude de quelqu'un qui, ayant dormi

longtemps et profondément, immobile, prostré dans
l'accablement de l'ardent solstice, commence à rentrer
lentement dans la conscience de lui-même; il y glisse,
pour ainsi dire, par le seul fait de l'insuffisance de son
sommeil, et sans être éveillé par le mouvement extérieur.

Je ne respirais plus. Le pouls était immobile. Le
cœur avait cessé de battre. La volition n'avait point
disparu, mais elle était sans efficacité. Mes sens
jouissaient d'une activité insolite, quoique l'exerçant
d'une manière irrégulière et usurpant réciproquement leurs fonctions au hasard. Le goût et l'odorat
se mêlaient dans une confusion inextricable et ne
formaient plus qu'un seul sens anormal et intense.
L'eau de rose, dont ta tendresse avait humecté mes
lèvres au moment suprême, me donnait de douces
idées de fleurs, — fleurs fantastiques infiniment plus
belles qu'aucune de celles de la vieille Terre, et dont
nous voyons aujourd'hui fleurir les modèles autour
de nous. Les paupières, transparentes et exsangues,
ne faisaient pas absolument obstacle à la vision.
Comme la volition était suspendue, les globes ne
pouvaient pas rouler dans leurs orbites, — mais tous
les objets situés dans la portée de l'hémisphère visuel
étaient perçus plus ou moins distinctement, les rayons
qui tombaient sur la rétine externe, ou dans le coin
de l'œil, produisant un effet plus vif que ceux qui
frappaient la surface interne ou l'attaquaient de face.
Toutefois, dans le premier cas, cet effet était si anormal, que je l'appréciais seulement comme un *son*, —
un son doux et discordant, suivant que les objets qui se
présentaient à mon côté étaient lumineux ou revêtus

d'ombre, — arrondis ou d'une forme anguleuse. En même temps l'ouïe, quoique surexcitée, n'avait rien d'irrégulier dans son action, et elle appréciait les sons réels avec une précision non moins hyperbolique que sa sensibilité. Le toucher avait subi une modification plus régulière. Il ne recevait ses impressions que lentement, mais les retenait opiniâtrement, et il en résultait toujours un plaisir physique des plus prononcés. Ainsi la pression de tes doigts, si doux sur mes paupières, ne fut d'abord perçue que par l'organe de la vision; mais, à la longue, et longtemps après qu'ils se furent retirés, ils remplirent mon être d'un délice sensuel inappréciable. Je dis : d'un délice sensuel. Toutes mes perceptions étaient purement sensuelles. Quant aux matériaux fournis par les sens au cerveau passif, l'intelligence morte, inhabile à les mettre en œuvre, ne leur donnait aucune forme. Il entrait dans tout cela un peu de douleur et beaucoup de volupté; mais de peine ou de plaisir moraux, pas l'ombre. Ainsi, tes sanglots impétueux flottaient dans mon oreille, avec toutes leurs plaintives cadences, et ils étaient appréciés par elle dans toutes leurs variations de ton mélancolique; mais c'étaient de suaves notes musicales et rien de plus; ils n'apportaient à la raison éteinte aucune notion des douleurs qui leur donnaient naissance, pendant que la large et incessante pluie de larmes qui tombait sur ma face, et qui pour tous les assistants témoignait d'un cœur brisé, pénétrait simplement d'extase chaque fibre de mon être. Et, en vérité, c'était bien là la *Mort*, dont les témoins parlaient à voix basse et révérencieusement, — et toi, ma douce

Una d'une voix convulsive, pleine de sanglots et de cris.

On m'habilla pour la bière : — trois ou quatre figures sombres qui voletaient çà et là d'une manière affairée. Quand elles traversaient la ligne directe de ma vision, elles m'affectaient comme *formes;* mais, quand elles passaient à mon côté, leurs images se traduisaient dans mon cerveau en cris, gémissements, et autres expressions lugubres de terreur, d'horreur ou de souffrance. Toi seule avec ta robe blanche, ondoyante, dans quelque direction que ce fût, tu t'agitais toujours musicalement autour de moi.

Le jour baissait ; et, comme la lumière allait s'évanouissant, je fus pris d'un vague malaise, — d'une anxiété semblable à celle d'un homme qui dort quand des sons réels et tristes tombent incessamment dans son oreille, — des sons de cloche lointains, solennels, à des intervalles longs mais égaux, et se mariant à des rêves mélancoliques. La nuit vint, et avec ses ombres une lourde désolation. Elle oppressait mes organes comme un poids énorme, et elle était palpable. Il y avait aussi un son lugubre, assez semblable à l'écho lointain du ressac de la mer, mais plus soutenu, qui, commençant dès le crépuscule, s'était accru avec les ténèbres. Soudainement des lumières furent apportées dans la chambre, et aussitôt, cet écho prolongé s'interrompit, se transforma en explosions fréquentes, inégales, de même son, mais moins lugubre et moins distinct. L'écrasante oppression était en grande partie allégée ; et je sentis, jaillissant de la flamme de chaque lampe, — car il y en avait plusieurs, — un chant d'une monotonie mélodieuse couler incessamment dans mes oreilles. Et quand, approchant alors, chère Una, du lit sur lequel j'étais étendu, tu t'assis gracieusement à mon côté, soufflant le parfum de tes lèvres exquises, et les appuyant sur mon front, — quelque chose s'éleva dans mon sein, quelque chose de tremblant, de confondu avec les sensations purement physiques engendrées par les circonstances, quelque chose d'analogue à la sensibilité elle-même, — un sentiment qui appréciait à moitié ton ardent amour et ta douleur, et leur répondait à moitié; mais cela ne prenait pas racine dans le cœur paralysé; cela semblait plutôt une ombre qu'une réalité; cela s'évanouit promptement, d'abord dans une extrême quiétude, puis dans un plaisir purement sensuel comme auparavant.

Et alors, du naufrage et du chaos des sens naturels parut s'élever en moi un sixième sens absolument parfait. Je trouvais dans son action un étrange délice, — un délice toujours physique toutefois, l'intelligence n'y prenant aucune part. Le mouvement dans l'être animal avait absolument cessé. Aucune fibre ne tremblait, aucun nerf ne vibrait, aucune artère ne palpitait. Mais il me semblait que dans mon cerveau était né *ce quelque chose* dont aucuns mots ne peuvent traduire à une intelligence purement humaine une conception même confuse. Permets-moi de définir cela : vibration du pendule mental. C'était la personnification morale de l'idée humaine abstraite du *Temps*. C'est par l'absolue égalisation de ce mouvement, — ou de quelque autre analogue, — que les cycles des globes célestes ont été réglés. C'est ainsi

que je mesurai les irrégularités de la pendule de la
cheminée et des montres des personnes présentes.
Leurs tic-tac remplissaient mes oreilles de leurs sono-
rités. Les plus légères déviations de la mesure juste, —
et ces déviations étaient obsédantes, — m'affectaient
exactement comme, parmi les vivants, les violations
de la vérité abstraite affectaient mon sens moral.
Quoiqu'il n'y eût pas dans la chambre deux mouvements qui marquassent ensemble, exactement leurs
secondes, je n'éprouvais aucune difficulté à retenir
imperturbablement dans mon esprit le timbre de
chacun et leurs différences relatives. Et ce sentiment
de la *durée*, vif, parfait, existant par lui-même, indé-
pendamment d'une série quelconque de faits (mode
d'existence inintelligible peut-être pour l'homme), —
cette idée, — ce sixième sens, surgissant de mes ruines,
était le premier pas sensible, décisif, de l'âme intem-
porelle sur le seuil de l'Éternité.

Il était minuit; et tu étais toujours assise à mon côté.
Tous les autres avaient quitté la chambre de Mort.
Ils m'avaient déposé dans la bière. Les lampes brûlaient en vacillant; cela se traduisait en moi par le
tremblement des chants monotones. Mais tout à coup
ces chants diminuèrent de netteté et de volume. Finalement, ils cessèrent. Le parfum mourut dans mes
narines. Aucunes formes n'affectèrent plus ma vision.
Ma poitrine fut dégagée de l'oppression des Ténèbres.
Une sourde commotion, comme celle de l'électricité,
pénétra dans mon corps et fut suivie d'une disparition
totale de l'idée du toucher. Tout ce qui restait de ce
que l'homme appelle sens se fondit dans la seule

conscience de l'entité et dans l'unique et immuable sentiment de la durée. Le corps périssable avait été enfin frappé par la main de l'irrémédiable Destruction.

Et pourtant toute sensibilité n'avait pas absolument disparu; car la conscience et le sentiment subsistants suppléaient quelques-unes de ses fonctions par une intuition léthargique. J'appréciais l'affreux changement qui commençait à s'opérer dans la chair; et, comme l'homme qui rêve a quelquefois conscience de la présence corporelle d'une personne qui se penche vers lui, ainsi, ma douce Una, je sentais toujours sourdement que tu étais assise près de moi. De même aussi, quand vint la douzième heure du second jour, je n'étais pas tout à fait inconscient des mouvements qui suivirent; tu t'éloignas de moi, on m'enferma dans la bière; on me déposa dans le corbillard; on me porta au tombeau; on m'y descendit; on amoncela pesamment la terre sur moi, et on me laissa, dans le noir et la pourriture, à mes tristes et solennels sommeils en compagnie du ver.

Et là, dans cette prison qui a peu de secrets à révéler, se déroulèrent les jours et les semaines, et les mois; et l'âme guettait scrupuleusement chaque seconde qui s'envolait, et sans effort enregistrait sa fuite, — sans effort et sans objet.

Une année s'écoula. La conscience de l'*être* était devenue graduellement plus confuse, et celle de *localité* avait en grande partie usurpé sa place. L'idée d'entité s'était noyée dans l'idée de lieu. L'étroit espace qui confinait ce qui avait été le corps devenait maintenant le corps lui-même. A la longue, comme il arrive souvent à l'homme qui dort (le sommeil et le monde du sommeil sont les seules figurations de la *Mort*), à la longue, comme il arrivait sur la terre à l'homme profondément endormi, quand un éclair de lumière le faisait tressaillir dans un demi-réveil, le laissant à moitié roulé dans ses rêves, de même pour moi, dans l'étroit embrassement de l'*Ombre*, vint cette lumière de l'*Amour* immortel! Des hommes vinrent travailler au tombeau qui m'enfermait dans sa nuit. Ils enlevèrent la terre humide. Sur mes os poudroyants descendit la bière d'Una.

Et puis, une fois encore, tout fut néant. Cette lueur nébuleuse s'était éteinte. Cet imperceptible frémissement s'était évanoui dans l'immobilité. Bien des lustres se sont écoulés. La poussière est retournée à la poussière. Le ver n'avait plus rien à manger. Le sentiment de l'être avait à la longue entièrement disparu, et à sa place, — à la place de toutes choses, — régnaient, suprêmes et éternels autocrates, le *Lieu* et le *Temps*. Pour *ce qui n'était pas*, — pour ce qui n'avait pas de forme, — pour ce qui n'avait pas de pensée, — pour ce qui n'avait pas de sentiment, — pour ce qui était sans âme et ne possédait plus un atome de matière, — pour tout ce néant et toute cette immortalité, le tombeau était encore un habitacle, — les heures corrosives, une société.

CONVERSATION
D'EIROS AVEC CHARMION

> Je t'apporterai le feu.
>
> EURIPIDE. — *Andromaque.*

EIROS. — Pourquoi m'appelles-tu Eiros?

CHARMION. — Ainsi t'appelleras-tu désormais. Tu dois aussi oublier mon nom terrestre et me nommer Charmion.

EIROS. — Ce n'est vraiment pas un rêve!

CHARMION. — De rêves, il n'y en a plus pour nous; — mais renvoyons à tantôt ces mystères. Je me réjouis de voir que tu as l'air de posséder toute ta vie et ta raison. La taie de l'ombre a déjà disparu de tes yeux. Prends courage, et ne crains rien. Les jours à donner à la stupeur sont passés pour toi; et demain je veux moi-même t'introduire dans les joies parfaites et les merveilles de ta nouvelle existence.

EIROS. — Vraiment, — je n'éprouve aucune stupeur — aucune. L'étrange vertige et la terrible nuit m'ont quittée, et je n'entends plus ce bruit insensé, précipité, horrible, pareil à *la voix des grandes eaux.*

Cependant, mes sens sont effarés, Charmion, par la pénétrante perception du *nouveau*.

CHARMION. — Peu de jours suffiront à chasser tout cela ; — mais je te comprends parfaitement et je sens pour toi. Il y a maintenant dix années terrestres que j'ai éprouvé ce que tu éprouves, — et pourtant ce souvenir ne m'a pas encore quittée. Toutefois, voilà ta dernière épreuve subie, la seule que tu eusses à souffrir dans le Ciel.

EIROS. — Dans le Ciel ?

CHARMION. — Dans le Ciel.

EIROS. — Oh ! Dieu ! — aie pitié de moi, Charmion ! — Je suis écrasée sous la majesté de toutes choses, — de l'inconnu maintenant révélé, — de l'Avenir, cette conjecture, fondu dans le Présent auguste et certain.

CHARMION. — Ne t'attaque pas pour le moment à de pareilles pensées. Demain nous parlerons de cela. Ton esprit qui vacille trouvera un allégement à son agitation dans l'exercice du simple souvenir. Ne regarde ni autour de toi ni devant toi, — regarde en arrière. Je brûle d'impatience d'entendre les détails de ce prodigieux événement qui t'a jetée parmi nous. Parle-moi de cela. Causons de choses familières, dans le vieux langage familier de ce monde qui a si épouvantablement péri.

EIROS. — Épouvantablement ! épouvantablement ! Et cela, en vérité, n'est point un rêve.

CHARMION. — Il n'y a plus de rêves. — Fus-je bien pleurée, mon Eiros ?

EIROS. — Pleurée, Charmion ? — Oh ! profondément.

Jusqu'à la dernière de nos heures, un nuage d'intense mélancolie et de dévotieuse tristesse a pesé sur ta famille.

CHARMION. — Et cette heure dernière, — parle-m'en. Rappelle-toi qu'en dehors du simple fait de la catastrophe, je ne sais rien. Quand, sortant des rangs de l'humanité, j'entrai par la Tombe dans le domaine de la Nuit, — à cette époque, si j'ai bonne mémoire, nul ne pressentait la catastrophe qui vous a engloutis. Mais j'étais, il est vrai, peu au courant de la philosophie spéculative du temps.

EIROS. — Notre catastrophe était, comme tu le dis, absolument inattendue; mais des accidents analogues avaient été depuis longtemps un sujet de discussion parmi les astronomes. Ai-je besoin de te dire, mon amie, que, même quand tu nous quittas, les hommes s'accordaient à interpréter, comme ayant trait seulement au globe de la terre, les passages des Très-Saintes Écritures qui parlent de la destruction finale de toutes choses par le feu? Mais, relativement à l'agent immédiat de la ruine, la pensée humaine était en défaut depuis l'époque où la science astronomique avait dépouillé les comètes de leur effrayant caractère incendiaire. La très-médiocre densité de ces corps avait été bien démontrée. On les avait observés dans leur passage à travers les satellites de Jupiter, et ils n'avaient causé aucune altération sensible dans les masses ni dans les orbites de ces planètes secondaires. Nous regardions depuis longtemps ces voyageurs comme de vaporeuses créations d'une inconcevable ténuité, incapables d'endommager notre globe massif, même dans le cas d'un contact. D'ailleurs ce contact n'était redouté en aucune façon; car les éléments de toutes les comètes étaient exactement connus. Que nous dussions chercher parmi elles l'agent igné de la destruction prophétisée, cela était depuis de longues années considéré comme une idée inadmissible. Mais le merveilleux, les imaginations bizarres avaient, dans ces derniers jours, singulièrement régné parmi l'humanité; et, quoique une crainte véritable ne pût avoir de prise que sur quelques ignorants, quand les astronomes annoncèrent une *nouvelle* comète, cette annonce fut généralement reçue avec je ne sais quelle agitation et quelle méfiance.

» Les éléments de l'astre étranger furent immédiatement calculés, et tous les observateurs reconnurent d'un même accord que sa route, à son périhélie, devait l'amener à une proximité presque immédiate de la terre. Il se trouva deux ou trois astronomes, d'une réputation secondaire, qui soutinrent résolument qu'un contact était inévitable. Il m'est difficile de te bien peindre l'effet de cette communication sur le monde. Pendant quelques jours, on se refusa à croire à une assertion que l'intelligence humaine, depuis longtemps appliquée à des considérations mondaines, ne pouvait saisir d'aucune manière. Mais la vérité d'un fait d'une importance vitale fait bientôt son chemin dans les esprits même les plus épais. Finalement, tous les hommes virent que la science astronomique ne mentait pas, et ils attendirent la comète. D'abord, son approche ne fut pas sensiblement rapide; son aspect n'eut pas un caractère bien inusité.

Elle était d'un rouge sombre et avait une queue peu
appréciable. Pendant sept ou huit jours, nous ne
vîmes pas d'accroissement sensible dans son diamètre
apparent; seulement sa couleur varia légèrement.
Cependant, les affaires ordinaires furent négligées,
et tous les intérêts absorbés par une discussion immense
qui s'ouvrait entre les savants relativement à la nature
des comètes. Les hommes le plus grossièrement
ignorants élevèrent leurs indolentes facultés vers ces
hautes considérations. Les savants employèrent *alors*
toute leur intelligence, — toute leur âme, — non point
à alléger la crainte, non plus à soutenir quelque théorie
favorite. Oh! ils cherchèrent la vérité, rien que la
vérité, — ils s'épuisèrent à la chercher! Ils appelèrent
à grands cris la science parfaite! La *vérité* se leva dans
la pureté de sa force et de son excessive majesté, et les
sages s'inclinèrent et adorèrent.

» Qu'un dommage matériel pour notre globe ou
pour ses habitants pût résulter du contact redouté,
c'était une opinion qui perdait journellement du
terrain parmi les sages; et les sages avaient cette fois
plein pouvoir pour gouverner la raison et l'imagination de la foule. Il fut démontré que la densité du
noyau de la comète était beaucoup moindre que celle
de notre gaz le plus rare; et le passage inoffensif d'une
semblable visiteuse à travers les satellites de Jupiter
fut un point sur lequel on insista fortement, et qui ne
servit pas peu à diminuer la terreur. Les théologiens,
avec un zèle enflammé par la peur, insistèrent sur les
prophéties bibliques, et les expliquèrent au peuple
avec une droiture et une simplicité dont ils n'avaient

pas encore donné l'exemple. La destruction finale de la terre devait s'opérer par le feu, — c'est ce qu'ils avancèrent avec une verve qui imposait partout la conviction; mais les comètes n'étaient pas d'une nature ignée, — et c'était là une vérité que tous les hommes possédaient maintenant, et qui les délivrait, jusqu'à un certain point, de l'appréhension de la grande catastrophe prédite. Il est à remarquer que les préjugés populaires et les vulgaires erreurs relatives aux pestes et aux guerres, — erreurs qui reprenaient leur empire à chaque nouvelle comète, — furent cette fois choses inconnues. Comme par un soudain effort convulsif, la raison avait d'un seul coup culbuté la superstition de son trône. La plus faible intelligence avait puisé de l'énergie dans l'excès de l'intérêt actuel.

» Quels désastres d'une moindre gravité pouvaient résulter du contact, ce fut là le sujet d'une laborieuse discussion. Les savants parlaient de légères perturbations géologiques, d'altérations probables dans les climats et conséquemment dans la végétation, de la possibilité d'influences magnétiques et électriques. Beaucoup d'entre eux soutenaient qu'aucun effet visible ou sensible ne se produirait, — d'aucune façon. Pendant que ces discussions allaient leur train, l'objet lui-même s'avançait progressivement, élargissant visiblement son diamètre et augmentant son éclat. A son approche, l'Humanité pâlit. Toutes les opérations humaines furent suspendues.

» Il y eut une phase remarquable dans le cours du sentiment général; ce fut quand la comète eut enfin atteint une grosseur qui surpassait celle d'aucune apparition dont on eût gardé le souvenir. Le monde alors, privé de cette espérance traînante, que les astronomes pouvaient se tromper, sentit toute la certitude du malheur. La terreur avait perdu son caractère chimérique. Les cœurs les plus braves parmi notre race battaient violemment dans les poitrines. Peu de jours suffirent toutefois pour fondre ces premières épreuves dans des sensations plus intolérables encore. Nous ne pouvions désormais appliquer au météore étranger aucunes notions *ordinaires*. Ses attributs *historiques* avaient disparu. Il nous oppressait par la terrible *nouveauté* de l'émotion. Nous le voyions, non pas comme un phénomène astronomique dans les cieux, mais comme un cauchemar sur nos cœurs et une ombre sur nos cerveaux. Il avait pris, avec une inconcevable rapidité, l'aspect d'un gigantesque manteau de flamme claire toujours étendu à tous les horizons.

» Encore un jour, — et les hommes respirèrent avec une plus grande liberté. Il était évident que nous étions déjà sous l'influence de la comète; et nous vivions cependant. Nous jouissions même d'une élasticité de membres et d'une vivacité d'esprit insolites. L'excessive ténuité de l'objet de notre terreur était apparente; car tous les corps célestes se laissaient voir distinctement à travers. En même temps, notre végétation était sensiblement altérée, et cette circonstance prédite augmenta notre foi dans la prévoyance des sages. Un luxe extraordinaire de feuillage, entièrement inconnu jusqu'alors, fit explosion sur tous les végétaux.

» Un jour encore se passa, — et le fléau n'était pas absolument sur nous. Il était maintenant évident que son noyau devait nous atteindre le premier. Une étrange altération s'était emparée de tous les hommes ; et la première sensation de *douleur* fut le terrible signal de la lamentation et de l'horreur générales. Cette première sensation de douleur consistait dans une constriction rigoureuse de la poitrine et des poumons et dans une insupportable sécheresse de la peau. Il était impossible de nier que notre atmosphère ne fût radicalement affectée ; la composition de cette atmosphère et les modifications auxquelles elle pouvait être soumise furent dès lors les points de la discussion. Le résultat de l'examen lança un frisson électrique de terreur, de la plus intense terreur, à travers le cœur universel de l'homme.

» On savait depuis longtemps que l'air qui nous enveloppait était ainsi composé : sur cent parties, vingt et une d'oxygène et soixante-dix-neuf d'azote. L'oxygène, principe de la combustion et véhicule de la chaleur, était absolument nécessaire à l'entretien de la vie animale et représentait l'agent le plus puissant et le plus énergique de la nature. L'azote, au contraire, était impropre à entretenir la vie, ou combustion animale. D'un excès anormal d'oxygène devait résulter, cela avait été vérifié, une élévation des esprits vitaux semblable à celle que nous avions déjà subie. C'était l'idée continuée, poussée à l'extrême, qui avait créé la terreur. Quel devait être le résultat d'*une totale extraction de l'azote ?* Une combustion irrésistible, dévorante, toute-puissante, immédiate ; —

l'entier accomplissement, dans tous leurs moindres et terribles détails, des flamboyantes et terrifiantes prophéties du Saint Livre.

» Ai-je besoin de te peindre, Charmion, la frénésie alors déchaînée de l'humanité? Cette ténuité de matière dans la comète, qui nous avait d'abord inspiré l'espérance, faisait maintenant toute l'amertume de notre désespoir. Dans sa nature impalpable et gazeuse, nous percevions clairement la consommation de la Destinée. Cependant, un jour encore s'écoula, — emportant avec lui la dernière ombre de l'Espérance. Nous haletions dans la rapide modification de l'air. Le sang rouge bondissait tumultueusement dans ses étroits canaux. Un furieux délire s'empara de tous les hommes; et, les bras roidis vers les cieux menaçants, ils tremblaient et jetaient de grands cris. Mais le noyau de l'exterminateur était maintenant sur nous; — même ici, dans le Ciel, je n'en parle qu'en frissonnant. Je serai brève, — brève comme la catastrophe. Pendant un moment, ce fut seulement une lumière étrange, lugubre, qui visitait et pénétrait toutes choses. Puis — prosternons-nous, Charmion, devant l'excessive majesté du Dieu grand! — puis ce fut un son éclatant, pénétrant, comme si c'était LUI qui l'eût crié par sa bouche; et toute la masse d'éther environnante, au sein de laquelle nous vivions, éclata d'un seul coup en une espèce de flamme intense, dont la merveilleuse clarté et la chaleur dévorante n'ont pas de nom, même parmi les Anges dans le haut Ciel de la science pure. Ainsi finirent toutes choses. »

OMBRE

VOUS qui me lisez, vous êtes encore parmi les vivants;
mais moi qui écris, je serai depuis longtemps parti pour
la région des ombres. Car, en vérité, d'étranges choses
arriveront, bien des choses secrètes seront révélées,
et bien des siècles passeront avant que ces notes soient
vues par les hommes. Et quand ils les auront vues, les
uns ne croiront pas, les autres douteront, et bien peu
d'entre eux trouveront matière à méditation dans les
caractères que je grave sur ces tablettes avec un stylus
de fer.

L'année avait été une année de terreur, pleine de
sentiments plus intenses que la terreur, pour lesquels
il n'y a pas de nom sur la terre. Car beaucoup de
prodiges et de signes avaient eu lieu, et de tous côtés,
sur la terre et sur la mer, les ailes noires de la Peste
s'étaient largement déployées. Ceux-là néanmoins
qui étaient savants dans les étoiles n'ignoraient pas

que les cieux avaient un aspect de malheur ; et pour moi, entre autres, le Grec Oinos, il était évident que nous touchions au retour de cette sept cent quatre-vingt-quatorzième année, où, à l'entrée du Bélier, la planète Jupiter fait sa conjonction avec le rouge anneau du terrible Saturne. L'esprit particulier des cieux, si je ne me trompe grandement, manifestait sa puissance non-seulement sur le globe physique de la terre, mais aussi sur les âmes, les pensées et les méditations de l'humanité.

Une nuit, nous étions sept, au fond d'un noble palais, dans une sombre cité appelée Ptolémaïs, assis autour de quelques flacons d'un vin pourpre de Chios. Et notre chambre n'avait pas d'autre entrée qu'une haute porte d'airain ; et la porte avait été façonnée par l'artisan Corinnos, et elle était d'une rare main-d'œuvre, et fermait en dedans. Pareillement, de noires draperies, protégeant cette chambre mélancolique, nous épargnaient l'aspect de la lune, des étoiles lugubres et des rues dépeuplées ; — mais le pressentiment et le souvenir du Fléau n'avaient pas pu être exclus aussi facilement. Il y avait autour de nous, auprès de nous, des choses dont je ne puis rendre distinctement compte, — des choses matérielles et spirituelles, — une pesanteur dans l'atmosphère, — une sensation d'étouffement, une angoisse, — et, par-dessus tout, ce terrible mode de l'existence que subissent les gens nerveux, quand les sens sont cruelle-ment vivants et éveillés, et les facultés de l'esprit assoupies et mornes. Un poids mortel nous écrasait. Il s'étendait sur nos membres, — sur l'ameublement

de la salle, — sur les verres dans lesquels nous buvions ;
et toutes choses semblaient opprimées et prostrées dans
cet accablement, — tout, excepté les flammes des
sept lampes de fer qui éclairaient notre orgie. S'allongeant en minces filets de lumière, elles restaient
toutes ainsi, et brûlaient pâles et immobiles ; et, dans
la table ronde d'ébène autour de laquelle nous étions
assis, et que leur éclat transformait en miroir, chacun
des convives contemplait la pâleur de sa propre figure
et l'éclair inquiet des yeux mornes de ses camarades.
Cependant, nous poussions nos rires, et nous étions
gais à notre façon, — une façon hystérique ; et nous
chantions les chansons d'Anacréon, — qui ne sont
que folie ; et nous buvions largement, — quoique la
pourpre du vin nous rappelât la pourpre du sang.
Car il y avait dans la chambre un huitième personnage, — le jeune Zoïlus. Mort, étendu tout de son
long et enseveli, il était le génie et le démon de la
scène. Hélas ! il n'avait point sa part de notre divertissement, sauf que sa figure, convulsée par le mal, et
ses yeux, dans lesquels la Mort n'avait éteint qu'à
moitié le feu de la peste, semblaient prendre à notre
joie autant d'intérêt que les morts sont capables d'en
prendre à la joie de ceux qui doivent mourir. Mais,
bien que moi, Oinos, je sentisse les yeux du défunt
fixés sur moi, cependant je m'efforçais de ne pas comprendre l'amertume de leur expression, et, regardant
opiniâtrement dans les profondeurs du miroir d'ébène,
je chantais d'une voix haute et sonore les chansons
du poète de Téos. Mais graduellement mon chant
cessa, et les échos, roulant au loin parmi les noires

draperies de la chambre, devinrent faibles, indistincts, et s'évanouirent. Et voilà que du fond de ces draperies noires où allait mourir le bruit de la chanson s'éleva une ombre, sombre, indéfinie, — une ombre semblable à celle que la lune, quand elle est basse dans le ciel, peut dessiner d'après le corps d'un homme; mais ce n'était l'ombre ni d'un homme, ni d'un Dieu, ni d'aucun être connu. Et frissonnant un instant parmi les draperies, elle resta enfin, visible et droite, sur la surface de la porte d'airain. Mais l'ombre était vague, sans forme, indéfinie; ce n'était l'ombre ni d'un homme, ni d'un Dieu, — ni d'un Dieu de Grèce, ni d'un Dieu de Chaldée, ni d'aucun Dieu égyptien. Et l'ombre reposait sur la grande porte de bronze et sous la corniche cintrée, et elle ne bougeait pas, et elle ne prononçait pas une parole, mais elle se fixait de plus en plus, et elle resta immobile. Et la porte sur laquelle l'ombre reposait était, si je m'en souviens bien, tout contre les pieds du jeune Zoïlus enseveli. Mais nous, les sept compagnons, ayant vu l'ombre, comme elle sortait des draperies, nous n'osions pas la contempler fixement; mais nous baissions les yeux, et nous regardions toujours dans les profondeurs du miroir d'ébène. Et, à la longue, moi, Oinos, je me hasardai à prononcer quelques mots à voix basse, et je demandai à l'ombre sa demeure et son nom. Et l'ombre répondit :

— Je suis OMBRE, et ma demeure est à côté des Catacombes de Ptolémaïs, et tout près de ces sombres plaines infernales qui enserrent l'impur canal de Charon !

Et alors, tous les sept, nous nous dressâmes d'horreur sur nos sièges, et nous nous tenions tremblants, frissonnants, effarés ; car le timbre de la voix de l'ombre n'était pas le timbre d'un seul individu, mais d'une multitude d'êtres ; et cette voix, variant ses inflexions de syllabe en syllabe, tombait confusément dans nos oreilles en imitant les accents connus et familiers de mille et mille amis disparus !

SILENCE

La crête des montagnes sommeille;
la vallée, le rocher et la caverne sont
muets.

ALCMAN.

ÉCOUTE-moi, — dit le Démon, en plaçant sa main sur
ma tête. — La contrée dont je parle est une contrée
lugubre en Libye, sur les bords de la rivière Zaïre. Et
là, il n'y a ni repos ni silence.

Les eaux de la rivière sont d'une couleur safranée
et malsaine; et elles ne coulent pas vers la mer, mais
palpitent éternellement, sous l'œil rouge du soleil,
avec un mouvement tumultueux et convulsif. De
chaque côté de cette rivière au lit vaseux s'étend, à une
distance de plusieurs milles, un pâle désert de gigantesques nénuphars. Ils soupirent l'un vers l'autre
dans cette solitude, et tendent vers le ciel leurs longs
cous de spectres, et hochent de côté et d'autre leurs
têtes sempiternelles. Et il sort d'eux un murmure
confus qui ressemble à celui d'un torrent souterrain.
Et ils soupirent l'un vers l'autre.

Mais il y a une frontière à leur empire, et cette

frontière est une haute forêt, sombre, horrible. Là, comme les vagues autour des Hébrides, les petits arbres sont dans une perpétuelle agitation. Et cependant il n'y a pas de vent dans le ciel. Et les vastes arbres primitifs vacillent éternellement de côté et d'autre avec un fracas puissant. Et de leurs hauts sommets filtre, goutte à goutte, une éternelle rosée. Et à leurs pieds d'étranges fleurs vénéneuses se tordent dans un sommeil agité. Et sur leurs têtes, avec un frou-frou retentissant, les nuages gris se précipitent, toujours vers l'ouest, jusqu'à ce qu'ils roulent en cataracte derrière la muraille enflammée de l'horizon. Cependant il n'y a pas de vent dans le ciel. Et sur les bords de la rivière Zaïre, il n'y a ni calme ni silence.

C'était la nuit, et la pluie tombait; et quand elle tombait, c'était de la pluie, mais quand elle était tombée, c'était du sang. Et je me tenais dans le marécage parmi les grands nénuphars, et la pluie tombait sur ma tête, — et les nénuphars soupiraient l'un vers l'autre dans la solennité de leur désolation.

Et tout d'un coup, la lune se leva à travers la trame légère du brouillard funèbre, et elle était d'une couleur cramoisie. Et mes yeux tombèrent sur un énorme rocher grisâtre qui se dressait au bord de la rivière, et qu'éclairait la lueur de la lune. Et le rocher était grisâtre, et sinistre, et très-haut, — et le rocher était grisâtre. Sur son front de pierre étaient gravés des caractères; et je m'avançai à travers le marécage de nénuphars, jusqu'à ce que je fusse tout près du rivage, afin de lire les caractères gravés dans la pierre. Mais je ne pus pas les déchiffrer. Et j'allais retourner vers

le marécage, quand la lune brilla d'un rouge plus vif;
et je me retournai, et je regardai de nouveau vers le
rocher et les caractères; — et ces caractères étaient :
Désolation.

Et je regardai en haut, et sur le faîte du rocher se
tenait un homme; et je me cachai parmi les nénuphars afin d'épier les actions de l'homme. Et l'homme
était d'une forme grande et majestueuse, et, des épaules
jusqu'aux pieds, enveloppé dans la toge de l'ancienne
Rome. Et le contour de sa personne était indistinct, —
mais ses traits étaient les traits d'une divinité; car,
malgré le manteau de la nuit, et du brouillard, et de
la lune, et de la rosée, rayonnaient les traits de sa
face. Et son front était haut et pensif, et son œil était
effaré par le souci; et dans les sillons de sa joue je lus
les légendes du chagrin, de la fatigue, du dégoût de
l'humanité, et une grande aspiration vers la solitude.

Et l'homme s'assit sur le rocher, et appuya sa tête
sur sa main, et promena son regard sur la désolation.
Il regarda les arbrisseaux toujours inquiets et les
grands arbres primitifs; il regarda, plus haut, le
ciel plein de frôlements, et la lune cramoisie. Et j'étais
blotti à l'abri des nénuphars, et j'observais les actions
de l'homme. Et l'homme tremblait dans la solitude; —
cependant, la nuit avançait, et il restait assis sur le
rocher.

Et l'homme détourna son regard du ciel, et le dirigea
sur la lugubre rivière Zaïre, et sur les eaux jaunes et
lugubres, et sur les pâles légions de nénuphars. Et
l'homme écoutait les soupirs des nénuphars et le murmure qui sortait d'eux. Et j'étais blotti dans ma

cachette, et j'épiais les actions de l'homme. Et l'homme tremblait dans la solitude; — cependant, la nuit avançait, et il restait assis sur le rocher.

Alors je m'enfonçai dans les profondeurs lointaines du marécage, et je marchai sur la forêt pliante de nénuphars, et j'appelai les hippopotames qui habitaient les profondeurs du marécage. Et les hippopotames entendirent mon appel et vinrent avec les béhémoths jusqu'au pied du rocher, et rugirent hautement et effroyablement sous la lune. J'étais toujours blotti dans ma cachette, et je surveillais les actions de l'homme. Et l'homme tremblait dans la solitude : — cependant, la nuit avançait, et il restait assis sur le rocher.

Alors je maudis les éléments de la malédiction du tumulte; et une effrayante tempête s'amassa dans le ciel, où naguère il n'y avait pas un souffle. Et le ciel devint livide de la violence de la tempête, — et la pluie battait la tête de l'homme, — et les flots de la rivière débordaient, — et la rivière torturée jaillissait en écume, — et les nénuphars criaient dans leurs lits, — et la forêt s'émiettait au vent, — et le tonnerre roulait, — et l'éclair tombait, — et le roc vacillait sur ses fondements. Et j'étais toujours blotti dans ma cachette pour épier les actions de l'homme. Et l'homme tremblait dans la solitude; — cependant, la nuit avançait, et il restait assis sur le rocher.

Alors je fus irrité, et je maudis de la malédiction du *silence* la rivière et les nénuphars, et le vent, et la forêt, et le ciel, et le tonnerre, et les soupirs des nénuphars. Et ils furent frappés de la malédiction, et ils devinrent muets. Et la lune cessa de faire péniblement sa route dans le ciel, — et le tonnerre expira, — et l'éclair ne jaillit plus, — et les nuages pendirent immobiles, — et les eaux redescendirent dans leur lit et y restèrent, — et les arbres cessèrent de se balancer, — et les nénuphars ne soupirèrent plus, — et il ne s'éleva plus de leur foule le moindre murmure, ni l'ombre d'un son dans tout le vaste désert sans limites. Et je regardai les caractères du rocher et ils étaient changés; — et maintenant ils formaient le mot : Silence.

Et mes yeux tombèrent sur la figure de l'homme, et sa figure était pâle de terreur. Et précipitamment il leva sa tête de sa main, il se dressa sur le rocher, et tendit l'oreille. Mais il n'y avait pas de voix dans tout le vaste désert sans limites, et les caractères gravés sur le rocher étaient : Silence. Et l'homme frissonna, et il fit volte-face, et il s'enfuit loin, loin, précipitamment, si bien que je ne le vis plus.

. . . .

— Or, il y a de biens beaux contes dans les livres des Mages, — dans les mélancoliques livres des Mages, qui sont reliés en fer. Il y a là, dis-je, de splendides histoires du Ciel, et de la Terre, et de la puissante Mer, — et des Génies qui ont régné sur la mer, sur la terre et sur le ciel sublime. Il y avait aussi beaucoup de science dans les paroles qui ont été dites par les Sybilles; et de saintes, saintes choses ont été entendues jadis par les sombres feuilles qui tremblaient autour de Dodone; mais, comme il est vrai qu'Allah est vivant, je tiens cette fable que m'a contée le Démon, quand il s'assit à côté de moi dans l'ombre de la tombe, pour la plus étonnante de toutes! Et quand le Démon eut fini son histoire, il se renversa dans la profondeur de la tombe, et se mit à rire. Et je ne pus pas rire avec le Démon, et il me maudit parce que je ne pouvais pas rire. Et le lynx, qui demeure dans la tombe pour l'éternité, en sortit, et il se coucha aux pieds du Démon, et il le regarda fixement dans les yeux.

L'ILE DE LA FÉE

Nullus enim locus sine genio est.

SERVIUS.

La *musique*, — dit Marmontel, dans ces *Contes Moraux* que nos traducteurs persistent à appeler *Moral Tales* comme en dérision de leur esprit, — *la musique est le seul des talents qui jouisse de lui-même; tous les autres veulent des témoins.* Il confond ici le plaisir d'entendre des sons agréables avec la puissance de les créer. Pas plus qu'aucun autre *talent*, la musique n'est capable de donner une complète jouissance, s'il n'y a pas une seconde personne pour en apprécier l'exécution. Et cette puissance de produire des effets dont on jouisse pleinement dans la solitude ne lui est pas particulière; elle est commune à tous les autres talents. L'idée que le conteur n'a pas pu concevoir clairement, ou qu'il a sacrifiée dans son expression à l'amour national du *trait*, est sans doute l'idée très-soutenable que la musique du style le plus élevé est la plus complètement sentie quand nous sommes absolument seuls. La proposition, sous cette forme, sera admise

du premier coup par ceux qui aiment la lyre pour
l'amour de la lyre et pour ses avantages spirituels.
Mais il est un plaisir toujours à la portée de l'humanité déchue, — et c'est peut-être l'unique, — qui
doit même plus que la musique à la sensation acces-
soire de l'isolement. Je veux parler du bonheur
éprouvé dans la contemplation d'une scène de la
nature. En vérité, l'homme qui veut contempler en
face la gloire de Dieu sur la terre doit contempler
cette gloire dans la solitude. Pour moi du moins, la
présence, non pas de la vie humaine seulement,
mais de la vie sous toute autre forme que celle des
êtres verdoyants qui croissent sur le sol et qui sont
sans voix, est un opprobre pour le paysage : elle est
en guerre avec le génie de la scène. Oui, vraiment,
j'aime à contempler les sombres vallées, et les roches
grisâtres, et les eaux qui sourient silencieusement,
et les forêts qui soupirent dans des sommeils anxieux,
et les orgueilleuses et vigilantes montagnes qui
regardent tout d'en haut. — J'aime à contempler
ces choses pour ce qu'elles sont : les membres gigantesques d'un vaste tout, animé et sensitif, — un tout
dont la forme (celle de la sphère) est la plus parfaite
et la plus compréhensive de toutes les formes; dont la
route se fait de compagnie avec d'autres planètes;
dont la très-douce servante est la lune; dont le seigneur
médiatisé est le soleil; dont la vie est l'éternité; dont
la pensée est celle d'un Dieu; dont la jouissance est
connaissance; dont les destinées se perdent dans
l'immensité; pour qui nous sommes une notion
correspondante à la notion que nous avons des ani-

malcules qui infestent le cerveau, — un être que nous
regardons conséquemment comme inanimé et purement matériel, — appréciation très-semblable à
celle que ces animalcules doivent faire de nous.

Nos télescopes et nos recherches mathématiques
nous confirment de tout point — nonobstant la
cafarderie de la plus ignorante prêtraille, — que
l'espace, et conséquemment le volume, est une impor-
tante considération aux yeux du Tout-Puissant. Les
cercles dans lesquels se meuvent les étoiles sont le
mieux appropriés à l'évolution, sans conflit, du plus
grand nombre de corps possible. Les formes de ces
corps sont exactement choisies pour contenir sous
une surface donnée la plus grande quantité possible
de matière; — et les surfaces elles-mêmes sont disposées de façon à recevoir une population plus nombreuse que ne l'auraient pu les mêmes surfaces disposées autrement. Et, de ce que l'espace est infini,
on ne peut tirer aucun argument contre cette idée :
que le volume a une valeur aux yeux de Dieu; car,
pour remplir cet espace, il peut y avoir un infini de
matière. Et, puisque nous voyons clairement que douer
la matière de vitalité est un principe, — et même,
autant que nous pouvons en juger, le principe capital
dans les opérations de la Divinité, — est-il logique
de le supposer confiné dans l'ordre de la petitesse,
où il se révèle journellement à nous, et de l'exclure
des régions du grandiose? Comme nous découvrons
des cercles dans des cercles et toujours sans fin, —
évoluant tous cependant autour d'un centre unique
infiniment distant, qui est la Divinité, — ne pouvons-

nous pas supposer, analogiquement et de la même manière, la vie dans la vie, la moindre dans la plus grande, et toutes dans l'Esprit divin? Bref, nous errons follement par fatuité, en nous figurant que l'homme, dans ses destinées temporelles ou futures, est d'une plus grande importance dans l'univers que ce vaste *limon de la vallée* qu'il cultive et qu'il méprise, et à laquelle il refuse une âme par la raison peu profonde qu'il ne la voit pas fonctionner.

Ces idées, et d'autres analogues, ont toujours donné à mes méditations parmi les montagnes et les forêts, près des rivières et de l'océan, une teinte de ce que les gens vulgaires ne manqueront pas d'appeler fantastique. Mes promenades vagabondes au milieu de tableaux de ce genre ont été nombreuses, singulièrement curieuses, souvent solitaires; et l'intérêt avec lequel j'ai erré à travers plus d'une vallée profonde et sombre, ou contemplé le *ciel* de maint lac limpide, a été un intérêt grandement accru par la pensée que j'errais seul, que je contemplais *seul*. Quel est le Français bavard qui, faisant allusion à l'ouvrage bien connu de Zimmermann, a dit : *La solitude est une belle chose, mais il faut quelqu'un pour vous dire que la solitude est une belle chose?* Comme épigramme, c'est parfait; mais, *il faut!* Cette nécessité est une chose qui n'existe pas.

Ce fut dans un de mes voyages solitaires, dans une région fort lointaine, — montagnes compliquées par des montagnes, méandres de rivières mélancoliques, lacs sombres et dormants, — que je tombai sur certain petit ruisseau avec une île. J'y arrivai soudainement

dans un mois de juin, le mois du feuillage, et je me
jetai sur le sol, sous les branches d'un arbuste odorant qui m'était inconnu, de manière à m'assoupir
en contemplant le tableau. Je sentis que je ne pourrais
le bien voir que de cette façon, — tant il portait le
caractère d'une vision.

De tous côtés, — excepté à l'ouest, où le soleil
allait bientôt plonger, — s'élevaient les murailles
verdoyantes de la forêt. La petite rivière, qui faisait
un brusque coude, et ainsi se dérobait soudainement
à la vue, semblait ne pouvoir pas s'échapper de sa
prison ; mais on eût dit qu'elle était absorbée vers
l'est par la verdure profonde des arbres ; — et du
côté opposé (cela m'apparaissait ainsi, couché comme
je l'étais, et les yeux au ciel), tombait dans la vallée,
sans intermédiaire et sans bruit, une splendide cascade,
or et pourpre, vomie par les fontaines occidentales
du ciel.

A peu près au centre de l'étroite perspective
qu'embrassait mon regard visionnaire, une petite
île circulaire, magnifiquement verdoyante, reposait
sur le sein du ruisseau.

> La rive et son image étaient si bien fondues
> Que le tout semblait suspendu dans l'air.

L'eau transparente jouait si bien le miroir qu'il
était presque impossible de deviner à quel endroit
du talus d'émeraude commençait son domaine de
cristal.

Ma position me permettait d'embrasser d'un seul

coup d'œil les deux extrémités, est et ouest, de l'îlot;
et j'observai dans leurs aspects une différence singulièrement marquée. L'ouest était tout un radieux
harem de beautés de jardin. Il s'embrasait et rougissait
sous l'œil oblique du soleil, et souriait extatiquement
par toutes ses fleurs. Le gazon était court, élastique,
odorant, et parsemé d'asphodèles. Les arbres étaient
souples, gais, droits, — brillants, sveltes et gracieux, —
orientaux par la forme et le feuillage, avec une écorce
polie, luisante et versicolore. On eût dit qu'un sentiment profond de vie et de joie circulait partout;
et, quoique les Cieux ne soufflassent aucune brise,
tout cependant semblait agité par d'innombrables
papillons qu'on aurait pu prendre, dans leurs fuites
gracieuses et leurs zigzags, pour des tulipes ailées.

L'autre côté, le côté est de l'île, était submergé dans
l'ombre la plus noire. Là, une mélancolie sombre,
mais pleine de calme et de beauté, enveloppait
toutes choses. Les arbres étaient d'une couleur noirâtre, lugubres de forme et d'attitude, — se tordant
en spectres moroses et solennels, traduisant des idées
de chagrin mortel et de mort prématurée. Le gazon
y revêtait la teinte profonde du cyprès, et ses brins
baissaient languissamment leurs pointes. Là, s'élevaient éparpillés plusieurs petits monticules maussades,
bas, étroits, pas très-longs, qui avaient des airs de
tombeaux, mais qui n'en étaient pas, quoique au-
dessus et tout autour grimpassent la rue et le romarin.
L'ombre des arbres tombait pesamment sur l'eau et
semblait s'y ensevelir, imprégnant de ténèbres les
profondeurs de l'élément. Je m'imaginais que chaque

ombre, à mesure que le soleil descendait plus bas, toujours plus bas, se séparait à regret du tronc qui lui avait donné naissance et était absorbée par le ruisseau, pendant que d'autres ombres naissaient à chaque instant des arbres, prenant la place de leurs aînées défuntes.

Cette idée, une fois qu'elle se fut emparée de mon imagination, l'excita fortement, et je me perdis immédiatement en rêveries. « Si jamais île fut enchantée, — me disais-je, — celle-ci l'est, bien sûre. C'est le rendez-vous des quelques gracieuses Fées qui ont survécu à la destruction de leur race. Ces vertes tombes sont-elles les leurs? Rendent-elles leurs douces vies de la même façon que l'humanité? Ou plutôt leur mort n'est-elle pas une espèce de dépérissement mélancolique? Rendent-elles à Dieu leur existence petit à petit, épuisant lentement leur substance jusqu'à la mort, comme ces arbres rendent leurs ombres l'une après l'autre? Ce que l'arbre qui s'épuise est à l'eau qui en boit l'ombre et devient plus noire de la proie qu'elle avale, la vie de la Fée ne pourrait-elle pas bien être la même chose à la Mort qui l'engloutit? »

Comme je rêvais ainsi, les yeux à moitié clos, tandis que le soleil descendait rapidement vers son lit et que des tourbillons couraient tout autour de l'île, portant sur leur sein de grandes, lumineuses et blanches écailles, détachées des troncs des sycomores, — écailles qu'une imagination vive aurait pu, grâce à leurs positions variées sur l'eau, convertir en tels objets qu'il lui aurait plu, — pendant que je rêvais ainsi, il me sembla que la figure d'une de ces mêmes Fées dont j'avais rêvé, se détachant de la partie lumineuse et occidentale de l'île, s'avançait lentement vers les ténèbres. — Elle se tenait droite sur un canot singulièrement fragile, et le mouvait avec un fantôme d'aviron. Tant qu'elle fut sous l'influence des beaux rayons attardés, son attitude parut traduire la joie, — mais le chagrin altéra sa physionomie quand elle passa dans la région de l'ombre. Lentement, elle glissa tout le long, fit peu à peu le tour de l'île, et rentra dans la région de la lumière.

« La révolution qui vient d'être accomplie par la Fée, — continuai-je, toujours rêvant, — est le cycle d'une brève année de sa vie. Elle a traversé son hiver et son été. Elle s'est rapprochée de la mort d'une année; car j'ai bien vu que, quand elle entrait dans l'obscurité, son ombre se détachait d'elle et était engloutie par l'eau sombre, rendant sa noirceur encore plus noire. »

Et de nouveau, le petit bateau apparut, avec la Fée; mais dans son attitude il y avait plus de souci et d'indécision, et moins d'élastique allégresse. Elle navigua de nouveau de la lumière vers l'obscurité, — qui s'approfondissait à chaque minute , — et de nouveau son ombre, se détachant, tomba dans l'ébène liquide et fut absorbée par les ténèbres. — Et plusieurs fois encore elle fit le circuit de l'île, — pendant que le soleil se précipitait vers son lit, — et, à chaque fois qu'elle émergeait dans la lumière, il y avait plus de chagrin dans sa personne, et elle devenait plus faible, et plus abattue, et plus indistincte; et, à chaque fois qu'elle passait dans l'obscurité, il se détachait d'elle un spectre plus obscur qui était submergé par une ombre plus noire. Mais à la fin, quand le soleil eut totalement disparu, la Fée, maintenant pur fantôme d'elle-même, entra avec son bateau, pauvre inconsolable! dans la région du fleuve d'ébène, — et si elle en sortit jamais, je ne puis le dire, — car les ténèbres tombèrent sur toutes choses, et je ne vis plus son enchanteresse figure.

LE PORTRAIT OVALE

LE château dans lequel mon domestique s'était avisé de pénétrer de force, plutôt que de me permettre, déplorablement blessé comme je l'étais, de passer une nuit en plein air, était un de ces bâtiments, mélange de grandeur et de mélancolie, qui ont si longtemps dressé leurs fronts sourcilleux au milieu des Apennins, aussi bien dans la réalité que dans l'imagination de mistress Radcliffe. Selon toute apparence, il avait été temporairement et tout récemment abandonné. Nous nous installâmes dans une des chambres les plus petites et les moins somptueusement meublées. Elle était située dans une tour écartée du bâtiment. Sa décoration était riche, mais antique et délabrée. Les murs étaient tendus de tapisseries et décorés de nombreux trophées héraldiques de toute forme, ainsi que d'une quantité vraiment prodigieuse de peintures modernes, pleines de style, dans de riches cadres d'or d'un goût arabesque. Je pris un profond intérêt, — ce fut peut-être mon délire qui commençait qui en fut cause, — je pris un profond intérêt à ces peintures qui étaient suspendues non-seulement sur les faces principales des murs, mais aussi dans une foule de recoins que la bizarre architecture du château rendait inévitables; si bien que j'ordonnai à Pedro de fermer les lourds volets de la chambre, — puisqu'il faisait déjà nuit, — d'allumer un grand candélabre à plusieurs branches placé près de mon chevet, et d'ouvrir tout grands les rideaux de velours noir garnis de crépines qui entouraient le lit. Je désirais que cela fût ainsi, pour que je pusse au moins, si je ne pouvais pas dormir, me consoler alternativement par la contemplation de ces peintures et par la lecture d'un petit volume que j'avais trouvé sur l'oreiller et qui en contenait l'appréciation et l'analyse.

Je lus longtemps, — longtemps; — je contemplai religieusement, dévotement; les heures s'envolèrent, rapides et glorieuses, et le profond minuit arriva. La position du candélabre me déplaisait, et, étendant la main avec difficulté pour ne pas déranger mon valet assoupi, je plaçai l'objet de manière à jeter les rayons en plein sur le livre.

Mais l'action produisit un effet absolument inattendu. Les rayons des nombreuses bougies (car il y en avait beaucoup) tombèrent alors sur une niche de la chambre que l'une des colonnes du lit avait jusque-là couverte d'une ombre profonde. J'aperçus dans une vive lumière une peinture qui m'avait d'abord échappé. C'était le portrait d'une jeune fille déjà mûrissante et presque femme. Je jetai sur la peinture un coup d'œil rapide, et je fermai les yeux. Pourquoi? — Je ne le compris pas bien moi-même tout d'abord. Mais pendant que mes paupières restaient closes, j'analysai rapidement la raison qui me les faisait fermer ainsi. C'était un mouvement involontaire pour gagner du temps et pour penser, — pour m'assurer que ma vue ne m'avait pas trompé, — pour calmer et préparer mon esprit à une contemplation plus froide et plus sûre. Au bout de quelques instants, je regardai de nouveau la peinture fixement.

Je ne pouvais pas douter, quand même je l'aurais voulu, que je n'y visse alors très-nettement; car le premier éclair du flambeau sur cette toile avait dissipé la stupeur rêveuse dont mes sens étaient possédés, et m'avait rappelé tout d'un coup à la vie réelle.

Le portrait, je l'ai déjà dit, était celui d'une jeune fille. C'était une simple tête, avec des épaules, le tout dans ce style, qu'on appelle en langage technique, style *de vignette*, beaucoup de la manière de Sully dans ses têtes de prédilection. Les bras, le sein, et même les bouts des cheveux rayonnants, se fondaient insaisissablement dans l'ombre vague mais profonde qui servait de fond à l'ensemble. Le cadre était ovale, magnifiquement doré et guilloché dans le goût moresque. Comme œuvre d'art, on ne pouvait rien trouver de plus admirable que la peinture elle-même. Mais il se peut bien que ce ne fût ni l'exécution de l'œuvre, ni l'immortelle beauté de la physionomie, qui m'impressionna si soudainement et si fortement. Encore moins devais-je croire que mon imagination, sortant d'un demi-sommeil, eût pris la tête pour celle d'une personne vivante. — Je vis tout d'abord que les

détails du dessin, le style de vignette, et l'aspect du
cadre auraient immédiatement dissipé un pareil
charme, et m'auraient préservé de toute illusion même
momentanée. Tout en faisant ces réflexions, et très-
vivement, je restai, à demi étendu, à demi assis,
une heure entière peut-être, les yeux rivés à ce portrait. A la longue, ayant découvert le vrai secret de
son effet, je me laissai retomber sur le lit. J'avais
deviné que le *charme* de la peinture était une expression vitale absolument adéquate à la vie elle-même,
qui d'abord m'avait fait tressaillir, et finalement
m'avait confondu, subjugué, épouvanté. Avec une
terreur profonde et respectueuse, je replaçai le candélabre dans sa position première. Ayant ainsi dérobé
à ma vue la cause de ma profonde agitation, je
cherchai vivement le volume qui contenait l'analyse
des tableaux et leur histoire. Allant droit au numéro
qui désignait le portrait ovale, j'y lus le vague et
singulier récit qui suit :

« C'était une jeune fille d'une très-rare beauté,
et qui n'était pas moins aimable que pleine de gaieté.
Et maudite fut l'heure où elle vit, et aima, et épousa
le peintre. Lui, passionné, studieux, austère, et ayant
déjà trouvé une épouse dans son Art; elle, une jeune
fille d'une très-rare beauté, et non moins aimable
que pleine de gaieté : rien que lumières et sourires,
et la folâtrerie d'un jeune faon; aimant et chérissant
toutes choses; ne haïssant que l'Art qui était son
rival; ne redoutant que la palette et les brosses, et les
autres instruments fâcheux qui la privaient de la
figure de son adoré. Ce fut une terrible chose pour

cette dame que d'entendre le peintre parler du désir de
peindre même sa jeune épouse. Mais elle était humble
et obéissante, et elle s'assit avec douceur pendant de
longues semaines dans la sombre et haute chambre
de la tour, où la lumière filtrait sur la pâle toile seulement par le plafond. Mais lui, le peintre, mettait
sa gloire dans son œuvre, qui avançait d'heure en
heure et de jour en jour. — Et c'était un homme
passionné, et étrange, et pensif, qui se perdait en
rêveries; si bien qu'il ne *voulait* pas voir que la lumière
qui tombait si lugubrement dans cette tour isolée
desséchait la santé et les esprits de sa femme, qui lan-
guissait visiblement pour tout le monde, excepté pour
lui. Cependant, elle souriait toujours, et toujours
sans se plaindre, parce qu'elle voyait que le peintre
(qui avait un grand renom) prenait un plaisir vif et
brûlant dans sa tâche, et travaillait nuit et jour pour
peindre celle qui l'aimait si fort, mais qui devenait
de jour en jour plus languissante et plus faible. Et, en
vérité, ceux qui contemplaient le portrait parlaient à
voix basse de sa ressemblance, comme d'une puissante
merveille et comme d'une preuve non moins grande
de la puissance du peintre que de son profond amour
pour celle qu'il peignait si miraculeusement bien. —
Mais, à la longue, comme la besogne approchait de
sa fin, personne ne fut plus admis dans la tour; car
le peintre était devenu fou par l'ardeur de son travail,
et il détournait rarement ses yeux de la toile, même
pour regarder la figure de sa femme. Et il ne *voulait*
pas voir que les couleurs qu'il étalait sur la toile étaient
tirées des joues de celle qui était assise près de lui. Et

quand bien des semaines furent passées et qu'il ne restait plus que peu de chose à faire, rien qu'une touche sur la bouche et un glacis sur l'œil, l'esprit de la dame palpita encore comme la flamme dans le bec d'une lampe. Et alors la touche fut donnée, et alors le glacis fut placé; et pendant un moment le peintre se tint en extase devant le travail qu'il avait travaillé; mais une minute après, comme il contemplait encore, il trembla et il devint très-pâle, et il fut frappé d'effroi; et criant d'une voix éclatante : « En vérité, c'est la *Vie* elle-même! » — il se retourna brusquement pour regarder sa bien-aimée : — elle était morte! »

TEXTES CRITIQUES

BAUDELAIRE

Il faut évidemment recourir d'abord à Baudelaire si l'on veut évoquer les résonances de l'œuvre de Poe. Le traducteur-poète a saisi la signification esthétique essentielle des *Histoires* et des *Poèmes* de son « double » américain.

Généralement Edgar Poe supprime les accessoires, ou du moins ne leur donne qu'une valeur très minime. Grâce à cette sobriété cruelle, l'idée génératrice se fait mieux voir et le sujet se découpe ardemment sur ces fonds nus. Quant à sa méthode de narration, elle est simple. Il abuse de *Je* avec une cynique monotonie. On dirait qu'il est tellement sûr d'intéresser qu'il s'inquiète peu de varier ses moyens. Ses contes sont presque toujours des récits ou des manuscrits du principal personnage. Quant à l'ardeur avec laquelle il travaille souvent dans l'horrible, j'ai remarqué chez plusieurs hommes qu'elle était souvent le résultat d'une très grande énergie vitale inoccupée, quelquefois d'une opiniâtre chasteté, et aussi d'une profonde sensibilité refoulée. La volupté surnaturelle que l'homme peut éprouver à voir couler son propre sang, les mouvements brusques et inutiles, les grands cris jetés en l'air presque involontairement sont des phénomènes analogues. La douleur est un soulagement à la douleur, l'action délasse du repos. »

. . . .

Dans les livres d'Edgar Poe, le style est serré, *concaténé*; la mauvaise volonté du lecteur ou sa paresse ne pourront pas passer à

travers les mailles de ce réseau tressé par la logique. Toutes les
idées, comme des flèches obéissantes, volent au même but.
(*Edgar Poe, sa vie et ses ouvrages*, étude publiée dans *La Revue de
Paris* en 1852).

Chez lui, toute entrée en matière est attirante sans violence,
comme un tourbillon. Sa solennité surprend et tient l'esprit en
éveil. On sent tout d'abord qu'il s'agit de quelque chose de grave.
Et lentement, peu à peu, se déroule une histoire dont tout
l'intérêt repose sur une imperceptible déviation de l'intellect,
sur une hypothèse audacieuse, sur un dosage prudent de la
Nature dans l'amalgame des facultés. Le lecteur, lié par le vertige, est contraint de suivre l'auteur dans ses entraînantes déductions.

Aucun homme, je le répète, n'a raconté avec plus de magie les
exceptions de la vie humaine et de la nature; — les ardeurs de
curiosité de la convalescence; — les fins de saison chargées de
splendeurs énervantes, les temps chauds, humides et brumeux où
le vent du sud amollit et détend les nerfs comme les cordes d'un
instrument, où les yeux se remplissent de larmes qui ne viennent
pas du cœur; — l'hallucination laissant d'abord place au doute,
bientôt convaincue et raisonneuse comme un livre; — l'absurde
s'installant dans l'intelligence et la gouvernant avec une épouvantable logique; — l'hystérie usurpant la place de la volonté,
la contradiction établie entre les nerfs et l'esprit, et l'homme
désaccordé au point d'exprimer la douleur par le rire. Il analyse
ce qu'il y a de plus fugitif, il soupèse l'impondérable et décrit,
avec cette manière minutieuse et scientifique dont les effets sont
terribles, tout cet imaginaire qui flotte autour de l'homme nerveux et le conduit à mal.

. . . .

Au sein de cette littérature où l'air est raréfié, l'esprit peut
éprouver cette vague angoisse, cette peur prompte aux larmes et
ce malaise du cœur qui habitent les lieux immenses et singuliers.
Mais l'admiration est la plus forte, et d'ailleurs l'art est si grand!
Les fonds et les accessoires y sont appropriés aux sentiments des
personnages. Solitude de la nature ou agitation des villes, tout y
est décrit nerveusement et fantastiquement.... La nature dite

inanimée participe de la nature des êtres vivants, et comme eux, frissonne d'un frisson surnaturel et galvanique. L'espace est approfondi par l'opium; l'opium y donne un sens magique à toutes les teintes, et fait vibrer tous les bruits avec une plus significative sonorité. Quelquefois, des échappées magnifiques, gorgées de lumière et de couleur, s'ouvrent soudainement dans ses paysages, et l'on voit apparaître au fond de leurs horizons des villes orientales et des architectures, vaporisées par la distance, où le soleil jette des pluies d'or. (*Edgar Poe, sa vie et ses œuvres*, notice précédant l'édition des *Histoires extraordinaires* (1856).)

Pour lui, l'imagination est la reine des facultés; mais par ce mot il entend quelque chose de plus grand que ce qui est entendu par le commun des lecteurs. L'imagination n'est pas la fantaisie; elle n'est pas non plus la sensibilité, bien qu'il soit difficile de concevoir un homme imaginatif qui ne serait pas sensible. L'imagination est une faculté quasi divine qui perçoit tout d'abord, en dehors des méthodes philosophiques, les rapports intimes et secrets des choses, les correspondances et les analogies...

Parmi les domaines littéraires où l'imagination peut obtenir les plus curieux résultats, peut récolter les trésors, non pas les plus riches, les plus précieux (ceux-là appartiennent à la Poésie), mais les plus nombreux et les plus variés, il en est une que Poe affectionne particulièrement, c'est la *Nouvelle*. Elle a sur le roman à vastes proportions cet immense avantage que sa brièveté ajoute à l'intensité de l'effet... L'unité d'impression, la *totalité* d'effet est un avantage immense qui peut donner à ce genre de composition une supériorité tout à fait particulière, à ce point qu'une nouvelle trop courte (c'est sans doute un défaut) vaut encore mieux qu'une nouvelle trop longue. L'artiste, s'il est habile, n'accommodera pas ses pensées aux incidents; mais ayant conçu délibérément, à loisir un effet à produire, inventera les incidents, combinera les événements les plus propres à amener l'effet voulu. Dans la composition tout entière, il ne doit pas se glisser un seul mot qui ne soit une intention, qui ne tende, directement ou indirectement à parfaire le dessin prémédité. (*Notes nouvelles sur Edgar Poe*, précédant l'édition des *Nouvelles Histoires extraordinaires* (1857).)

DOSTOÏEVSKI

En janvier 1861, Dostoïevski publia dans le journal *Vremia* (*Le Temps*) une notice introductive à la traduction en russe du *Chat noir*, du *Cœur révélateur* et du *Diable dans le beffroi*. Si Dostoïevski se trompe en considérant Hoffmann comme plus « fantastique » et plus « poète » qu'Edgar Poe, il a pourtant su discerner deux traits fondamentaux de son génie : la représentation du Double, qui fait dévier l'individu vers des actes absurdes en apparence, et l'extraordinaire impression de réalité que suscite Edgar Poe par son sens du détail. Le texte de Dostoïevski, inédit en France, a été traduit pour « Le Livre de Poche » par Mlle O. Lévi.

Deux ou trois contes d'Edgar Poe ont déjà été traduits en russe dans nos revues. Nous présentons au lecteur trois nouveaux contes.

Voilà un étrange écrivain, bien étrange en vérité, quoique doué d'un grand talent. On ne peut pas véritablement classer ses ouvrages parmi les œuvres fantastiques; s'il est fantastique, ce n'est que superficiellement. Il imagine par exemple qu'une momie égyptienne enterrée depuis cinq mille ans dans les pyramides revit grâce au galvanisme. Il imagine qu'un homme mort nous entretient de l'état de son âme toujours grâce au galvanisme et ainsi de suite. Mais ce n'est pas là à proprement parler le genre fantastique. Edgar Poe suppose uniquement la possibilité extérieure d'un événement (tout en démontrant du reste sa vraisemblance, et ceci parfois même de manière extraordinairement habile), puis, ayant imaginé cet événement, il demeure parfaitement fidèle à la réalité pour tout le reste. Ce n'est pas le même fantastique que l'on trouve par exemple chez Hoffman. Celui-ci personnifie les forces de la nature : dans ses contes il introduit des magiciens et des esprits et parfois même il essaie d'atteindre son idéal en dehors du monde terrestre dans un

univers extraordinaire auquel il reconnaît un caractère supérieur comme si lui-même croyait en l'existence incontestable de ce
monde magique et mystérieux... On pourrait qualifier Edgar Poe
de fantasque plutôt que de fantastique. Et quelles étranges et
audacieuses fantaisies! Il choisit à peu près toujours la réalité
la plus rare et place son héros dans la situation objective ou psychologique la plus inhabituelle; et avec quelle force de pénétration
et quelle étonnante précision il décrit l'état d'âme de ce personnage! En dehors de cela il y a chez Poe un trait qui le place
résolument à part de tous les autres écrivains et qui marque de la
façon la plus nette sa singularité : c'est sa puissance d'imagination.
Ce n'est pas qu'il surpasse en cela les autres écrivains, mais il y a
dans sa faculté d'imagination une particularité qui n'existe chez
aucun autre : c'est la puissance des détails. Essayez par exemple
de vous représenter quelque chose d'un peu inhabituel ou même
d'irréel et de seulement possible : l'image qui se dessinera devant
vous retiendra toujours les traits plus ou moins généraux propres
à l'ensemble du tableau ou au contraire développera une particularité, un détail. Tandis que dans les contes de Poe, l'on voit
de façon tellement frappante tous les détails de l'image ou de
l'événement représenté que l'on finit par être comme convaincu
de sa vraisemblance et de sa réalité alors que cet événement est
presque totalement impossible ou bien ne s'est encore jamais
produit. Ainsi il y a dans un de ses récits la description d'un voyage
sur la lune, une description excessivement détaillée, suivie par lui
presque heure par heure et qui réussit presque à nous convaincre
qu'il a pu avoir lieu. Dans un journal américain il a décrit avec
tout autant de précision le survol au-dessus de l'océan d'un ballon
reliant l'Europe à l'Amérique. Cette description était faite de
façon si détaillée et si précise, remplie de circonstances tellement
inattendues et semblait si réelle que tous crurent à ce voyage,
bien entendu l'espace de quelques heures seulement; aussitôt
après il apparut après informations qu'il n'y avait eu aucun
voyage et que le récit d'Edgar Poe était un canard journalistique.
La même puissance d'imagination ou plus exactement de réflexion
se manifeste dans le récit de la lettre perdue, dans celui du meurtre
commis à Paris par un orang-outan, dans le récit de la découverte d'un trésor, etc.

On le compare à Hoffmann. Nous avons déjà dit que c'est une erreur. Du reste en tant que poète Hoffmann est infiniment plus grand que Poe. Hoffmann a un idéal qui, à la vérité, n'est parfois pas établi de façon précise mais il y a dans cet idéal une pureté, une beauté réelle, authentique, inhérente à l'homme. Ceci est surtout visible dans ses récits non-fantastiques comme par exemple *Le Maître Martin* ou la nouvelle pleine de grâce et de charme *Salvator Rosa*. Nous ne parlons même pas de sa meilleure œuvre *Le chat Murr*. Quel humour authentique, mûr, quelle puissance de réalité, quelle méchanceté, quels types et quels portraits et à côté de cela quelle soif de beauté, quel idéal radieux ! Mais s'il y a chez Poe du fantastique c'est en quelque sorte un fantastique matériel, si tant est que l'on puisse s'exprimer ainsi. On voit qu'il est parfaitement américain même dans ses œuvres les plus fantastiques.

Pour initier le lecteur à ce talent fantasque nous lui présenterons trois de ses petits récits.

Mallarmé

Avec Baudelaire, Mallarmé a le mieux compris, et le plus nettement imposé l'esthétique d'Edgar Poe, dont il a traduit les poèmes. Mallarmé devait consacrer à Poe, en 1894, l'un de ses plus saisissants *Médaillons et Portraits* :

Edgar Poe personnellement m'apparaît depuis Whistler. Je savais, défi au marbre, ce front, des yeux à une profondeur d'astre nié en seule la distance, une bouche que chaque serpent tordit excepté le rire ; sacrés comme un portrait devant un volume d'œuvres, mais le démon en pied ! sa tragique coquetterie noire, inquiète et discrète : la personne analogue du peintre, à qui le rencontre, dans ce temps, chez nous, jusque par la préciosité de la taille dit un même état de raréfaction américain, vers la beauté. Villiers de l'Isle-Adam, quelques soirs, en redingote, jeune ou suprême, évoqua du geste l'Ombre tout silence. Cependant et

pour l'avouer, toujours, malgré ma confrontation de daguer-
réotypes et de gravures, une piété unique, telle enjoint de me
représenter le pur entre les Esprits, plutôt et de préférence à
quelqu'un, comme un aérolithe; stellaire, de foudre, projeté des
desseins finis humains, très loin de nous contemporainement à qui
il éclata en pierreries d'une couronne pour personne, dans maints
siècles d'ici. Il est cette exception, en effet, et le cas littéraire
absolu. »

VALÉRY

Paul Valéry avait vingt ans lorsque *Eurêka* lui
« tomba sous les yeux » (*Variété I*, 1929). Dans le
grand essai philosophique et scientifique d'Edgar Poe,
le poète français reconnaît ce « pathétique de l'intellect » qui caractérise Lucrèce et Dante, mais dont
la poésie française (du moins jusqu'à Mallarmé) est
dépourvue.

Dans le système de Poe, la *consistance*[1] est à la fois le moyen de
la découverte et la découverte elle-même. C'est là un admirable
dessein.... L'univers est construit sur un plan dont la symétrie
profonde est, en quelque sorte, présente dans l'intime structure
de notre esprit. L'instinct poétique doit nous conduire aveuglément à la vérité[2].

Enfin, dans son *Propos sur le Progrès*, Paul Valéry
souligne un trait fondamental de l'originalité de Poe,
qui marque aussi le génie de Baudelaire et de Kafka :
cet adversaire du *modernisme* est pourtant un écrivain
de la *modernité* :

1. Traduction du terme anglais *consistency*, qui signifie à la fois
cohérence, logique et unité.
2. *Au sujet d'Eurêka*, 1929.

Le même Edgar Poe, qui fut l'un des premiers à désavouer la nouvelle barbarie et la superstition du moderne, est aussi le premier écrivain qui ait songé à introduire dans la production littéraire, dans l'art de former des fictions, et presque dans la poésie, le même esprit d'analyse et de construction calculée dont il déplorait, d'autre part, les entreprises et les forfaits[1].

BACHELARD

A la différence de Baudelaire, de Mallarmé et de Valéry, — mais sans nullement les contredire — Gaston Bachelard a décelé et analysé la nature de l'imagination d'Edgar Poe. Cette imagination est matérielle : à travers les composantes contradictoires de son « Moi », Edgar Poe retrouve la présence et les aspects d'un élément, d'une matière originelle : l'eau, comme d'autres poètes retrouvent l'air ou le feu. Cet élément « hydrique », Edgar Poe lui fait jouer tour à tour le rôle du bien et du mal, de la vie et de la mort, du désir et de la peur. Cependant l'eau qui prédomine dans les contes et les poèmes de Poe est « lourde », étale, lente, lugubre. Une telle eau, dit en substance Bachelard, est la plus profonde, la plus forte expression de la *monotonie géniale* qui caractérise l'écriture d'Edgar Poe. Voici quelques paragraphes de *L'Eau et les Rêves. Essais sur l'imagination de la matière,* éd. J. Corti, 1943 :

Au point de départ : l'amour d'Edgar Poe pour une *eau élémentaire*, eau imaginaire qui réalise l'idéal d'une rêverie créatrice parce qu'elle possède ce que l'on pourrait appeler *l'absolu du reflet*. En effet, il semble, dans certains contes et poèmes, que le

1. Paul Valéry : *Œuvres,* éd. de la Pléiade, t. II.

réel soit plus réel que le réel parce qu'il est plus pur. Comme la vie est un rêve dans un rêve, l'univers est un reflet dans le reflet; l'univers est une *image absolue*.

Poe retrouve l'imagination héraclitéenne qui voyait la mort dans le devenir hydrique.... Dans le sommeil déjà, l'âme, en se détachant des sources du feu vivant et universel, « tendait momentanément à se transformer en humidité ».... Ainsi, dans le seul règne des images : il y a progressivement emprise de l'image de la mort sur l'âme de Poe. Nous croyons apporter une contribution complémentaire à la thèse démontrée par Mme Bonaparte : le souvenir de la mère mourante est actif dans l'œuvre de Poe. Il a une puissance d'assimilation et d'expression singulière....

La gaieté des eaux chez Poe est éphémère.... Les rivières bientôt se taisent. Leurs voix baissent bien vite, progressivement, du murmure au silence. Ce murmure lui-même est comme étranger à l'onde qui le fuit. C'est un fantôme qui souffle tout bas : « De chaque côté de cette rivière au lit vaseux s'étend, à une distance de plusieurs milles, un pâle désert de gigantesques nénuphars. Ils soupirent l'un vers l'autre dans cette solitude, et tendent vers le ciel leurs longs cous de spectres.... Et il sort d'eaux un murmure confus qui ressemble à celui d'un torrent souterrain. » (*Silence : Nouvelles Histoires extraordinaires*).

Enfin, ces lignes extraites de l'introduction de G. Bachelard aux *Aventures d'Arthur Gordon Pym* (Ed. Stock, 1944) :

Parmi les écrivains trop rares qui ont travaillé à la limite de la rêverie et de la pensée objective, dans la région confuse où le rêve se nourrit de formes et de couleurs réelles, où réciproquement la réalité esthétique reçoit son atmosphère onirique, Edgar Poe est l'un des plus profonds et des plus habiles. Par la profondeur du rêve et par l'habileté du récit, il a su concilier dans ses œuvres deux qualités contraires : l'art de l'étrange et l'art de la déduction.

M. Guiomar

Dans son ouvrage *Principes d'une Esthétique de la Mort*
(éd. J. Corti, 1967), Michel Guiomar se réfère souvent
à cet écrivain de la mort qu'est Edgar Poe. Ainsi :

... lorsque nous parlons de sentiment lugubre et de sentiment
funèbre, nous employons plutôt cette dernière expression quand
la mort est réelle et nous atteint personnellement dans notre
affection, tandis que nous réservons l'usage de lugubre pour
quelque vague impression venue du dehors, pour un événement
étranger, pour un simple pressentiment. Le voyageur qui va vers
la *Maison Usher* parle d'« une étendue de pays singulièrement
lugubre » alors que le conte débute et qu'il ne s'est encore rien
passé.

... dans *Le Masque de la Mort Rouge*, Edgar Poe sature jusqu'à
minuit le temps et l'espace des danseurs par le seul rythme des
heures chaque fois plus pesamment sonnées, dans leur perception
inquiète, par l'horloge d'ébène.

Hôtes des caves d'Edgar Poe, le chat est un rôdeur, un silencieux; il est insolite par de tels caractères dans *Le Chat noir*; il
devient lugubre quand son cri « prolongé, sonore et continu, tout
à fait anormal et antihumain » révèle la cachette de la morte.
« Antihumain, mot bien choisi; le Lugubre attaque l'homme;
l'Insolite le fait accéder au surhumain. »

II

CHRONOLOGIE

1806 — Mariage d'Elizabeth Arnold et de David Poe, comédiens.

1809 — *19 janvier.* Naissance d'Edgar Poe, à Boston.

1810 — *10 décembre.* Mort de la mère d'Edgar Poe, à Richmond (Virginie).

1810 — *24 décembre.* Incendie du théâtre de Richmond. Adoption d'Edgar Poe par John Allan, négociant en tabacs.

1815 — Les Allan emmènent Edgar en Grande-Bretagne.

1820 — Retour à Richmond, premières études.

1826 — Entrée d'Edgar Allan Poe à l'université de Virginie.

1827 — Edgar Poe quitte sa famille. Publication, à Boston, de *Tamerlan and other Poems.* Engagement pour cinq ans dans l'armée.

1829 — Le sergent-major « Perry » passe plusieurs mois à Fort Moultrie, dans l'île Sullivan.

1830 — Edgar Poe est admis à West Point. Publication, à Baltimore, du poème *Al Araaf.*

1833 — Expulsé de l'École Militaire, Edgar Poe se réfugie auprès de sa tante Maria Clemm.

1832 — *The Saturday Courier* (Philadelphie) publie *Metzengerstein, A Tale of Jerusalem, The Bargain lost.*

1833 — Edgar Poe remporte le prix de cent dollars offert par *The Baltimore Visiter* avec *Manuscript found in a Bottle*.

1835 — Entre comme rédacteur au *Southern Literary Messenger* (Richmond), où paraîtront *King Pest, Morella, Hans Pfaal*.

1836 — Mariage avec sa cousine Virginia Clemm.

1837 — Il quitte *The Messenger*. Installation à Philadelphie. Rédacteur et critique au *Gentlemen's Magazine*, où paraîtra en 1839 *William Wilson*.

1838 — *The American Museum of Science, Literature and the Arts*, de Baltimore, publie *Ligeia* et, l'année suivante, *The Fall of the House of Usher*. A New York paraît *The Narrative of Arthur Gordon Pym*.

1840 — Les *Tales of the Grotesque and Arabesque* paraissent à Philadelphie.

1841 — Edgar Poe *editor* au *Graham's Magazine* (Philadelphie).

1842 — Rencontre avec Dickens. Discussions sur la nécessité d'un *Copy Right* international.

1843 — Retentissement du *Golden Bug* (*Le Scarabée d'or*), qui paraît à New York dans *The Dollar Newspaper*. Poe collecte des fonds pour créer un périodique littéraire, *The Stylus*. Il fait sensation à New York en lançant la nouvelle d'une traversée de l'Atlantique, en trois jours, par un ballon à hélice. Publication, à Philadelphie, des *Proses Romances of Edgar A. Poe*.

1845 — Gloire d'Edgar Poe après la publication du *Corbeau* dans *The Evening Mirror* (New York). Poe devient l'éphémère propriétaire-éditeur du *Broad-*

way *Journal*. Dettes et misère. Grave crise d'alcoolisme. Maladie de Virginie, dans une masure de la banlieue de New York. Publication de *The Imp of the Perverse* (*Le démon de la perversité*) dans *The Graham's*.

1846 — *The Philosophy of Composition*, dans *The Graham's*.

1847 — Mort de Virginia. Poe accusé de plagiat pour avoir écrit un traité de conchyliologie.

1848 — *Eurêka*. Crises d'alcoolisme et de dépression. Vie sentimentale incohérente. Errances à travers l'Est des États-Unis. Tentative de suicide. Poe commence à être connu en France.

1849 — Conférences sur l'Univers et sur *Le Principe poétique*. Le 3 octobre, Poe est trouvé sans connaissance à Baltimore. Il meurt le 7 octobre.

1850 — Publication, à New York, chez Redfield, de *The Works ot the Late Edgar Poe*, en trois volumes : *Tales, Poems, Marginalia* (études critiques).

1856 — *Histoires extraordinaires*, traduction de Ch. Baudelaire, chez Michel Lévy.

1857 — *Nouvelles Histoires extraordinaires*.

1858 — *Aventures de Gordon Pym* (Ch. Baudelaire).

1864 — *Histoires grotesques et sérieuses*. (Ch. Baudelaire).

1882 — *Contes grotesques* d'Edgar Poe, traduction Émile Hennequin.

1855 — *Œuvres choisies d'E. Poe*, trad. W. L. Hugues. Paris.

1888 — *Derniers Contes d'E. Poe*, trad. F. Rabbe. Paris.

1902 — Publication des *Œuvres complètes* de Poe aux États-Unis (*The Virginia Edition*, en onze volumes).

TABLE

IMPRIMÉ EN FRANCE PAR BRODARD ET TAUPIN
Usine de La Flèche (Sarthe).
LIBRAIRIE GÉNÉRALE FRANÇAISE - 6, rue Pierre-Sarrazin - 75006 Paris.
ISBN : 2 - 253 - 00433 - 2